全国船舶工业职业教育教学指导委员会“十三五”重点规划教材

船 舶 检 验

（第2版）

主 编 龙进军

副主编 王 宏

主 审 刘会议

哈尔滨工程大学出版社
Harbin Engineering University Press

内容简介

本书以船舶与海洋工程类高技能人才培养目标为出发点，围绕高等职业教育的特点，注重教学内容的实用性与时效性。在内容的编写上，以实际工程项目为导向，注重培养学生独立完成实际船舶检验项目的能力。全书共分6个项目，项目1为船舶检验与检验法规体系，项目2为船用材料检验，项目3为船体建造检验，项目4为造船精度管理，项目5为船舶舾装检验，项目6为系泊试验与航行试验。

本教材可作为船舶与海洋工程类高职各专业船舶检验课程教材，也可作为船厂技术培训教材或供有关技术人员参考。

图书在版编目(CIP)数据

船舶检验／龙进军主编. —2版. —哈尔滨：哈尔滨工程大学出版社，2019.7(2024.5重印)
ISBN 978-7-5661-2263-6

Ⅰ.①船… Ⅱ.①龙… Ⅲ.①船舶检验－高等职业教育－教材 Ⅳ.①U692.7

中国版本图书馆CIP数据核字(2019)第141631号

选题策划 史大伟 薛 力
责任编辑 张植朴 刘海霞
封面设计 李海波

出版发行 哈尔滨工程大学出版社
社 址 哈尔滨市南岗区南通大街145号
邮政编码 150001
发行电话 0451-82519328
传 真 0451-82519699
经 销 新华书店
印 刷 哈尔滨午阳印刷有限公司
开 本 787 mm×1 092 mm 1/16
印 张 16.75
字 数 436千字
版 次 2019年7月第2版
印 次 2024年5月第6次印刷
定 价 44.00元
http://www.hrbeupress.com
E-mail:heupress@hrbeu.edu.cn

船舶行指委“十三五”规划教材编委会

前　言

党的二十大报告指出："发展海洋经济，保护海洋生态环境，加快建设海洋强国。"要推动海洋科技实现高水平自立自强，加强原创性、引领性科技攻关。科技是建设海洋强国的第一生产力、人才是第一资源、创新是第一动力，高质量海洋教育体系是海洋科技力量可持续发展和创新要素可持续供给的保障，是源源不断培养造就高素质海洋人才队伍的基础。

船舶建造是一项极其复杂的过程，质量检验工作对船舶的质量与安全及其营运寿命起着至关重要的作用，这就要求造船工程技术人员要掌握扎实的船舶检验知识和技能，不断拓展知识面和掌握新检测技术才能满足船舶行业发展的要求。

为了适应深化职业教育改革的需要，突出职业能力培养的要求，并结合船舶类职业院校的教学特点和培养目标而编写了此教材，本教材适用于高等职业院校船舶工程技术专业和船舶检验专业学生使用，也可供船厂相关专业技术人员参考。

本书由南通航运职业技术学院龙进军担任主编，并编写了项目2、项目5、项目6，渤海船舶职业学院王宏担任副主编，并编写了项目3。南通航运职业技术学院吴灿编写了项目1，烟台职业学院代丽华编写了项目4，南通航运职业技术学院周晓燕编写了项目2部分内容，南通振华重型装备制造有限公司李亚军编写了项目6部分内容。全书由南通中远重工有限公司刘会议副总工程师进行审稿。

由于编者的水平有限，书中有些问题可能考虑不周，疏漏与错误之处恳请读者批评指正。

编　者

目　　录

项目1　船舶检验与检验法规体系

【项目描述】

船舶建造过程是一项极其复杂的过程，为了保证船舶建造质量，通常在船舶建造过程中，船东按照合同的要求对船舶建造实施监督检验，船级社按照规范要求对船舶建造实施入级与法定检验。通过本项目的学习后，相关工程技术人员应达到以下要求：

1. 知识要求

(1)熟悉船舶检验包含的各项内容，熟悉世界主要船级社的业务范围。

(2)掌握船舶规范与规则体系内容。

(3)熟悉船舶制造企业船舶检验内容与检验流程。

2. 能力要求

(1)理解法定检验与船级检验之间的关系。

(2)掌握船舶建造与运营应满足的规范与规则的名称与种类。

(3)掌握船舶建造检验各阶段的内容与要求。

【项目实施】

任务1.1　船舶检验机构及其检验法规体系

1.1.1　背景理论与知识学习

1.1.1.1　船舶检验的历史和概念

在18世纪，英国的海运事业发展很快，但是船舶海损事故连续不断，因此船舶保险业快速兴起，为船舶投保作公正签证的船舶检验业也随之诞生。世界上第一个民间的船级社在英国伦敦的一个劳埃德咖啡馆里成立。在1834年，它与另一个为船东服务的检验组织合并，建立了劳氏船级社(Lloyd's register of shipping)。船级社建立了一套入级规范、标准和船级符号，对申请入级的船舶进行检验后，对符合要求的船舶授予船级符号，签发证书和登入船名录。

海上船舶海损事故的不断发生，也引起很多国家政府的关注，这些国家相继制定了有关保护海上人命、财产和航行安全以及保护所辖海域、港口不受污染的国际公约和法规，并决定按这些法规对船舶进行检验，即所谓的法定检验。检验合格后，按规定签发证书。这些证书是船舶进出港口的依据，受港口监督机构的检查。

世界上一些航运发达的国家均建立了相应的验船机构，根据其职能可分为两大类。一类是政府验船机构，它根据接受的有关国际公约或本国政府制定的各项法律、法令和规则等，对本国所属船舶进行技术监督检验，即法定检验，同时对到达本国港口的船舶进行监督检验，但它不办理船级检验业务。另一类是民间性质的验船机构，统称为船级社。它制定各种船舶规范，对申请船级符号的船舶进行技术检验，即船级检验，它还可承担各种公证检验。

我国法定检验的主管机构为中华人民共和国船舶检验局。中国船级社为被授权悬挂我国国旗的入级船舶执行法定检验的机构。

在20世纪50年代初期，我国的大、中型造船企业都纷纷设立了质量检验部门，从事船舶建造检验工作，并相应地建立了质量体系，配置了理化和无损检验手段。通过几十年来的发展，现在各大、中型船厂都建立了较完善的质量检验体系，该体系也成为企业质量体系的一个组成部分。

1.1.1.2　船舶检验机构

1. 各国船舶检验机构职能

船舶检验机构是指执行船舶技术监督、制定船舶规范和规章、保障船舶具备安全航行技术条件的机构，亦称验船机构或验船部门。各国验船机构的职能不尽相同，一般可有以下三种情况：

(1)只设有政府验船机构，它不仅进行法定检验，而且还进行船级检验和公证检验，具有双重职能。

(2)同时设有政府和民间验船机构，分别进行法定检验和船级检验。

(3)同时设有政府和民间验船机构，但民间验船机构经过本国政府授权后，可以进行部分或全部法定检验工作。

为了协调世界各船级社的规范及检验业务，国际船级社协会(IACS)于1968年成立，截至2018年有正式会员13个：英国、美国、法国、挪威、德国、意大利、日本、俄罗斯、波兰、中国、韩国、印度、克罗地亚。

颁布船舶安全和防污国际公约的国际组织是联合国下属的专业咨询机构——国际海事组织(IMO)。国际海事组织的宗旨和任务主要是促进各国之间的航运技术合作，并在海上安全航行效率和防止及控制船舶造成海上污染方面，鼓励各国采用统一标准；同时，为会员国进行协商及交流提供方便。

中华人民共和国船舶检验局(ZC)于1956年8月1日成立，当时称“中华人民共和国船舶登记局”，1958年更名为“中华人民共和国船舶检验局”。根据1993年2月14日国务院令(第109号)发布的《中华人民共和国船舶和海上设施检验条例》(以下简称《条例》)规定，中华人民共和国船舶检验局是实施各项检验工作的主管机关，负责制定船舶、海上设施、集装箱的检验制度和技术规范，经国务院交通主管部门批准后公布施行。

中国船级社(CCS)于1986年10月1日成立，《条例》规定中国船级社是为社会利益服务的专业技术团体，承办国内外船舶、海上设施和集装箱的入级检验、签证检验和公证检验业务，经中华人民共和国船舶检验局授权，可以代行法定检验。中国船级社是IACS的正式成员，并同17个外国船级社和有关国际船舶检验机构签有技术合作协议。

1998年国务院批准的交通部机构设置中规定，中华人民共和国船舶检验局同中华人民共和国港务监督局合并组建中华人民共和国海事局，为交通部直属机构。其主要负责行使国家水上安全监督管理和防止船舶污染、船舶及海上设置检验、航海保障的管理职权。船舶检验局的职能归属国家海事局，而中国船级社为独立的民间组织。

2. 世界其他主要船级社简介

(1)英国劳氏船级社(LR)

英国劳氏船级社(Lloyd's register of shipping,LR),也译作英国劳埃德船级社,是世界上成立最早的一个船级社,其机构庞大,历史较长,在世界船舶界享有盛名,是国际公认的船舶界权威认证机构,在军工、工程等方面也颇有名气。它主要从事有关船舶标准的制定与出版,进行船舶检验,检定船能,公布造船规则等。随着业务的不断发展和公司的日益壮大,劳氏船级社逐渐涉及多个领域并成立分公司,如劳氏质量认证有限公司,主营 ISO 9001、环境体系认证等相关业务;劳氏工业技术服务有限公司,主营钻井平台检验、工业品检验等;斯堪伯奥科技有限公司,主营核电业务。劳氏还涉及交通运输等众多领域。

(2)美国船级社(ABS)

美国船级社(ABS)成立于 1862 年,属非政府组织,主要致力于为公共利益和客户需求服务,通过开发和验证海洋相关设施的设计、建造和操作标准,保护人命、财产和自然环境的安全。ABS 的业务范围涉及船舶、海洋工程、锅炉及压力容器、石油化工工业、电站动力设施、铁路与港口设施、船用设备与集装箱等检验业务,同时,还开展了围绕着 ISO 9000、14000、18000 等方面的认证工作。

(3)意大利船级社(RINA)

意大利船级社(RINA)1861 年成立于热那亚,至今已有 140 多年的历史,是世界上最老的船级社之一,意大利船级社海上业务有两类:一类是传统的船舶检验业务,即依法对船舶、海洋工程、船用产品进行检验;另一类是现有船状态评估与工业服务业务。服务范围包括:为相关各方(船东、海上保险商、租船者)提供船舶符合性检验,维护海上安全及防止海上污染。此外,意大利船级社还将其在船舶入级方面的技术应用于能源、基础设施、物流、环境评估、工业服务等领域。

(4)法国国际检验局(BV)

法国国际检验局(bureau veritas,BV),成立于 1828 年,总部在巴黎。总部设有六大部门,分别从事船舶检验(此项业务中 BV 也称法国船级社)、进出口商品检验、工业产品检验、集装箱检验、工程监理、体系认证、产品认证及航空航天检验等。

(5)日本船级社(NK)

日本船级社亦称日本海事协会,简称 NK,通称 class NK,成立于 1899 年,是国际上广为人知的国际船级协会成员之一,是日本法律规定的具备公益法人性质的财团法人组织。日本船级社具有一批检验经验丰富的技术人员,主要工作是检查在建船舶以及营运船舶是否符合本协会制定的船舶安全规范要求。它在世界主要港口城市都成立了验船师事务所,构筑了全球性服务网络。

(6)挪威船级社(DNV)与德国劳埃德船级社(GL)

挪威船级社(DNV)成立于 1864 年,总部位于挪威首都奥斯陆,是一个权威、专业、独立的非营利性基金组织。在"保护生命、财产与环境"的宗旨下,DNV 为客户提供全面的风险管理和各类评估认证服务,主要涉及船级服务、认证服务、技术服务等方面。

德国劳埃德船级社(GL)成立于 1867 年,是世界最大、历史最悠久的船级社之一,德国劳氏船级社有着 140 多年的历史,在船舶测试、研究和改善安全等方面处于世界领先地位,为全球船舶业提供各种技术、安全和质量标准服务。近年来,德国劳氏船级社提供的服务不断扩大,不再是一个单纯的船舶船级社,而是发展成一个全球性的运营技术监测机构。

2012 年 12 月 24 日，挪威船级社（DNV）与德国劳埃德船级社（GL）正式宣布合并。新的 DNV－GL 集团总部位于挪威奥斯陆，但船舶入级服务总部位于德国汉堡，DNV 与 GL 将继续独立运行，这将引领世界海事界进入新一轮发展阶段。

3. 船舶检验

船舶检验即验船机构对船舶进行的技术监督检验。其目的是促使船舶具备安全航行的技术条件。船舶检验一般分为船舶制造检验、初次检验、特别检验、定期检验、年度检验、临时检验、船舶入级检验、船用产品检验及其他公证检验等。各种检验的范围和内容在验船机构的有关规定、规则和规程中均有具体规定。

（1）法定检验

法定检验是指按照某国政府的法规及该国政府接受的国际公约的要求，由政府的主管机构、政府授权的船级社或个人执行的检验。法定检验的内容包括：吨位丈量、载重线、构造、救生、消防、航行信号、无线电话与电报等安全方面和防污染方面的检验。这些检验，政府一般均授权给船级社执行，与入级检验一起实施。法定检验也须申请，包括技术鉴定和建造中检验的申请。检验合格后，按规定发放相应的证书。这些证书有效与否，要受船舶进出港口当局的检查与监督。如未持上述有关的证书或证书逾期，则船舶即处于不适航状态，若不进行相应的检验使证书继续有效，就不能从事航行。

以《船舶与海上设施法定检验规则》为例，法定检验包括：

①营运前（初次）检验：与法定证书有关的图纸、资料应送规定的验船机构进行审查（批准/审核），并应符合相应法定要求；验船师检查结构、机械与设备，确保其材料、尺寸、建造和布置与批准的图纸资料及其他技术文件相符，且工艺与安装在各方面均令人满意；验船师编写检验报告和证书，由检验机构签发法定证书。

②营运中检验：营运中检验包括年度检验、中间检验、换证检验、船底外部检验、附加检验。经检验并认为船舶处于良好状态，则应在法定证书上签署或签发新证书。

a. 年度检验：证书检查、船舶及其设备的足够程度的目检及为确定其保持良好状态而做的某些试验；确认对船舶设备没有做过未经认可的变更而进行目检；如果对船舶或其设备状态持有疑点时，则认为有必要进行进一步的检查和试验。

b. 中间检验：对特定证书的有关项目进行检查以确保这些项目都处于良好状态，并且适合船舶所从事的营运业务；当对指定的船体和机械的某些项目进行详细检查时，应在任何可能被船级社应用的循环检验计划中做相应地考虑。

c. 定期检验：对设备的检查及必要时的试验以确保其符合特定证书的相关要求，且设备处于良好状态并适合船舶所从事的营运业务；核查所有证书、记录簿、操作手册及特定证书所要求的其他须知和文件是否都已放置在船上。

d. 换证检验：对结构、机械和设备的检验及必要时的试验，以确保其满足与特定证书有关的要求，且其结构、机械和设备处于良好状态并适合于船舶所从事的营运业务；核查所有证书、记录簿、操作手册及特定证书所要求的其他须知和文件是否都已放置在船上。

e. 船底外部的检验：船体水下部分的壳板及有关项目的检验。检验应能确保其处于良好状态，并适合于船舶所从事的营运业务；通常船舶在干坞内进行船底外部检查，但也可考虑在船舶处于漂浮状态时进行替代检查。对于 15 年及以上船龄的船舶，在进行这样浮态检验之前应予以特殊考虑。只有当条件良好并且具有适当的设备和经适当训练的检验人员时，才能对船舶进行浮态检验。

f. 附加检验:当船舶发生事故时或发现影响船舶安全性、完整性或影响其设备效能配套性的缺陷时,船长或船舶所有人应尽早向负责颁发有关证书的主管机关指定的验船师或被承认的组织提供1份报告,然后由负责颁发有关证书的主管机关、指定的验船师或承认的组织着手调查,以确定按相应证书的条款要求的检验是否必要。该附加检验根据情况可以是总体的或部分的,应确保维修和任何换新已经有效地进行,且船舶及其设备继续适合于船舶所从事的营运业务。

(2)船级检验

船级社根据船舶的用途、技术状况和航行区域不同而授予船舶不同的技术级别,以符号和标志来表示。根据船舶所有人申请的船级,由船级社按有关规范和规则对船舶进行技术检验,并授予相应的船级符号的全部检验工作,统称为船级检验。

船级检验主要是为了船舶所有人的利益。船舶在海上航行时总存在一定的危险性,由自然灾害和意外事故引起船舶、货物和人命的损失是不可能避免的。船舶所有人为了避免由此而产生的经济损失,就要进行船舶保险。而船级则是保险公司接受承保的条件之一,这样保险公司将给予船舶所有人享受较优惠的保险手续和较低的保险费率。在承运货物时,具有船级证书的船舶可取得托运方的信任;在船舶买卖和租赁时,船级亦可作为衡量船舶技术状态的一个标志。有些国家对别国船舶进入其港口和河运时的监督,往往以该船所具有的船级作为一种依据;装运危险品的船舶进入有些国家港口时,只有具有一定的船级才能被予以认可。

船级社依靠声誉而生存,只有依靠不断地证明其公证的信誉度和能力,才能保证顾客对其技术工作的接受。船级社的宗旨决定了其公证和服务的性质。

这里还须特别指出,具有船级的船体和机械设备,所有国家主管机关均看作是满足某些法定检验要求的一种担保。近年来,有的船级社规范也包括法定检验的内容,如新增加稳性、载重线、救生设备、航行安全及无线电通信等法定内容。

船级检验可分为以下几种检验:

①初次入级检验:初次入级检验是指船东按船级社规范的规定,申请某一船级符号和附加标志,船级社按船东入级要求进行审图、检验并签发相应船级证书的全部工作。初次入级检验可分为以下两种。

a. 新建船舶初次入级检验:在船舶开始建造前,应将规定的设计图纸送审,经审查批准后进行建造。验船师参加船舶制造中的各种检验、试验,认为满意后签发船级证书。

b. 现有船舶初次入级检验:一般指未经船级社参加检验而建造的船舶,为换发该船级社规定的船级所进行的检验,通常称为更换船级证书的检验。

②保持船级检验:保持船级检验是指已授予船级的船舶投入营运后,按规定的间隔期及检验内容进行检验,认为满意后签署或换发新的船级证书。

③年度检验:每周年前后3个月内进行,并在船舶证书上签署。船级年度检验与法定检验概念相同。

④特别/换证检验:每5年进行一次,并换发新证书。船舶特别/换证检验与法定检验概念相同。

⑤中间检验:中间检验在建造日期或特别检验日起的第二或第三个周年日前或后3个月内进行。该检验与法定中间检验概念相同。

⑥坞内检验:与法定的船底外部检验相同,但后者范围更广泛。

⑦水下检验:实际上是坞内检验的替代,替代的具体要求见有关规范的规定。

⑧螺旋桨轴与尾艉轴检验:一般为2.5年或5年进行一次。

⑨其他替代检验方法:主要指机电设备的特别检验项目,可采用循环检验、计划保养系统检验、状态监控系统检验。后两者为近几年开展的不同于以往检验制度的检验。

如未进行保持船级的各种检验,或进行了影响船级的修理、改建改装而又未经船级社检验等,船级社有权取消或暂停所授予的船级。

(3)监督检验

船舶监督检验包括船东的监督检验和行政的监督检验。

①船东的监督检验:由船东对船舶进行的监督检验是按合同的规定实施的。检验的依据是合同及其技术协议书,包括对图样和技术文件的审查和确认。检验工作由船东派驻船厂的代表按双方商定的检验项目表实施。船东的检验内容,除了包括上述的入级检验和法定检验的内容之外,还包括合同要求的船舶的经济性、适航性、舒适性、可操作性和可维修性,以及舾装的表面质量,供应品和属具的质量等内容。

②行政的监督检验:行政的监督检验主要是指由政府的技术监督部门和中国船舶工业总公司实施的监督检验。我国船舶检验局对船舶的建造、修理及营运实施政府的技术监督职能。

(4)公正检验

应船舶所有人、承租人、保险人或其他有关方面的申请,船级社派验船师对所申请检验项目进行一种证明存在的实际情况或原因的检验,称公证检验。检验后签发相应的检验报告。公证检验包括:

①起、退租检验:对船舶起租和退租时的船舶技术状况和油水存量等进行的检验。

②索赔检验:对购买的新船及船舶机械设备等,由于其设计、材料、制造工艺不当等造成的损坏,在质量保证期内进行的证明损坏状况的检验,以作为船舶所有人索取赔偿的依据。

③海损检验:对遭受海损的船舶进行确定海损范围、程度、性质、原因及对安全航行的影响程度的检验,以作为海损理赔和裁决的依据之一。这种海损检验包括提出合理和(或)保持船级的修理要求。

④其他公证检验:应卖方或买方(甲方或乙方)的申请,对某项产品证实其性能、试验及制造情况等的检验,以作为买卖双方的证明文件。

⑤质量体系认证:根据申请方申请,按国际标准 ISO 9000 系列《质量管理和质量保证》要求,审核质量体系文件及现场记录,合格后颁发质量体系认证证书。

⑥船舶安全管理体系认证:根据主管机关的授权,按《国际船舶安全营运和防污染管理规则》(ISM)要求,对船舶公司和船舶的安全管理体系进行认证,并颁发符合公司的证明(DOC)和船舶的安全管理证书(SMC)。

(5)法定检验与船级检验的关系

法定检验与船级检验的关系可从检验机构、检验依据、检验证书和检验范围进行比较,从而分析和得出两者之间的关系。

①检验机构:法定检验是由国家的主管机关或由主管机关授权的个人或组织进行;而船级检验是由船级社进行,经主管机关授权,船级社也可以进行部分或全部的法定检验。

②检验依据:法定检验是根据国际公约和国家主管机关颁布的有关法令、规则和规程

等;而船级检验是根据船级社颁布的各种规范。前者一般只是原则性地提出船舶安全方面的规定,而后者比较详细,且包括了有关国际公约的内容。

③检验证书:法定检验后由主管机关签发国际公约或主管机关规定的有关法定证书;而船级检验后,由船级社签发有关的船级证书。

④检验范围:法定检验项目与船级检验项目基本相同。如安全公约规定:船舶营运前检验应包括船舶结构、机器和设备、锅炉及其他受压容器、电气设备、无线电通信设备、救生设备、消防设备等,检验合格后才能签发客船安全证书、货船构造安全证书、货船设备安全证书等。制造船级检验也包括上述内容,检验合格后签发各种船级证书。

如法定检验和船级检验分别由主管机关和船级社进行的话,为避免重复,法定检验只限于签发法定证书的部分有关项目,而船舶结构、主辅机、锅炉及受压容器、泵和管系等则归为船级检验范围。

目前,世界上大多数国家的主管机关均授权船级社承担法定检验工作。

(6)检验依据及证书

①检验依据:法定检验依据是主管机关颁布的法定要求及有关规定,船级检验依据是指船级社颁布的规范及有关技术文件。如国务院颁布的《中华人民共和国船舶和海上设施检验条例》、中国船舶检验局颁布的《船舶和海上设施法定检验规则》及中国船级社颁布的《钢质海船入级规范》等。

②船舶法规与规范体系如下:

a. 船舶规范体系:CCS以入级服务为导向,形成了入级规范、专门规范、指南和计算应用软件等3个层次完整的海船规范体系。

主要海船规范:

◆《钢质海船入级规范》

◆《散装运输危险化学品船舶构造与设备规范》

◆《散装运输液化气体船舶构造与设备规范》

◆《海上高速船入级与建造规范》

◆《沿海小船建造规范》

◆《游艇建造规范》

◆《材料与焊接规范》

b. 船舶法规体系:船舶法规体系由国际法规、国内法规、我国加入的国际公约等组成。

主要船舶法规:

◆《国际航行海船法定检验技术规则》

◆《国内航行海船法定检验技术规则》

◆《起重设备法定检验技术规则》

◆《集装箱法定检验技术规则》

◆《海上移动平台安全规则》

◆《海上浮式装置安全规则》

③证书如下:

a. 法定证书。法定检验合格后,应签发下列有关法定证书(国际航行):

◆货船构造安全证书;

◆货船设备安全证书;

◆货船无线电安全证书；
◆客船安全证书；
◆免除证书；
◆国际吨位证书；
◆国际防止油污证书；
◆防止生活污水污染证书；
◆国际船舶载重线证书；
◆国际船舶载重线免除证书；
◆国际防止散货运输有毒液体物质污染证书；
◆国际散装运输液化气体适装证书；
◆国际散装运输危险化学品适装证书；
◆危险品适装证书；
◆散装固体货物适装证书；
◆海上移动平台安全证书；
◆潜水系统与潜水器安全证书；
◆高速船安全证书；
◆适拖证书；
◆检验合格证书；
◆起重设备检验与试验证书；
◆起重机与起货设备检验簿；
◆双杆检验与试验证书；
◆钢索检验与试验证书；
◆活动零部件海船的法定证书名称与试验证书。

非国际航行海船的法定证书名称，以我国为例，应签发下列法定证书：

◆海上货船适航证书；
◆海上客船适航证书；
◆海上船舶吨位证书；
◆海上船舶防止油污证书；
◆海上船舶防止生活污水污染证书；
◆海上船舶载重线证书；
◆海上船舶乘客定额证书；
◆海上船舶免除证书；
◆海上船舶防止散装运输有毒液体物质污染证书；
◆海上船舶散装运输液化气体适装证书；
◆海上船舶散装运输危险化学品适装证书；
◆海上船舶危险货物适装证书；
◆海上高速船安全证书；
◆海上船舶浮船坞安全证书；
◆海上船舶防止空气污染证书；
◆海上船舶船员舱室设备证书；

◆海上特种用途船安全证书;

◆海上船舶防污底系统证书。

b. 船级证书。船级检验合格后,应签发下列有关船级证书:

◆船体船级证书;

◆轮机船级证书。

③保证证书有效性的条件:船舶持有有效船舶证书后,船东应对船舶进行维修保养,使船舶处于良好的技术状态,适用于预定用途,并按规定申请各种检验。同时,船东应按证书上所限定的航区和条件进行营运和作业。否则,证书即为失效。

④船级及船检证书实例如下:

截至2017年7月,某成品油轮的船级及主要证书。

a. 船级:

★CSA Double Hull Oil Tanker, F. P <60 ℃, ESP, Ice Class B ;

★CSM。

b. 主要证书:

◆国籍证书;

◆国际航行船舶证书;

◆船级证书;

◆国际航行船舶载重线证书;

◆结构安全证书;

◆SOLAS CI/12 要求的免除证书;

◆最低配员证书(SOLAS CV/14.2);

◆船载航行数据记录仪 VDR 证书(SOLAS CV/18.8);

◆船载设备符合性 LRIT 测试证书;

◆国际保安证书 ISSC;

◆设备安全证书;

◆无线电设备证书;

◆建造厂证书;

◆国际海船防止油污染证书 OPP 及 Form A 或 Form B;

◆国际防止生活水污染证书 ISPP;

◆国际防止空气污染证书 IAPP;

◆国际能效管理证书 IEEC;

◆国际防污底系统证书 AFS;

◆国际压载水管理证书 BWMC;

◆救生设备证书;

◆消防设备证书;

◆烟火信号设备证书;

◆罗经校正证书;

◆船上通信电话证书;

◆雾笛证书;

◆货油舱容丈量证书;

◆饮用水证书；
◆船舶油污染应急计划（SOPEP）；
◆燃油污染损害民事责任保险证书 CLC；
◆国际吨位证书 ITC（1969）；
◆航行灯证书；
◆巴拿马运河吨位证书；
◆满足苏伊士运河规则的证书；
◆满足巴拿马运河规则的证书；
◆导航设备证书。

1.1.2　工作任务训练

根据下述船型的技术要求，查阅相关资料和登陆中国船级社网站，列出该型船应满足的规范与规则。根据相关规范写出船级符号和附加标志的含义。

该船为成品油船，载重量约为 12 700 t，主要航区为无限航区，成品油的闪点小于 60 ℃，按 CCS 相关规范要求进行结构设计，结构按 B 级冰区要求加强。该船为单桨，由柴油机驱动，具有连续单甲板、艏楼和艉楼、球尾和球鼻首线型。艉楼甲板以上设有五层甲板室。由艉楼至艏楼的货油舱区域，设有步行天桥。全船设十个货油舱（左右五对）和一对污油水舱，货油舱区域为双底双壳结构，双层底舱和边舱用作压载水舱。

主要尺度：

总长　L_{oa}	134.85 m
设计水线长　L_{wl}	129.00 m
垂线间长　L_{pp}	126.00 m
型宽　B	22.00 m
型深　D	10.60 m
设计吃水　d	7.50 m
结构吃水　d_s	7.80 m

该船欲取得如下船级符号和附加标志：

★CSA Double Hull Oil Tanker, F.P <60 ℃, ESP, Ice Class B

★CSM

任务 1.2　造船企业船舶建造质量检验

1.2.1　相关知识

1.2.1.1　检验在企业的地位与作用

船舶制造对精度和质量的要求都很高，从原材料进厂到成品合格出厂要经过很多道工序，在生产过程中，每一次搬运、每一项操作和每一个管理步骤，都会受到人员、技术和管理等主客观因素的影响，因此，都会不可避免地给船舶产品在形成过程中带来质量的波动，甚至产生不合格品。为了能使这些不合格品从刚产生时就被发现，并立即将其剔除，防止其混入下道工序，造成成品质量出现问题，船厂在采购、生产和安装过程中必须设有质量检验程序。

1.2.1.2 检验的定义

检验就是对产品或服务的一种或多种特性进行测量、检查、试验、计量，并将这些特性与规定的要求进行比较以确定其符合性的活动。

1.2.1.3 质量检验的基本职能

1. 把关的职能

把关是质量检验最基本的职能，也可称为质量保证职能。这种职能是质量检验一出现时就存在的，不管是过去、现在还是生产自动化高度发展的将来，检验的手段和技术可能有所发展和变化，但质量检验的把关作用仍然是不可缺少的。随着生产技术和管理工作的完善化，可以减少检验的工作量，但检验还是要存在的。只有通过检验，实行严格把关，做到不合格的原材料不投产，不合格的半成品不转序，不合格的零部件不组装，不合格的成品不冒充合格品出厂，才能真正保证产品的质量。

2. 预防的职能

现代质量检验区别于传统检验的重要之处，在于现代质量检验不单纯是起把关的作用，同时还要起预防的作用。广义来说，原材料和外购件的入厂检验、前工序的把关检验，对后面的生产过程和下工序的生产，都能起到预防的作用。

(1)通过工序能力的测定和控制图的使用起预防作用

无论是工序能力的测定还是控制图的使用，都需要通过产品检验取得一批或一组数据，进行统计处理后方能实现。这种检验的目的，不是为了判定一批或一组产品是否合格，而是为了计算工序能力的大小和反映生产过程的状态。如发现工序能力不足，或通过控制图表明生产过程出现了异常状态，则要及时采取技术组织措施，提高工序能力或去除生产过程的异常状态，预防不合格品的产生。

(2)通过工序生产时的首检与巡检起预防作用

当一批产品或一个轮班开始加工一批产品时，一般应进行首件检验(首件检验不一定只检查一件)，当首件检验合格并得到认可时，方能正式成批投产。此外，当设备进行修理或重新调整后，也应进行首件检验，其目的都是为了预防大批不合格品。正式成批投产后，为了及时发现生产过程是否发生了变化，有无出现不合格品的可能，还要定期或不定期到工作地去进行巡回抽查(即巡检)，一旦发现问题，就应及时采取措施予以纠正，以预防不合格品的产生。

3. 报告的职能

报告的职能也就是信息反馈的职能。这是为了使领导者和有关质量管理部门及时掌握生产过程中的质量状态，评价和分析质量体系的有效性。为了能做出正确的质量决策，了解产品质量的变化情况及存在的问题，必须把检验结果，特别是计算所得的指标，用报告的形式反馈给领导决策部门和有关管理部门，以便做出正确的判断和采取有效的决策措施。报告的主要内容如下：

①原材料、外购件、外协件进厂验收检验的情况和合格率指标。

②成品出厂检验的合格率、返修率、报废率及相应的金额损失。

③按车间和分小组的平均合格率、返修率、报废率、相应的金额损失及排列图分析。

④产品报废原因的排列图分析。

⑤不合格品的处理情况报告。

⑥重大质量问题的调查、分析和处理报告。

⑦提高产品质量的建议报告。

⑧其他有关报告。

4. 改进的职能

质量检验参与质量改进工作,是充分发挥质量检验、搞好质量把关和预防作用的关键,也是检验部门参与提高产品质量的具体体现。质量检验人员一般都是由具有一定生产经验、业务熟练的工程技术人员或技术工人担任。他们经常工作在生产现场,对生产中影响人、机、物、法、环等因素了解最清楚,质量信息也最灵通。他们比设计、工艺人员了解质量的情况要多一些、深一些,因而在质量改进中能提出更切实可行的建议和措施,这也是质量检验人员的优势所在。特别是设计、工艺、检验和操作人员联合起来搞质量改进,才能加快质量改进的步伐,并取得更好的效果。

1.2.1.4　船厂检验制度

船舶建造是一项极其复杂的过程,为了保证船舶建造质量,通常在船舶的建造过程中,船东会按照合同的要求对建造实施监督,船级社会按照规范要求对建造实施入级与法定检验,因此船厂有责任和义务对船东和船级社进行相应的报验。报验贯穿于船舶建造的整个过程,是船舶建造过程中的重要环节,良好的检验制度能够保证报验项目的顺利通过,对控制造船质量,缩短建造周期有着重要的意义。

船厂的主要检验制度有三检制、签名制、质量复查制、追溯制等。

(1)三检制

三检制就是实行操作者的自检、工人之间的互检和专职检验人员的专检相结合的一种检验制度。

①自检:生产者对自己所生产的产品,按照作业指导书规定的技术标准自行检验,并做出是否合格的判断。这种检验充分体现了生产工人必须对自己生产产品的质量负责。通过自我检验,使生产者了解自己生产的产品在质量上存在的问题,并开动脑筋,寻找出现问题的原因,进而采取改进的措施,这也是工人参与质量管理的重要形式。

②互检:生产工人相互之间进行检验。互检主要有下道工序对上道工序流转过来的产品进行检验、小组质量员或班组长对本小组工人加工出来的产品进行抽检等。这种检验不仅有利于保证加工质量,防止疏忽大意而造成成批废品的出现,而且有利于搞好班组团结,加强工人之间良好的群体关系。

③专检:由专业检验人员进行的检验。专业检验是现代化大生产劳动分工的客观要求,它是互检和自检不能取代的。而且三检制必须以专业检验为主导,这是由于现代生产中,专职检验人员无论对产品的技术要求、工艺知识和检验技能,都比生产工人熟练,所用检测仪器也比较精密,检验结果比较可靠,检验效率也比较高。同时,由于生产工人有严格的生产定额,定额又同奖金挂钩,所以容易产生错检和漏检,有时操作者的情绪也对检验有影响。

(2)签名制

签名制是一种重要的技术责任制,是指在生产过程中,从原材料进厂到成品入库和出厂,每完成一道工序,改变产品的一种状态,包括进行检验和交接、存放和运输,责任者都应该在相关记录文件上签名,以示负责。特别是在成品出厂检验单上,检验员必须签名或加盖印章。操作者签名表示按规定要求完成了这套工序,检验者签名表示该工序达到了规定的质量标准，签名后的记录文件应妥善保存，以便以后参考。

(3)质量复查制

我国有些生产重要产品(特别是军工产品)的企业，为了保证交付产品的质量或参加试验的产品稳妥可靠，不带隐患，在产品检验入库后的出厂前，要请与产品有关的设计、生产、试验及技术部门的人员进行复查。查图纸、技术文件是否有错，查检查结果是否正确，查有关技术或质量问题的处理是否合适。这种做法，对质量体系还不够健全的企业，是十分有效的。

(4)追溯制

在生产过程中，每完成一道工序或一项工作，都要记录其检验结果及存在问题，记录操作者及检验者的姓名、时间、地点及情况分析，在适当的产品部位做出相应的质量状态标志，这些记录与带标志的产品同步流转。产品标志和留名制都是可追溯性的依据，在必要时，都可追溯责任者的姓名、时间和地点。职责分明，查处有据，可以大大加强员工的责任感。产品出厂时还同时附有跟踪卡，随产品一起流通，以便用户将产品在使用时所出现的问题，及时反馈给生产者，这是企业进行质量改进的重要依据。

1.2.1.5 船舶建造检验流程与内容

(1) 船舶建造检验流程

船厂应按《中国造船质量标准》编写对外报验项目表，供船东和船级社确认，然后按照相应的项目进行报验。检验流程参见图1-1。

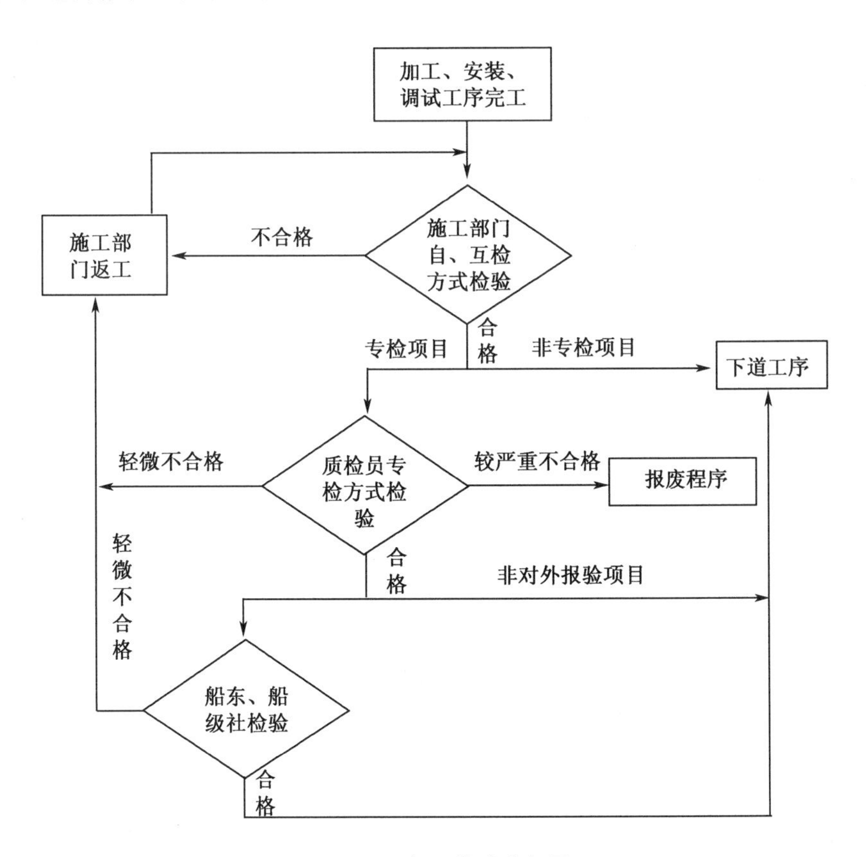

图1-1 船厂检验流程图

(2)船舶建造检验内容

①检验的准备工作:要做好船舶建造质量检验工作,首先要做好检验的准备工作。检验的准备工作一般可分为技术准备和物质准备两个方面。

检验的技术准备工作分资料准备和业务准备两个方面。资料准备就是根据检验对象的要求准备所需的资料,主要有检验所需的文件和依据,如产品图样、工艺文件、各类技术标准、规范、公约、质量评级标准、技术协议、合同和检验程序、计划及指导书等文件。业务准备就是要求检验人员应熟悉船舶建造要求和文件,掌握重点、难点,尤其要注意关键件和重要件的特性,在生产中应用的新原理、新技术、新工艺、新要求和新的检测方法,列出施工人员、操作人员可能会疏忽的问题点,同时对文件中含糊不清之处与编制部门联系,及时予以澄清明确。

物质准备主要包括两个方面内容。一是检验单据、记录表格、卡片和印章的准备工作,二是检验设施、设备和计量器具的准备工作。

②检验工作主要内容:检验就是根据标准来评价某种特性与要求的偏差程度。其目的主要是决定产品是否符合规格,主要内容如下。

a. 明确检验对象的质量要求

检验人员在收到原材料、零部件、分段或某些施工项目等被检对象的检验单后,首先要充分了解被检对象的质量要求和接收准则。

b. 检测

检验员按检验指导书的要求,根据检验计划及被检对象的质量要求,进行质量特性的检查和测试,检验的内容除产品实体外,还包括检查上道工序的验证状态、产品标记和随行文件等有关记录。

c. 比较

把检测所得的质量特性值和特征与质量标准比较,看其是否符合。

d. 判断

根据比较结果,判断被检对象的质量,做出检验结论。

e. 签证和标记

把判断的结果写在检验单或其他随行文件(工艺流程卡)上,并盖上检验员印章及检验日期。按检验标记规定要求,做出检验标记,以标识产品的验证状态。

f. 处理

处理就是对产品做出符合性判断后,对被检对象的处理。对检验结论为“合格”的产品可按检验程序办理入库,转序或交付出厂手续;对检验结论为“不合格”的产品要做出标记,并应予隔离,根据不合格的程度按不合格品控制程序分别进行处理。

g. 记录

在对原材料、零部件和成品的检验过程中,要将检验结果按要求进行记录,以证明其质量状况。

h. 检验报告

质量检验报告是检验部门反映检验结果和产品状况的表格或文件。其中属反映检验结果的,归入质量证明书;属反映产品质量总体状况的,按规定传递和上报,供上级主管部门、企业领导和有关部门参考。

1.2.1.6 船舶建造各阶段的检验过程

(1)原材料及外购件的检验和试验

造船所用的原材料在进厂时必须持有生产厂商出具的《质量证明书》和验船部门出具的检验证书,企业供应部门填写原材料报验单、交质量检验部门后,由专职检验员进行原材料检验。检验员接到报验单后,应及时进行外观和尺度检查,核查产品标记和船级社检验标记。必要时,按规定取样送理化试验室试验或委托外单位试验。检验员应根据检验和试验的结果,做出合格与否的结论。外购设备和零部件进厂时必须持有生产厂商出具的《质量证明书》,属验船部门检验范围的产品,还应检查船检证书和产品上的检验标记,检验员接到报验单后,根据合同、技术协议书、图样,按检验计划进行检验,检验合格的产品经签署合格意见办理入库手续。经检测不合格的外购、外协产品,检验员应提供不合格原因和检测数据。

(2)工序检验

工序检验包括首件检验、巡回检验、按规定项目的检验及半成品完工检验,如分段、舵叶和舱口盖的完工检验。该检验的范围要覆盖全部船舶建造产品。检验合格的产品经签署合格意见办理入库手续或转入下一道工序。经检验不合格的,检验员应提供检测数据,按不合格品处理程序执行。检验后,应按程序、计划的规定,做出检验标记,检验人员应记录检验结果。以船体建造为例,下料作业区以自检和互检为主,检验员不定期抽检;小组、中组和大组作业区对本作业区完工的构件或分段进行自检和互检,自、互检以专用颜色标记表示,自、互检合格后由班组长依据对内对外报验项目填写“产品质量检查验收单”,向检验员提交报验,经检验员签字认可后方可放行;检验员在巡检和专检过程中用黄色标记标注质量缺陷,各作业区应及时进行整改;在报验过程中,如发现作业区自、互检未做好,检验员有权停止报验,发现重大质量问题,检验员以“质量信息反馈单”的形式向相关作业区反馈,各作业区制定整改措施并及时处理,之后重新向质检部门提交。

(3)最终检验和试验

最终检验和试验一般包括船体建造、舱室舾装和机电系统的安装及其完整性检验,以及系泊和航行试验。检验人员接到报验单后,按船舶建造质量标准对各系统进行检验,包括对产品的完整性、清洁度、外观等进行全面的最终检验,并要查阅前面各道检验的记录,以确认是否符合要求和进行最终试验的条件。然后,按试验大纲的要求进行最终试验,验证各系统及整船的效用、性能是否符合设计图纸及各项标准和规范的要求。

(4)生产过程中船东和船级社的检验

根据法规和造船合同的要求,有些原材料、半成品、产品应由质量检验部门向船东或船级社(船检)代表提交验收。检验人员应熟悉经船东确认的检验项目和验船部门发布的入级检验和法定检验规则中所列的检验项目。检验人员对上述范围的检验项目确认检验合格以后,填写向船东和船级社(船检)代表提交检验的通知单,并与船东和船级社(船检)代表共同检验。检验后,船东和船级社(船检)代表应分别签署验收单,作为检验的凭证。对于通过试验的项目,检验人员应将试验记录表或试验报告交船东和船级社(船检)代表签署确认。对于需返工或返修的项目,则在返工或返修后重新提交检验。

1.2.2 工作任务训练

根据图1-2所示的船厂检验流程图,写出船体分段每一检验流程步骤中检验的内容与要求。

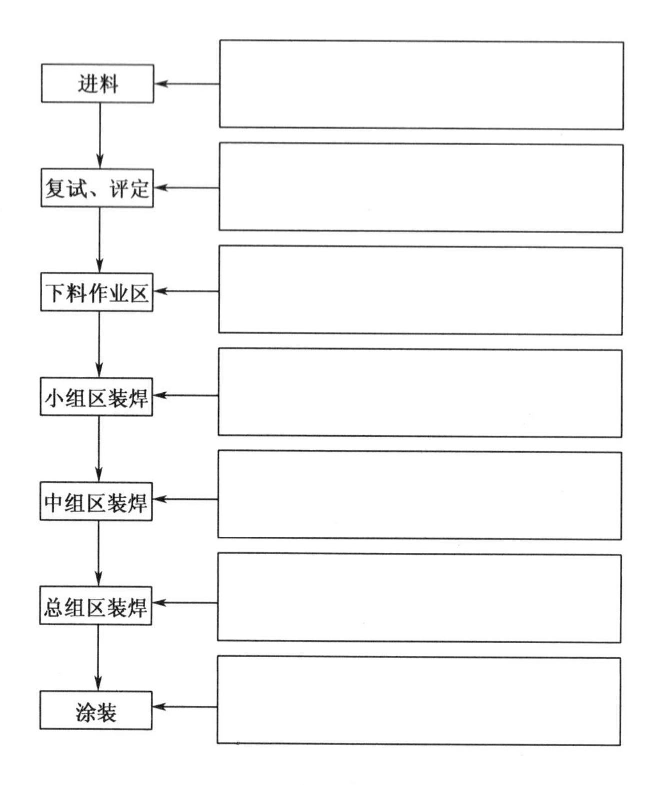

图1-2 船厂检验流程图

【项目习题】

1. 什么是法定检验？什么是船级检验？
2. 法定检验依据有哪些？船级检验依据有哪些？
3. 法定证书有什么作用？船级证书有什么作用？
4. 法定检验与船级检验的关系是什么？
5. 船厂船舶建造质量检验的主要内容是什么？
6. 船厂三检制有哪些内容？
7. 船东代表和船级社(船检)代表驻厂检验内容的侧重点有何不同？

项目2　船用材料检验

【项目描述】

造船用金属材料主要用于制造船舶外壳、船舶结构件和船舶管系及船舶电缆的托架等。在船舶建造过程,造船用金属材料本身的质量对船舶质量的影响非常大,当今世界各国的船级社对入级船舶建造所用材料均提出了严格的要求。因此对建造船舶的金属材料,无论是材料制造商,还是造船厂,都应遵循规范的要求,本项目学习内容以中国船级社(CCS)《材料与焊接规范》为依据。船厂材料检验的内容主要包含三个方面:核查材料的质量证书,外观质量检验和钢印、标志检验,内在质量的复验。

1. 知识要求

(1)熟悉中国船级社(CCS)的《材料与焊接规范》对船用材料的各项规定。

(2)熟悉各种船用材料检验方法。

(3)掌握船用材料检验报告编制方法。

2. 能力要求

(1)能正确查找各类船用材料检验要求。

(2)能正确绘制船用材料检验试样加工图。

(3)能正确判断各类船用材料检验数据是否符合要求。

【项目实施】

任务2.1　金属材料检验

2.1.1　相关知识

2.1.1.1　金属材料的力学性能

金属材料的力学性能是指金属在不同环境因素(温度、介质)下,承受外加载荷作用时所表现的行为。这种行为通常表现为金属的变形和断裂。因此,金属材料的力学性能可以理解为金属抵抗外加载荷引起的变形和断裂的能力。当外加载荷的性质、环境的温度与介质等外在因素不同时,对金属材料力学性能的要求也将不同。常见的力学性能有强度、塑性、硬度、冲击韧性和疲劳等。

1. 强度和塑性

强度是指金属材料在静载荷作用下,抵抗永久变形和断裂的性能。塑性是指金属材料在静载荷作用下,产生塑性变形而不被破坏的能力。伸长率 δ 和断面收缩率 ψ 是表示材料塑性好坏的指标。

金属的强度、刚度、弹性及塑性一般可以通过金属拉伸试验来测定。它是按GB/T 228.1—2010《金属材料拉伸试验第1部分:室温试验方法》的规定,把一定尺寸和形状的金属试样(图2－1)装夹在试验机上,然后对试样逐渐施加拉伸载荷,直至把试样拉断为止。根据试样在拉伸过程中承受的载荷和产生的变形量之间的关系,可测出该金属的拉伸曲线,并由此测定该金属的强度、刚度、弹性及塑性。

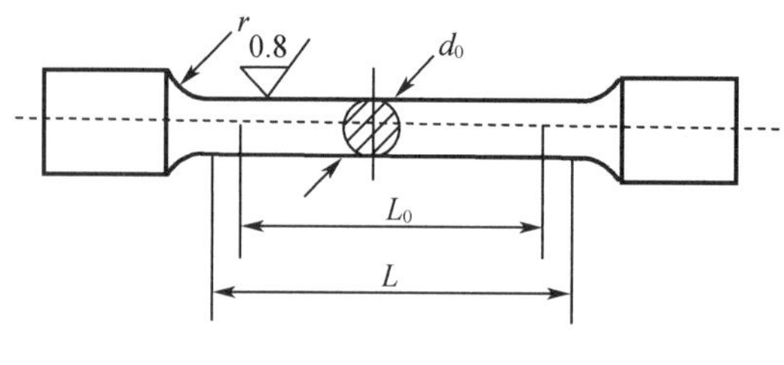

图2－1　金属试样

(1)拉伸曲线

图2－2为低碳钢的拉伸曲线。由图可见,低碳钢试样在拉伸过程中,可分为弹性变形、塑性变形和断裂三个阶段。

当载荷不超过 F_p 时,拉伸曲线 Op 为一条直线,即试样的伸长量与载荷成正比,完全符合虎克定律,试样处于弹性变形阶段。载荷在 $F_p \sim F_e$,试样的伸长量与载荷已不再成正比关系,拉伸曲线不成直线,但试样仍处于弹性变形阶段。

载荷超过 F_e 后,试样开始有塑性变形产生。当载荷达到 F_s 时,试样开始有明显的塑性变形,在拉伸曲线上出现了水平的或锯齿形的线段,这种现象称为"屈服"。

当载荷继续增加到某一最大值 F_b 时,试样的局部截面缩小,产生所谓的"缩颈"现象。由于试样局部截面的逐渐减小,故载荷也逐渐降低,当达到拉伸曲线上 k 点时,试样随即断裂。

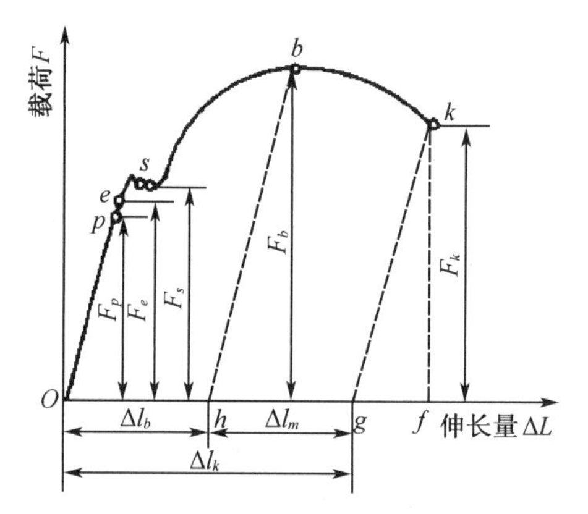

图2－2　低碳钢的拉伸曲线

由拉伸曲线可见,断裂时试样总伸长 Of 中 gf 是弹性变形,$Og(\Delta L_k)$ 是塑性变形。塑性变形中 $Oh(\Delta L_b)$ 是试样产生缩颈前的均匀变形,$hg(\Delta L_u)$ 是颈部的集中变形。

应该指出,低碳钢这类塑性材料在断裂前有明显的塑性变形,这种断裂称为韧性断裂。某些脆性材料(如铸铁等)在尚未产生明显的塑性变形时已断裂,故不仅没有屈服现象,而且也不产生缩颈现象,这种断裂称为脆性断裂。

(2)应力－应变曲线

由于拉伸曲线上的载荷 F 与伸长量 ΔL 不仅与试验的材料性能有关,还与试样的尺寸有关。为了消除试样的影响,须采用应力－应变曲线。

把试样承受的载荷除以试样的原始横截面积 A_0,则得到试样所受的应力 σ,即

$$\sigma = F/A_0 \qquad (2-1)$$

把试样的伸长量 ΔL 除以试样的原始标距 L_0,则得到试样的相对长,即应变 ε 或 δ,即

$$\varepsilon = \Delta L/L_0 \qquad (2-2)$$

以 ε 与 σ 为坐标轴，绘出应力－应变的关系曲线，叫作应力－应变曲线。图 2－3 为低碳钢的应力－应变曲线示意图。应力－应变曲线的形状与拉伸曲线相似，只是坐标与数值不同。但它不受试样尺寸的影响，可以直接看出金属材料的一些力学性能。

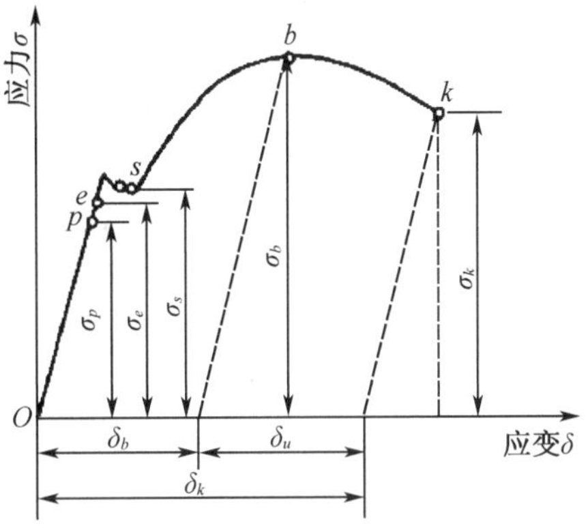

图 2－3　低碳钢的应力－应变曲线

(3)强度

强度是指金属材料在静载荷作用下，抵抗永久变形和断裂的性能。由于载荷的作用方式有拉伸、压缩、弯曲、剪切等形式，所以强度也分为抗拉强度、抗压强度、抗弯强度、抗剪强度等。由图 2－3 所示的应力－应变曲线，可确定材料的下列强度指标。

①屈服点与屈服强度

屈服点 σ_s 和屈服强度 $\sigma_{0.2}$ 是材料开始产生明显塑性变形时的最低应力值，即

$$\sigma_s = F_s / A_0 \tag{2-3}$$

式中　F_s——试样发生屈服时的载荷，即屈服载荷；

A_0——试样的原始横截面积。

工业上使用的某些金属材料(如高碳钢和某些经热处理后的钢等)，在拉伸试验中没有明显的屈服现象发生，故无法确定其屈服点 σ_s。按 GB/T 228.1—2010 规定，可用屈服强度 $\sigma_{0.2}$ 表示该材料开始产生明显塑性变形时的最低应力值。屈服强度为试样标距部分产生 0.2% 残余伸长时的应力值，即

$$\sigma_{0.2} = F_{0.2} / A_0 \tag{2-4}$$

式中　$F_{0.2}$——试样标距产生 0.2% 残余伸长时的载荷；

A_0——试样的原始横截面积。

②抗拉强度

由应力－应变曲线可见，抗拉强度 σ_b 是表示塑性材料抵抗大量均匀塑性变形的能力。脆性材料在拉伸过程中，一般不产生缩颈现象，因此，抗拉强度 σ_b 就是材料的断裂强度，它是表示材料抵抗断裂的能力。抗拉强度是零件设计时的重要依据，同时也是评定金属材料强度的重要指标之一。

(4)塑性

塑性是指金属材料在静载荷作用下，产生塑性变形而不被破坏的能力。伸长率 δ 和断面收缩率 ψ 是表示材料塑性好坏的指标。

伸长率是指试样拉断后标距增长量与原始标距之比，即

$$\delta = \frac{L_k - L_0}{L_0} \times 100\% \tag{2-5}$$

式中　L_k——试样断裂后的标距；

L_0——试样原始标距。

材料的伸长率是随标距的增加而减小的。所以同一材料的短试样要比长试样所测得的伸长率大 20% 左右，对局部集中变形特别明显的材料，甚至可大到 50%。因此，用长、短两种试样求得伸长率应分别以 δ_{10}(或 δ)和 δ_5 表明。

断面收缩率是指试样断裂处横截面积的缩减量与原始横截面积之比，即

$$\psi = \frac{A_0 - A_a}{A_k} \times 100\% \tag{2-6}$$

式中 A_K——试样的原始横截面面积；

A_0——试样断裂处的最小横截面面积。

虽然塑性指标通常不直接用于工程设计计算，但任何零件都要求材料具有一定塑性。因为零件使用过程中，偶然过载时，由于能发生一定的塑性变形而不至于突然脆断。同时，塑性变形还有缓和应力集中的作用，在一定程度上保证了零件的工作安全。此外，各种成型加工（如锻压、轧制、冷冲压等）都要求材料具有一定的塑性。

2. 硬度

硬度是衡量金属材料软硬程度的指标。目前生产中，测定硬度方法最常用的是压入硬度法，它是用一定几何形状的压头，在一定载荷下，压入金属材料表面，压入程度越大，则材料的硬度值越低；反之，硬度值就越高。因此，压入法所表示的硬度是指材料表面抵抗更硬物体压入的能力。

硬度试验设备简单，操作迅速方便，可直接在零件或工具上进行试验而不破坏工件，并且还可根据测得的硬度值估计出材料的近似抗拉强度和耐磨性（耐磨性是指材料抵抗磨损的能力）。此外，硬度与材料的冷成型性、切削加工性、可焊性等工艺性能间也存在着一定联系，可作为选择加工工艺时的参考。由于以上原因，所以硬度试验在实际生产中作为产品质量检验、制定合理加工工艺的最常用的重要实验方法。在产品设计图样的技术条件中，硬度也是一项主要技术指标。测定硬度的方法很多，生产中应用较多的有布氏硬度、洛氏硬度和维氏硬度等实验方法。

（1）布氏硬度

布氏硬度试验法是用一直径为 D 的淬火钢球或硬质合金球，在规定载荷 F 的作用下压入被测试金属的表面（图 2-4），停留一定时间后卸除载荷，测量被测试金属表面上所形成的压痕直径 d，由此计算压痕的球缺面积 S，然后再求出压痕的单位面积所承受的平均压力 F/S，由此作为测试金属的布氏硬度值。

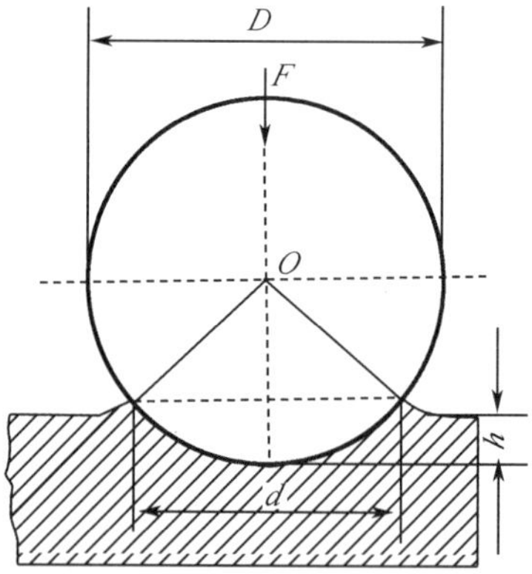

D
F
O
h
d

图 2-4 布氏硬度试验原理示意图

当压头为淬火钢球时，硬度符号为 HBS，适用于布氏硬度值低于 450 的金属材料；当压头为硬质合金球时，硬度符号为 HBW，适用于布氏硬度值为 450～650 的金属材料。当载荷 F 的单位为 N 时，

$$\text{HBS（或 HBW）} = F/S = 0.102\frac{2F}{\pi D(D - \sqrt{D^2 - d^2})} \tag{2-7}$$

式中球体直径 D 与压痕直径 d 的单位为 mm，因此布氏硬度的单位为 N/mm^2，但习惯上只写明硬度的数值而不标出单位。一般硬度符号为 HBS 或 HBW，前面的数值为硬度值，符号后面的数值依次表示球体直径、载荷大小及载荷保持时间（保持时间为 10～15 s 时不标注）。例如，120HBS10/1000/30 表示用直径 10 mm 钢球，在 9 806.65 N 载荷作用下保持 30 s，测得的布氏硬度值为 120；500HBW/750 表示用直径 5 mm 硬质合金球，在 735 N 载荷

作用下保持10～15 s,测得的布氏硬度为500。

在实际测试时,硬度值不须用式(2－7)计算,一般用刻度放大镜测出压痕直径 d,然后根据 d 值查表,即可求得所测的硬度值。

布氏硬度试验法因压痕面积较大,能反映出较大范围内被测试金属的平均硬度,故试验结果较精确。但因压痕较大,不宜测试成品或薄片金属的硬度。

(2)洛氏硬度

洛氏硬度试验法是目前工厂中应用最广泛的试验法。它是用一个锥顶角120°的金刚石圆锥体或一定直径的钢球为压头,在规定载荷作用下压入被测金属表面,由压头在金属表面所形成的压痕深度来确定其硬度值。

图2－5为金刚石圆锥压头的洛氏硬度试验原理示意图。图中0－0为圆锥压头的初始位置;1－1为在初载荷98.07 N作用下,压头压入深度为 h_1 时的位置,加初载荷的目的是使压头与表面紧密接触,避免由于试样表面不平整而影响试验结果的精确性;2－2为在总载荷(初载荷＋主载荷)作用下,压头压入深度为 h_2 时的位置;3－3为卸除主载荷后,由于被测试金属弹性变形恢复,而使压头略为提高时的位置,这时,压头实际压入试样的深度为 h_3。

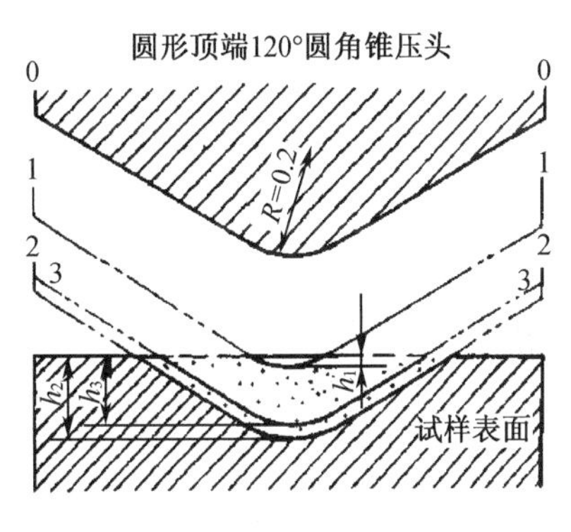

图2－5 洛氏硬度试验原理示意图

所以由主载荷引起的塑性变形而产生的压痕深度增量 $h = h_3 - h_1$,以此来衡量被测试金属的硬度。显然,h 越大时,被测试金属的硬度越低;反之,则越高。为了照顾习惯上数值越大、硬度越高的概念,故采用一个常数 k 减去 h 来表示硬度大小,并用每0.002 mm的压痕深度为一个硬度单位,由此获得的硬度值称为洛氏硬度值,用符号HR表示,即

$$\mathrm{HR} = (k - h)/0.002 \qquad (2-8)$$

式中 k 为常数,用金刚石圆锥体压头时,k＝0.2 mm;用钢球作压头时,k＝0.26 mm。

为了能用同一硬度计测定从极软到极硬材料的硬度,可采用不同的压头和载荷组成几种不同的洛氏硬度标尺,其中最常用的是A、B、C三种标尺,表2－1为这三种标尺的试验条件和应用范围。

表2－1 常用洛氏硬度标尺的试验条件和应用

标尺	硬度符号	所用压头	总载荷/N(kgf①)	测量范围②HR	应用范围
A	HRA	金刚石圆锥	588.4(60)	20～88	碳化物、硬质合金、淬火工具钢、浅层表面硬化钢
B	HRB	1/16"(φ1.588 mm)钢球	980.7(100)	20～100	软钢、铜合金、铝合金、可锻铸铁
C	HRC	金刚石圆锥	1471(150)	20～70	淬火钢、调质钢、深层表面硬化钢

注:①1 kgf＝9.8 N。

②HRA、HRC所用刻度盘满刻度为100,HRB为130。

洛氏硬度值为一无名数,它置于符号 HR 的前面,HR 后面为使用的标尺。例如,50HRC 表示用 C 标尺测定的洛氏硬度值为 50。在试验时,硬度值一般均由硬度计的刻度盘上直接读出。

洛氏硬度试验法的优点是操作迅速简便,由于压痕较小,故可在工件表面或较薄的金属上进行试验。同时,采用不同标尺可测出从极软到极硬材料的硬度。其缺点是因压痕较小,对组织比较粗大且不均匀的材料,测得的硬度不够准确。

(3)维氏硬度

洛氏硬度试验虽可采用不同的标尺来测定由极软到极硬金属材料的硬度,但不同标尺的硬度值间没有简单的换算关系,使用上很不方便。为了能在同一种硬度标尺上,测定由极软到极硬金属材料的硬度值,特制定了维氏硬度试验法。

维氏硬度的试验原理基本上和布氏硬度试验相同。图 2-6 为维氏硬度试验原理示意图,它是用一个相对面夹角为 136°的金刚石正四棱锥体压头,在规定载荷 F 作用下压入被测试金属表面,保持一段时间后卸除载荷。然后再测量压痕投影的两对角线的平均长度 d,进而计算出压痕的表面积 S,最后求出压痕表面积上平均压力 F/S,以此作为被测试金属的硬度值,称为维氏硬度,用符号 HV 表示。

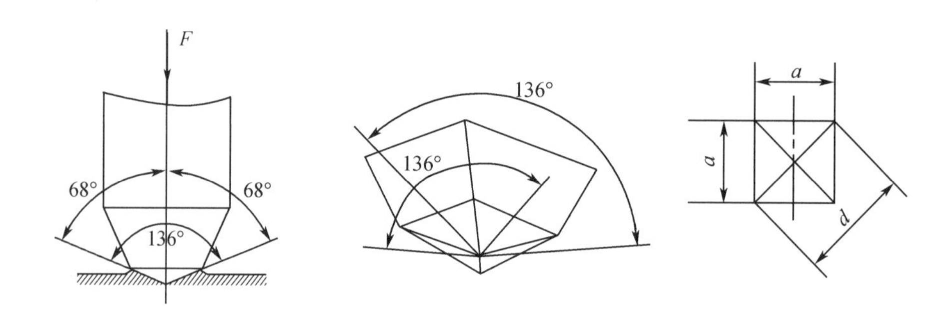

图 2-6 维氏硬度试验原理示意图

当载荷 F 的单位为 N 时维氏硬度值应为,

$$HV = F/S = \frac{\frac{F}{d^2}}{2\sin 68} = 0.189\,1F/d^2 \qquad (2-9)$$

式中两对角线的平均长度 d 的单位用 mm。与布氏硬度值一样,习惯上也只写出其硬度数值而不标出单位。在硬度符号 HV 之前的数值为硬度值,HV 后面的数值依次表示载荷(单位为 N)和载荷保持时间(保持时间为 10~15 s 时不标注)。例如,640HV30 表示在 30 kgf(294 N)载荷作用下,保持 10~15 s 测得的维氏硬度为 640。

在实际测试时,硬度值并不需要用式(2-9)计算,一般是用装在机体上的测量显微镜,测出压痕投影的两对角线的平均长度 d,然后根据 d 的大小查 GB/T 4340.1—2009《金属材料维氏硬度试验第 1 部分:试验方法》附表求得所测的硬度值。维氏硬度试验法的优点是试验时所加载荷小,压入深度浅,故适用于测试零件表面淬硬层及化学热处理的表面层(如渗碳层、渗氮层等);同时,维氏硬度是一个连续一致的标尺,试验时载荷可任意选择,而不影响其硬度值的大小,因此可测定从极软到极硬的各种金属材料的硬度。维氏硬度试验法的缺点是其硬度值的测定较麻烦,工作效率不如洛氏硬度试验法高。

由于各种硬度试验的条件不同，因此相互间没有理论的换算关系。但根据试验结果，可获得粗略换算公式如下：

当硬度在200～600HBS（或HBW）时　HRC≈1/10 HBS（或HBW）

当硬度小于450HBS时　HBS≈HV

3.冲击韧性

以很大速度作用于工件上的载荷称为冲击载荷。由于冲击载荷的加载速度高，作用时间短，使金属在受冲击时，应力分布与变形很不均匀。故对承受冲击载荷的零件来说，仅具有足够的静载荷强度指标是不够的，还必须具有足够抵抗冲击载荷的能力。

金属材料在冲击载荷作用下，抵抗破坏的能力叫作冲击韧性。为了评定金属材料的冲击韧性，须进行一次冲击试验。一次冲击试验是一种动载荷试验，它包括冲击弯曲、冲击拉伸、冲击扭转等试验方法。下面将介绍其中应用最普遍的一次冲击弯曲试验。

（1）冲击试验方法

一次冲击弯曲试验通常是在摆锤式冲击试验机上进行的。为了使试验结果能相互比较，所用试样必须标准化。按GB/T 229—2007《金属材料夏比摆锤冲击试验方法》规定，冲击试验标准试样有夏比U形缺口试样和夏比V形缺口试样两种。

试验时，将试样放在试验机两支座上（图2－7），把质量为G的摆锤抬到H高度（图2－8），使摆锤具有位能GHg（g为重力加速度）。然后释放摆锤，将试样冲断，并向另一方向升高到h高度，这时摆锤具有位能为Ghg。故摆锤冲断试样失去的位能为$GHg-Ghg$，这就是试样变形和断裂所消耗的功，称为冲击吸收功A_K，即

$$A_K = Gg(H-h)$$

根据两种试样缺口形状不同，冲击吸收功分别用A_{ku}和A_{kv}表示，单位为焦耳（J）。冲击吸收功的值可从试验机的刻度盘上直接读得。

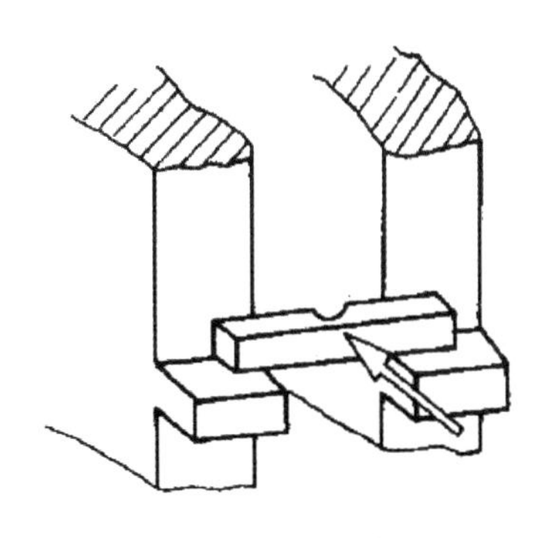
图2－7　试样安放位置

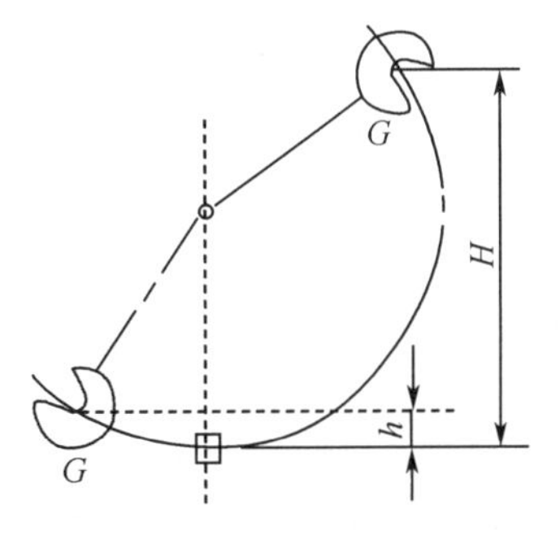

图2－8　冲击试验原理图

一般把冲击吸收功值低的材料称为脆性材料，值高的材料称为韧性材料。脆性材料在断裂前无明显的塑性变形，断口较平整，呈晶状或瓷状，有金属光泽；韧性材料在断裂前有明显的塑性变形，断口呈纤维状，无光泽。

（2）冲击试验的应用

冲击试验主要用途是揭示材料的变脆倾向，其具体用途如下。

①评定材料的低温变脆倾向

有些材料在室温20 ℃左右试验时并不显示脆性，而在低温下则可能发生脆断，这一现

象称为冷脆现象。为了测定金属材料开始发生这种冷脆现象的温度,应在不同温度下进行系列冲击试验,测出该材料的冲击吸收功与温度间的关系曲线(图 2-9)。

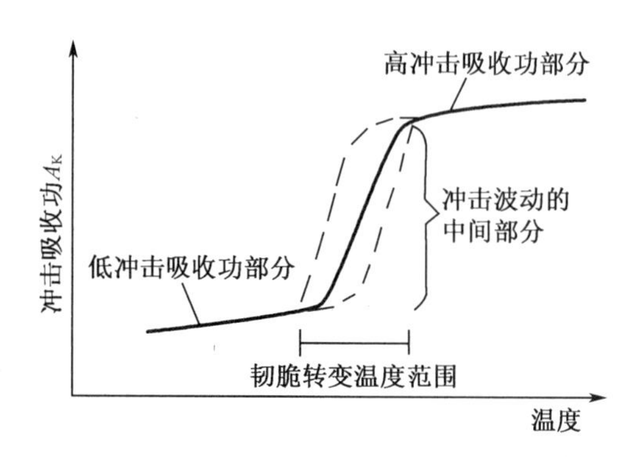

图 2-9　冲击吸收功-温度曲线示意图

由图 2-9 可见,冲击吸收功随温度的降低而减小,当试验温度降低到某一温度范围时,其冲击吸收功急剧降低,使试样的断口由韧性断口过渡为脆性断口。因此,这个温度范围称为韧脆转变温度范围。在此温度范围内,通常可根据有关标准或双方协议,确定某一温度为该材料的韧脆转变温度。

韧脆转变温度是金属材料质量指标之一。韧脆转变温度越低,材料的低温冲击性能就越好。这对在寒冷地区和低温下工作的机械和工程结构(如运输机械、地面建筑、输送管道等)尤为重要,由于它们的工作环境温度可能在 -50 ~ +50 ℃变化,所以必须具有更低的韧脆转变温度,才能保证工作的正常进行。

②反映原材料的冶金质量和热加工产品质量

冲击吸收功对金属材料内部结构、缺陷等有较大的敏感性,很容易揭示出材料中某些物理现象,如晶粒粗化、冷脆、回火脆性及夹渣、气泡、偏析等。故目前常用冲击试验来检验冶炼、热处理及各种热加工工艺和产品的质量。

4. 疲劳

(1)疲劳现象

工程中有许多零件,如发动机曲轴、齿轮、弹簧及滚动轴承等都是在变动载荷下工作的。根据变动载荷的作用方式不同,零件承受的应力可分为交变应力与重复应力两种,如图 2-10 所示,承受交变应力或重复应力的零件,在工作过程中,往往在工作应力低于其屈服强度的情况下发生断裂,这种现象称为疲劳断裂。疲劳断裂与在静载荷作用下的断裂不同,不管是脆性材料还是韧性材料,疲劳断裂都是突然发生的,事先均无明显塑性变形的预兆,很难事先觉察到,属低应力脆断,故具有很大的危险性。

产生疲劳断裂的原因,一般认为是在零件应力高度集中或材料本身强度较低的部位,例如原有裂纹、软点、脱碳、夹杂、刀痕等缺陷处,在交变或重复应力的反复作用下产生了疲劳裂纹,并随着应力的循环周次的增加,疲劳裂纹不断扩展,使零件承受载荷的有效面积不断减小,最后当减小到不能承受外加载荷的作用时,零件即发生突然断裂。因此,零件的疲劳失效过程可分为疲劳裂纹产生、疲劳裂纹扩展和瞬时断裂三个阶段。

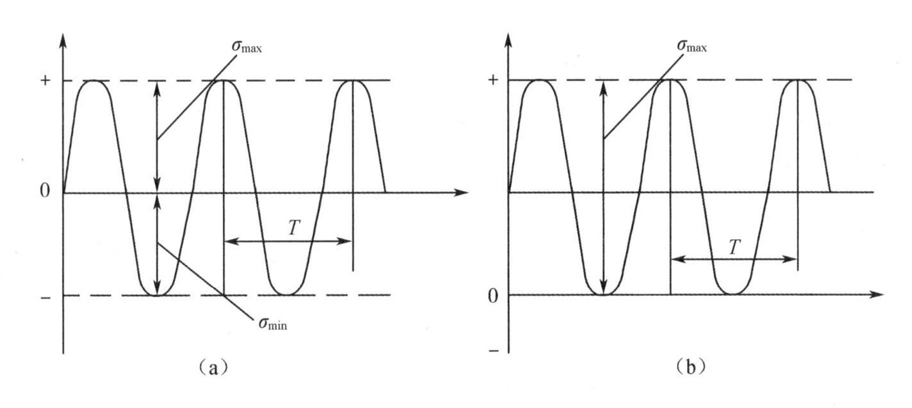

图 2-10 交变应力与重复应力示意图

(a)交变应力;(b)重复应力

(2)疲劳曲线与疲劳极限

大量试验证明,金属材料所受的最大交变应力 σ_{max} 越大,则断裂前所经受的循环周次(定义为疲劳寿命)越少,如图 2-11所示。这种交变应力 σ_{max} 与循环周次 N 的关系曲线称为疲劳曲线,或称为 $S-N$ 曲线。

一般钢铁材料的 $S-N$ 曲线属于图 2-11中曲线 1 的形式。其特征是当循环应力小于某一数值时,循环周次可以很大,甚至无限大,而试样仍不发生疲劳断裂,这就是试样不发生断裂的最大循环应力,该应力值称为疲劳极限。光滑试样的对称、循环、旋转、弯曲的疲劳极限用 σ_{-1} 表示。按GB/T 4337—2015《金属材料疲劳试验旋转弯度方法》规定,一般钢铁材料取循环周次为 10^7 次时,能承受的最大循环应力为疲劳极限。

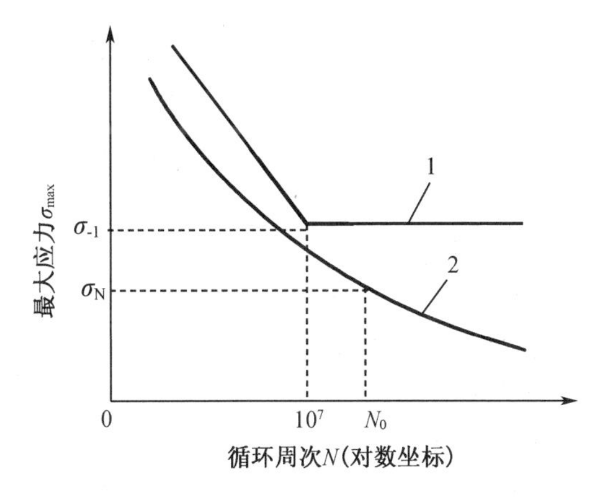

图 2-11 疲劳曲线($S-N$ 曲线)示意图

1——一般钢铁材料;2—有色金属、高强度钢等

一般有色金属、高强度钢及腐蚀介质作用下的钢铁材料的 $S-N$ 曲线属于图 2-11中曲线 2 的形式,其特征是循环周次 N 随所受应力 σ 的降低而增加,不存在曲线 1 所示的水平线段。因此,对具有如曲线 2 所示特征的金属,要根据零件的工作条件和使用寿命,规定一个疲劳极限循环基数 N_0,并以循环基数 N_0 所对应的应力作为“条件疲劳极限”,以 $\sigma_r(N_0)$ 表示。一般规定:有色金属 N_0 取 10^8 次,腐蚀介质作用下的 N_0 取 10^6 次。

(3)提高疲劳极限的途径

由于金属疲劳极限与抗拉强度的测定方法不同,故它们之间没有确定的定量关系。但经验证明,在其他条件相同的情况下,材料抗拉强度高时,其疲劳极限也高。当钢材抗拉强度 σ_b <1 400 MPa 时,σ_{-1} 与 σ_b 之比(称疲劳比)为 0.4 ~0.6。因此,零件的失效形式中,约有 80% 是由于疲劳断裂所造成的。为了防止疲劳断裂的产生,必须设法提高零件的疲劳极限。疲劳极限除与选用材料的本性有关外,还可通过以下途径来提高零件的疲劳极限:

①在零件结构设计方面尽量避免尖角、缺口和截面突变,以免应力集中及由此引起的

疲劳裂纹；

②降低零件表面粗糙度，提高表面加工质量，尽量减少能成为疲劳源的表面缺陷（氧化、脱碳、裂纹、夹杂等）和表面损伤（刀痕、擦伤、生锈等）；

③采用各种表面强化处理，如化学热处理、表面淬火和喷丸、滚压等表面冷塑性变形加工，不仅可提高零件表层的疲劳极限，还可获得有益的表层残余压应力，以抵消或降低产生疲劳裂纹的拉应力。图2－12为表面强化处理提高疲劳极限示意图。图中两根虚线分别表示外加载荷引起的拉应力的表面强化产生的残余应力。这两类应力的合成应力用箭头表示，实线为材料及其表面强化层的疲劳极限。由此可见，由于表层的疲劳极限提高，以及表层残余压应力使表层的合成应力降低，其结果为合成应力低于疲劳极限，故不会发生疲劳断裂。

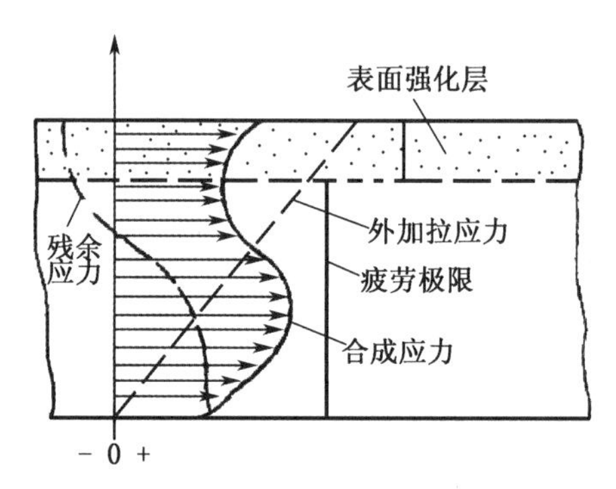

图2－12　表面强化处理提高疲劳极限示意图

5.《材料与焊接规范》对造船材料检验的基本规定

（1）钢质海船船体、锅炉、压力容器和机械等所用材料的生产、试验和检验应符合船级社规范规定。船级社规范一般对材料规定了化学成分、力学性能指标、厚度公差、试验方法和缺陷的修整等。

（2）造船材料必须是船级社认可的工厂生产的。

（3）所有经船级社认可或检验合格的材料应具有船级社的印记。凡不具有船级社印记的材料，未经船级社同意，不得装船使用。

（4）船级社对造船材料的等级做出了规定，并列举于规范中。例如中国船级社对一般强度船体结构钢分为A、B、D、E四个等级；高强度船体结构用钢按其最小屈服强度划分强度级别，每一强度级别又按其冲击韧性的不同分为A、D、E、F四个等级，CCS《材料与焊接规范》规定适用于厚度不超过100 mm的AH32、DH32、EH32、FH32、AH36、DH36、EH36、FH36、AH40、DH40、EH40、和FH40等级的钢板和宽扁钢及厚度不大于50 mm的型钢和棒材。对于规范中未列出的材料品种，其化学成分、力学性能和试验方法，可按有关的国家标准或经船级社认可的其他标准验收。

（5）凡经船级社认可或检验合格的船用材料，除了应具有船级社印记外，还要有船级社颁发的或由验船师（或验船师代理人）签署的材料所生产的产品合格证书，以证明其材料符合规范要求。

（6）船用材料在造船厂的加工、切削或制作过程中，若发现并证实其不符合要求，则即使该材料事先持有合格证书，也应作为不合格品处置。

2.1.1.2 材料入库检验的程序和内容

1.材料入库检验的程序

(1)物资供应部门填写材料及入库检验申请单,向质量检验部门报检。

(2)质量检验部门按入库检验申请单注明的内容,检查材料的包装和标志,材料的编号、品种、规格、数量与材料质量证明书等有关证件、资料的一致性。

(3)核对材料质量证明书的内容是否填写齐全,核查化学成分和力学性能的原始记录是否符合有关规范的规定,核查是否具有船级社的认可证书。对完整的材料质量证明书,应归档备查。

(4)凡经船级社认可的造船材料,其化学成分和力学性能一般不再另行复检,下列情况应予复检。

①材料钢印标记不清楚、证书中数据不清楚或对材料质量有疑问时,应对材料进行部分项目或全部项目复检;

②按合同技术文件规定必须复检的项目;

③船东或验船师要求复检的项目。对所检验的材料做出的检验结论,如合格,应在材料上及材质证书的相应位置处做出合格识别标记,并对这些材料给予检验合格编号,作为生产过程中质量追溯的依据;对检验不合格的材料做出明显标记,并通知物资供应部门进行处理。

2.材料检验的内容

(1)外观质量检验

检验材料表面质量和尺寸规格。材料上轻微的缺陷可以用机械方法去除,在适当条件下,也可允许采用焊接方法修整缺陷。当发现材料有严重的外表缺陷或尺寸规格严重超差时,即可判定材料不合格。

(2)化学分析检验

①材料检验的化学分析结果应符合有关船级社的规范或经船级社认可的其他有关标准的规定。

②钢材材料的化学分析采用成品分析,即在成品钢材(包括钢坯)上采取试样,然后对其进行的化学分析。

③成品化学成分取样,用于钢的化学成分试样,必须在钢材具有代表性的部位采取。试样应均匀一致,能充分代表每一熔炼号(或每一罐)或每批钢材的化学成分,并应具有足够的数量,以满足全部分析要求。化学分析用试样样屑,可以钻取、刨取,或用某些工具制取。样屑应粉碎并混合均匀,制取样屑时,不能用水、油或其他润滑剂,并应去除表面氧化铁皮和脏物。成品钢材还应除去脱碳层、渗碳层、涂层、镀层金属或其他外来物质。

④成品化学成分允许偏差

成品分析的数值可能超出标准规定的成分范围,对超出的范围规定一个允许的数值,就是成品化学成分允许偏差。成品化学成分允许偏差值可按照船级社同意的标准执行,也可参照我国国家标准 GB 222 -84《钢的化学分析用试样取样法及成品化学成分允许偏差》执行,如表2-2所示,适用于普通碳素钢和低合金钢。应用表时应注意:成品分析所得的值,不能超过规定化学成分范围的上限加上偏差,也不能低于规定化学成分范围的下限减下偏差。同一熔炼号的成品分析,同一元素只允许有单向偏差,不能同时出现上偏差和下偏差。

表 2－2　钢的成品化学成分允许偏差

元素	规定的化学成分/%	允许的偏差/%	
		上偏差	下偏差
C		0.03 * 0.02 *	0.02
Mn	≤0.80 >0.80	0.05 0.10	0.03 0.08
Si	≤0.35 >0.35	0.03 0.05	0.03 0.05
S	≤0.050	0.005	
P	≤0.050 规定范围时： 0.05～0.15	0.005 0.01	0.01
V	≤0.20	0.02	0.01
Ti	≤0.20	0.02	0.02
Nb	0.015～0.050	0.005	0.005
Cu	≤0.40	0.05	0.05
Pb	0.15～0.35	0.03	0.03

3.力学性能试验

(1)拉伸试验

根据中国船级社(CCS)《材料与焊接规范》规定，船用金属材料的抗拉强度、屈服强度、伸长率及断面收缩率等力学性能应由拉伸试验测定。

①拉伸试样

拉伸试样的形状和尺寸应符合表 2－3 的规定。试样的端部可加工成适于试验机夹持的形状。

表 2－3　拉伸试样的形状与尺寸

序号	试样形状	试样尺寸/mm[①]	适用场合
1	板状试样 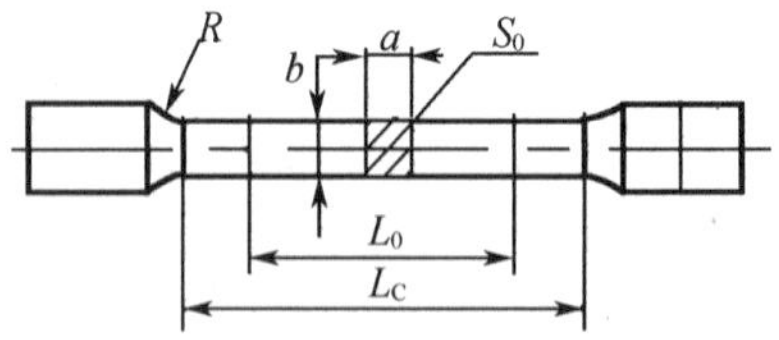	比例试样：$a=t,b=25,R=25$ $L_0=5.65\sqrt{S_0}$ $L_C=L_0+2\sqrt{S_0}$	钢质设计，扁坯和型材[②]
		非比例试样： $a=t,b=25,R=25$ $L_0=200,L_C\geqslant 215$	
		$a=t,b=12.5$[③]， $R=25,L_0=50,L_C\geqslant 55$	$t\leqslant 12.5$ mm 的铝质板材和型材
2	圆形试样 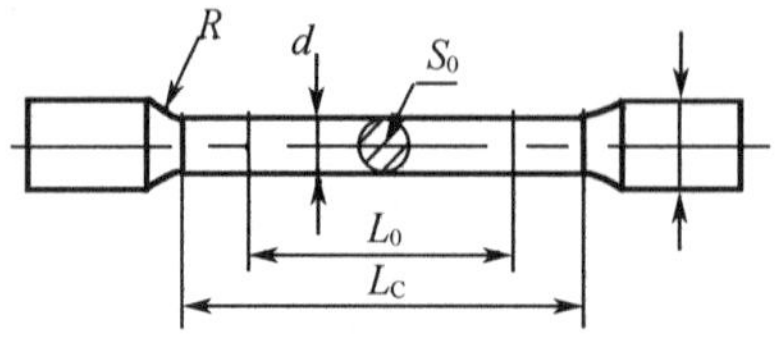	比例试样： $d=10\sim 20$，(优选 14) $L_0=5d$， $L_C=L_0+0.5d$ $R=10$[④]	厚板和型材：$t>12.5$ mm 的铝质板材和型材。 锻件：线材[⑤]，棒材[⑥]；铸件(灰铸铁除外)

表 2-3(续)

序号	试样形状	试样尺寸/mm①	适用场合
3	圆形管子试样	比例试样: $L_0=5.65\sqrt{S_0}$ $L_C=L_0+0.5D$⑦	薄壁小直径管
4	管子切割试样	比例试样: $a=t,b\geqslant12,R\geqslant10$ $L_0=5.65\sqrt{S_0}$ $L_C=L_0+2b$	大直径管⑧
5	灰铸铁试样	非比例试样:$d=20,R=25$	

注:① 表中 a 为试样厚度、b 为试样宽度、d 为试样直径、D 为管件外径、L_0 为标距长度、L_C 为试样平行段长度、R 为试样过渡半径、S_0 为试样原始截面积、t 为材料厚度。

② 对全厚度试样,若试验机能力不足时,可对一个轧制面进行加工,将厚度减薄至 25 mm;当钢板厚度大于 40 mm 时,可改取序号 2 的圆形试样。

③ 当铝材厚度小于 6 mm 时,取 $b=6$ mm。

④ 对球墨铸铁和规定伸长率小于 10% 的材料取 $R\geqslant1.5d$。

⑤ 对细直径线材,可直接取样进行试验,但标距长度应取为 200 mm,夹头之间的试样平行段长度为 250 mm。

⑥ 小尺寸棒状铸锻件或类似的产品,可直接取适当长度的全截面比例试样进行试验。

⑦ 试验机夹具或管塞间的距离中的小者应大于试样的平行段长度。

⑧ 试样沿管轴纵向截取,试样平行段长度部分不应被压平,而试样的夹持部分则允许压平。当壁厚大于 16 mm 时,可改取序号 2 的圆形试样。圆形试样的轴线应位于管壁厚度中心处。

②材料的屈服强度与伸长率

对具有明显屈服现象的金属材料,应测量其上屈服强度 R_{eH};对无明显屈服特征的金属材料,取材料在试验力作用下的规定非比例延伸强度 R_p 为材料的屈服强度。

不同种类的金属材料的屈服强度规定如下:

a. 碳钢、碳锰钢和合金钢及其焊接材料,应测定其上屈服强度 R_{eH},或规定非比例延伸长度为原始试样标距 0.2% 时所对应的强度 $R_{p0.2}$;

b. 奥氏体不锈钢、奥氏体/铁素体双相不锈钢及其焊接材料,应分别测定规定非比例延伸长度为原始试样标距 0.2% 或 1.0% 时所对应的强度 $R_{p0.2}$ 或 $R_{p1.0}$;

c. 铝合金、铜合金及其焊接材料，应测定规定非比例延伸长度为原始试样标距0.2%时所对应的强度 $R_{p0.2}$。

③试验

在室温下进行拉伸试验时应符合下列规定：

a. 测定金属材料的屈服强度或规定非比例延伸强度时，在弹性变形直至明显屈服的区间内，应力变化速率应控制在表2－4规定的范围内。

表2－4　拉伸试验加载时应力变化速率

材料的弹性模量 $E/(N/mm^2)$	应力速率/[(N/mm²)/s]	
	最小	最大
<150 000	2	20
≥150 000	6	60

b. 在达到屈服载荷后，测定塑性材料的抗拉强度时，塑性应变速率最大应不超过每秒0.008 N/mm^2；在测定脆性材料（如铸铁）的抗拉强度时，弹性应力变化速率最大应不超过每秒10 N/mm^2。

c. 钢材的上屈服强度应根据下述测得的载荷值计算：

试验机示力计上的指示值明显回落前的瞬时载荷或停滞时的载荷；载荷－拉伸图上屈服阶段塑性变形开始处的载荷或材料塑料变形开始所产生的第1个峰值载荷，不论该峰值载荷是否等于或小于其随后出现的其他峰值载荷。

d. 材料的规定非比例伸长应通过在精确的载荷－拉伸图上画一条与弹性变形的直线部分相距规定间距（用伸长计测得伸长为原标距长度的0.2%或1.0%时）的平行直线来确定。以此直线与载荷－拉伸图的塑性变形部分相交点的载荷计算规定非比例延伸强度（$R_{p0.2}$或$R_{p1.0}$）。

在高温（≥50 ℃）下进行拉伸试验时，应符合下列规定：

a. 测定高温下的下屈服强度或0.2%规定非比例延伸强度所用的试样其标距长度 L_0 应不小于50 mm，而横剖面面积 S_0 应不小于65 mm^2。如果由于产品的尺寸或试验机能力的限制，试样亦应取实际可能达到的最大尺寸；

b. 加热设备应保证在试验时，试样温度与规定温度之间的偏差不大于±5 ℃；

c. 在接近屈服强度或规定非比例延伸强度时，应变速率应控制在每分钟0.1%～0.3%原标距长度内；

d. 计算应变速率时，测量应变的时间间隔应不超过6 s。

（2）冲击试验

冲击试验主要用途是揭示材料的变脆倾向。当规定进行夏比冲击试验时，应制备1组3个冲击试样。试验的平均冲击功应符合CCS《材料与焊接规范》的规定，其中1个单值可低于规定平均值，但应不低于该平均值的70%。当1组3个冲击试样所得结果不符合规定时，只要低于规定平均值的单值不超过2个，且最多只有1个单值低于该平均值的70%，则可再取1组3个冲击试样进行附加试验。附加试验所得结果应与原来的结果合在一起平均，新的平均值不低于规定值时方可验收。并且，在这6个参与平均的单值中低于规定平均值的单值应不超过2个，且最多只允许1个单值低于该平均值的70%，否则仍不能验收。

①试样

冲击试样应为夏比V形缺口或夏比U形缺口试样，如图2-13所示。其尺寸和公差应符合表2-5的规定。

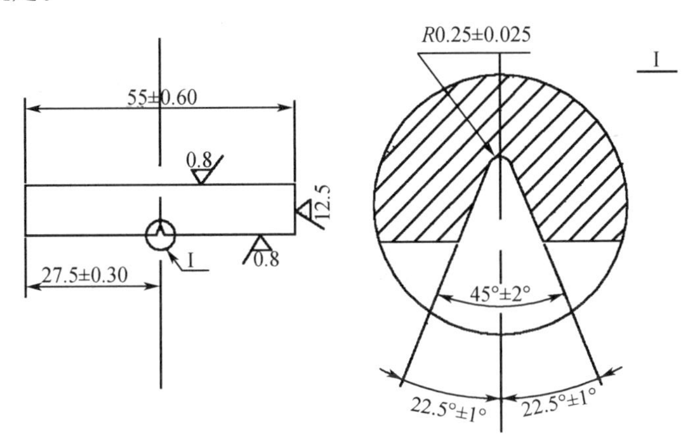

图2-13 缺口试样

表2-5 冲击试样的尺寸

名称		符号	夏比V形缺口试样		夏比U形缺口试样	
			公称尺寸	偏差	公称尺寸	偏差
长度		L	55	±0.60	55	±0.60
宽度	标准试样	b	10	±0.11	10	±0.11
	标准辅助试样	b	7.5	±0.11	—	—
		b	5	±0.06		
厚度/mm		t	10	±0.06	10	±0.11
缺口角度/(°)		Q	45	±2	—	—
缺口宽度/mm		U	—	—	2	±0.14
缺口以下的厚度/mm		T	8	±0.06	5	±0.09
缺口根部半径/mm		r	0.25	±0.025	1	±0.07
试样端部至缺口中心距离/mm		l	27.5	±0.42	27.5	±0.42
缺口对称面与试样纵向轴线间的角度/(°)		—	90	±2	90	±2

②试验

所有冲击试验应在摆锤式冲击试验机上进行，冲击试验应在规定的温度下进行。试验温度不是室温时，应对试样温度进行严格控制。试样应在规定温度的环境下保持至少5 min，并在取出后5 s内进行冲击，以保证断裂的瞬间试样的温度在规定温度±2 ℃内。

③弯曲试验

弯曲试验一般用于检验金属材料的弯曲性能和冶金缺陷。试验时，将试样放在试验机上，以符合有关要求中的压头直径 D 和弯曲角度 α 在室温下缓慢地加载弯曲。试验后，用肉眼或用5倍放大镜检查试样弯曲部分外侧有无裂纹或起层等缺陷。

弯曲试样的尺寸应符合表2-6的规定。试样应尽量保留材料原轧制面，当受试验机能力限制时，对于板材，可将试样受压面机加工减薄至25 mm，而试样受拉面应为材料原轧制面；对于圆棒材，可将试样加工成直径为35 mm的圆棒形试样。

表2-6　弯曲试样的尺寸

序号	试样尺寸/mm				适用材料
	试样厚度 a	试样宽度 b	试样长度 L	倒角	
1	$a=t$①	$b=30$ mm③	$11a\sim9a+D$	试样的拉伸面两侧允许倒角1~2 mm	板材和型材
2	$a=20$ mm	$B=25$ mm	$11a\sim9a+D$		铸铁、锻件和半成品
3	$a=d$②		$11a\sim9a+D$		棒材或线材料

注：① t 为材料的厚度；

② 当 $t<6$ mm时，$b=5a$；

③ 当 d 为圆形材料的直径，D 为试验压头的弯芯直径。

（4）管材延性试验

①压扁试验

试样的截取应使其端面垂直于管材的轴线，其长度应等于管材外径的1.5倍，但不小于10 mm，也不大于100 mm。试验应在室温下沿垂直于管材轴线的方向施压。试验时，在两个平坦而有刚性的平行平板间对试样加压，平板的尺寸应超过压扁后试样的长度和宽度。压扁试验应连续进行到平板间的距离 H（压载时测量）不大于下式规定之值为止：

$$H=\frac{t(1+C)}{C+\frac{t}{D}}$$

式中　t——管壁厚度，mm；

D——管材外径，mm；

C——系数，按钢种或特别要求决定，碳钢取0.1，碳锰钢（强度410 N/mm^2）取0.08，碳锰钢（强度410 N/mm^2）取0.07，3.4Ni和9Ni取0.08。

试验后，试样不应有破裂或裂纹，但试样端部的细小裂纹可以不计。

②扩口试验

试样的截取应使其两端面垂直于管材的轴线，试验端的边缘应适当倒圆。试样的长度根据选用钢锥的角度按表2-7选取，但最短应使试验后保持圆柱体形状的长度不小于管材外径的一半。

表2-7　扩口试验的试样长度

试验钢锥角度/(°)	30	45	60
试样长度/mm	$2D$	$1.5D$	$1.5D$

注：表中 D 为试验管材的外径。

试验应在室温下选用适用角度的坚硬圆锥形钢锥头对准管材中心线(图2-14)压入管材,迫使管材端部扩大至本书有关章节所规定的外径。

③卷边试验

试样的截取应使其两端面均垂直于管材的轴线,试验端的边缘应适当倒圆,试样长度取1.5倍管材外径。若根据计算能使试验后保持圆柱体形状的长度不小于管材外径的一半时,允许缩短试样长度。试验应在室温下用坚硬的圆锥形钢锥头(图2-15中两种形式),将管端卷边,直到试样端部增大至本书有关章节规定的直径。试验时,锥头应加润滑剂,锥头与管材在试验过程中不可相对转动,且使钢锥头压入速度不大于50 mm/min。试验后,管材筒体和卷边部分不应有破裂或肉眼可见的裂纹。

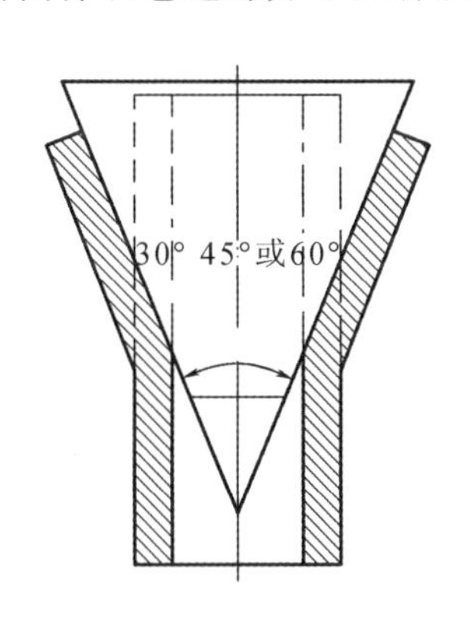

图2-14 管材扩口试验

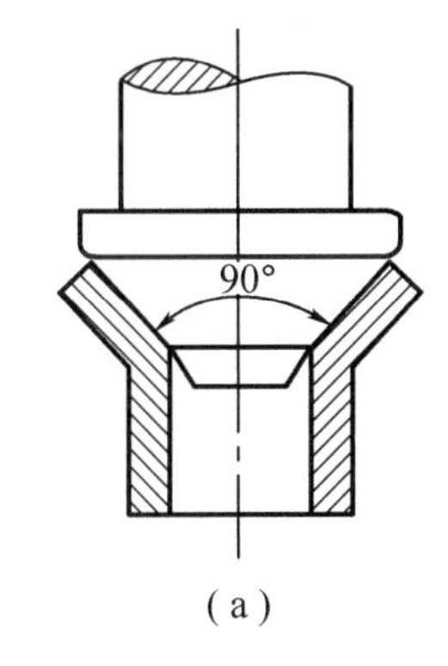

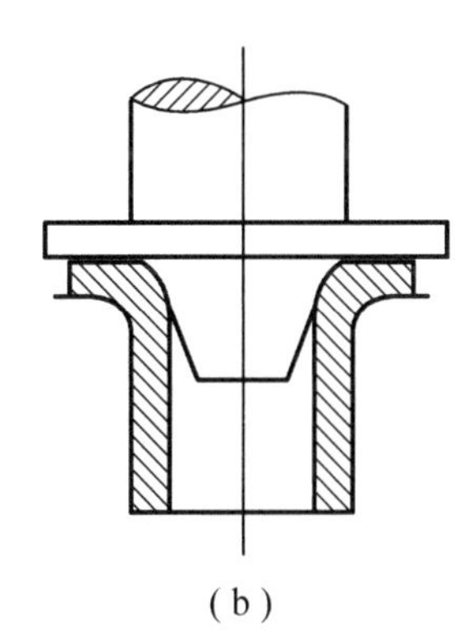

图2-15 管材卷边试验

④弯曲试验

应截取宽度不小于40 mm的全厚度圆周板条作为试样,对于管壁较厚的试样,可机加工减薄至20 mm。试样的边缘可加工成半径为1.6 mm的圆角。试验应在室温下进行。试验时,按照CCS《材料与焊接规范》的有关规定,选取所需压头的直径。试样应在原来弯曲方向进行弯曲,弯曲角度为180°。弯曲后,试样应无裂纹或分层。

2.1.1.3 钢板和型钢检验

1. 钢板和型钢质量证书的核查

所有船用钢板和型钢应经过船级社的检验,并签发质量证书。

检验员对钢板和型钢质量证书核查内容如下:

(1)核对材料牌号、规格、数量及炉罐号与实物是否一致。

(2)材质证书上应有船级社的书面证明内容、船级社印记和验船师的签名。

(3)根据钢材的不同品种、级别,分别按船级社规范中所列的标准核对钢材的化学成分和力学性能。

2. 钢板和型钢的外观质量检验

(1)产品标记检查

对每件钢板或型钢的外观检查前应检查钢材上的标记是否齐全。这些标记包括钢厂名称、钢级标记、炉罐号和船级社标记。

(2)钢板和型钢表面缺陷检验的要求

①钢板及型钢表面不允许有气泡、结疤、裂纹、拉裂、夹杂、压入氧化铁皮及分层等缺陷,但允许有不影响质量的表面缺陷存在,如薄层氧化铁皮、铁锈,不明显的粗糙、网纹、划

痕等局部缺陷。

②船体结构钢和机械结构钢的表面缺陷可采用局部打磨方法予以消除，但修整后的任何部位的厚度不得减薄到公称厚度的 93% 以下，且减薄量不得大于 3 mm。打磨后表面应光洁平顺。

③不能按上述方法处理的表面缺陷，在验船师认可的情况下，可用铲削或打磨后进行焊补的方法修整。焊补修整后，必要时应对焊补区域进行无损探伤。

(3) 钢板表面缺陷的限定及修整

钢板表面缺陷的限定及修正要求见表 2－8。

表 2－8　钢板表面缺陷的限定及修整

项目		要求
麻点、剥落、结疤、刻痕、气孔	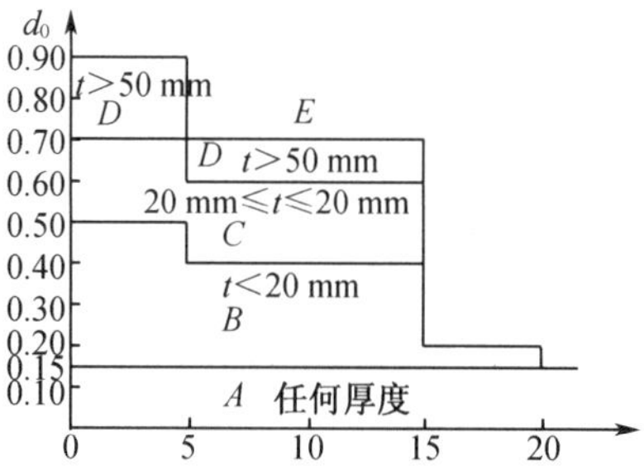	1. A 范围为优良区，只包含 0.15 mm 以下极轻微的不必修整的表面缺陷。 2. B、C、D 范围为合格区，包含有一定数量允许存在的表面缺陷，不须修整。 3. E 范围为修整区，即存在某些不允许存在的表面缺陷，必须按规定修整。 4. 缺陷修整方法：$d<0.07t$，且 $d\leqslant 3$ mm，磨平。 $0.07t\leqslant d\leqslant 0.2t$，焊补后磨平。 其中　d——缺陷深度，mm； t——钢板厚度，mm。 如果缺陷的深度大于板厚的 20%，面积超过板面的 2%，则这部分板须按规定进行更换
局部夹层	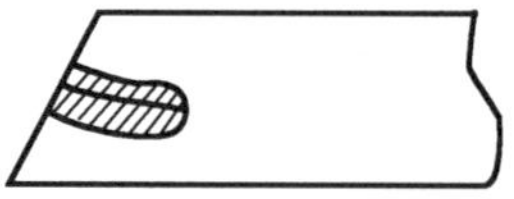 (a) 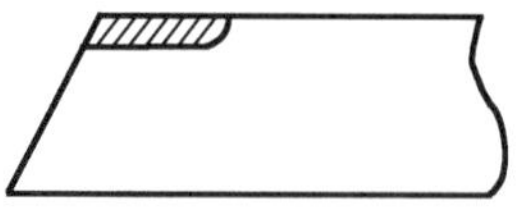 (b)	1. 夹层的面积小于钢板面积的 2%，距离钢板表面深度小于板厚的 20%，可用碳刨清除后再焊补，如图(a)所示。 2. 夹层的面积小于钢板面积的 2%，且缺陷接近钢板表面时，则进行焊补，如图(b)所示。 3. 如果夹层焊补长度超过钢板边缘 20%，则应用无损检测法检查焊补质量
严重夹层	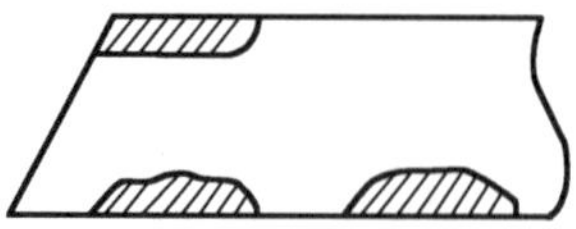	1. 如果夹层的面积大于钢板面积的 2%，距离钢板表面深度大于板厚的 20%，可更换一张钢板的一部分。 2. 更换的钢板，其最小宽度或长度： (1) 外板和强力甲板的十字接头和 T 形接头为 1 600 mm； (2) 外板和强力甲板及其主要构件为 800 mm； (3) 其他结构为 300 mm 或板厚的 10 倍，取其大的。 3. 如果夹层的面积大于钢板面积的 5%，且深度大于钢板板厚的 20% 时，则应更换整张钢板

(4)钢板缺陷面积的计算

缺陷面积是指距离缺陷边缘 50 mm 范围内的影响区域的面积,如图 2－16 和图 2－17 所示。

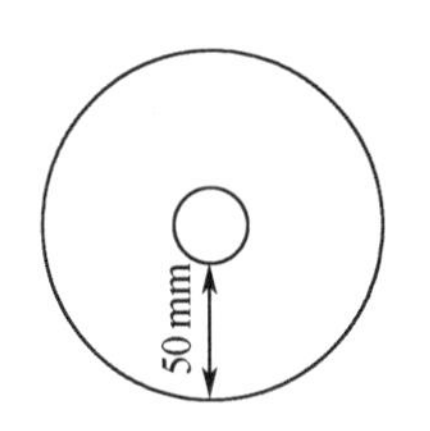

图 2－16 孤立点状缺陷

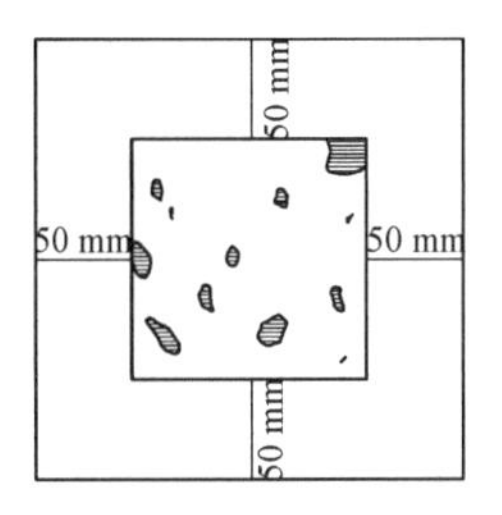

图 2－17 聚集状缺陷

孤立点状缺陷面积一般以近似圆形或长方形面积计算;聚集状缺陷可按其组成的图形近似为正方形、长方形、圆形、梯形等面积计算。

(5)缺陷深度的测量

①测量工具由百分表的测量针穿过特制的三角底架组成。

②测量缺陷深度时,先在缺陷四周平面处把百分表指针校到零位,然后移动测量工具至缺陷处,使测量针伸至缺陷底部的最深部位,此时百分表的读数即为凹坑深度值。

3. 船用钢材厚度和平面度检查

(1)钢板的厚度偏差

①对船体结构用的普通钢、高强度钢、宽扁钢以及机械结构用的钢厚度的负偏差,应符合中国船级社规定,如表 2－9 所示。

表 2－9 钢板的厚度偏差

板厚 t/mm	允许的厚度偏差/mm
$t \leqslant 15$	$\leqslant 0.4$
$15 < t \leqslant 45$	$\leqslant (0.1 + 0.02t)$
$t > 45$	$\leqslant 1.0$

②对锅炉和受压容器用钢、低温韧性钢、奥氏体不锈钢和复合钢板等材料,其厚度公差如在订货合同中没有规定将公称厚度作为最小厚度时,则板厚不大于 10 mm 时,其板厚负偏差不得大于 0.3 mm;板厚大于 10 mm 时,板厚负偏差不得大于 0.5 mm。

(2)钢板的测厚方法

钢板的厚度在距离钢板边缘不少于 25 mm 处测量,钢板的四角及两个横边的中间为必测部位。任何测点测得的钢板厚度负偏差均不得超过规定的偏差数。测量仪器一般采用超声波测厚仪。

(3)型钢的厚度和宽度测量

型钢的厚度和宽度应在距型钢末端不小于 500 mm 的地方进行测量。其检验可参照 GB/T 9945—2012《热轧球扁钢》和 GB/T 706—2016《热轧型钢》等国家标准进行。

(4)钢板平面度

钢板平面度是指钢板表面突然隆起或凹下,且在造船零部件加工过程中无法消除的变形。钢板平面度的检验,可用 1 m 长的直尺测量,如表 2-10 所示。

表 2-10 钢板的平面度偏差

厚度/mm	允许的每米平面度偏差/mm
$t<4$	12
4~15	10
$t<15$	5

4. 钢板和型钢的理化检验

对钢板和型钢的内在质量进行复验,也就是对钢材的化学成分和力学性能进行取样检验。

(1)取样方法

试验材料的大小应根据试样的尺寸、数量和切取方向确定。试验材料应从下列部位切取:

①对钢板和宽度不小于 600 mm 的扁钢,应在端部距板边约 1/4 板宽处切取,如图 2-18 所示。

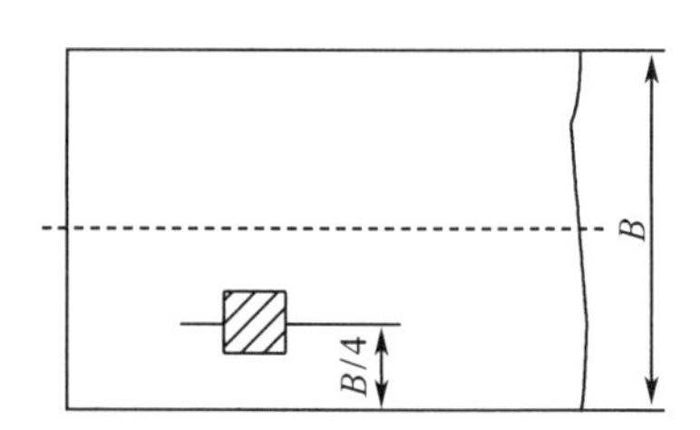

图 2-18 钢板试样切取

②对球扁钢、角钢等型钢,以及宽度小于 600 mm 的扁钢,应在端部距边缘约 1/3 宽度处切取,如图 2-19 所示。对于槽钢、工字钢等,也可在腹板上距边缘 1/4 宽度处切取,如图 2-19(c)所示。

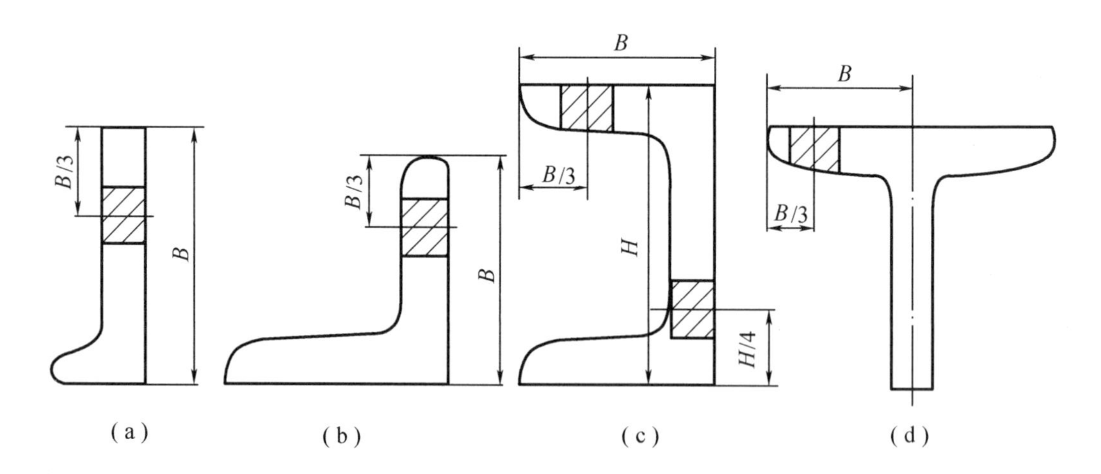

图 2-19 型钢试样切取

③从试验材料中切取并加工试样时,应注意试样的主轴线与最终轧制方向的关系。

a. 拉伸试样:钢板和宽度不小于 600 mm 的扁钢,试样轴线与最终轧制方向垂直;其他轧制产品,试样轴线与最终轧制方向平行;

b. 冲击试样:纵向试验,试样轴线与最终轧制方向平行;横向试验,试样轴线与最终轧制方向垂直。

c. 钢管试样应沿钢管纵向截取，但对直径不小于 200 mm 的钢管，也可垂直于钢管轴线截取横向试样。

(2)取样数量

①化学分析

按每一炉罐号取一个试样进行化学分析。

②力学性能试验

a. 对于所交付的每批钢材，若质量不大于 50 t，则应从单件钢材上切取 1 个拉力试样；当质量大于 50 t 时，应从每 50 t 或不足 50 t 余额的不同单件钢材上各切取 1 个拉力试样。对于同一炉罐号的钢材，其厚度或直径每改变 10 mm，均应另做一批试验，而且切取 1 个拉力试样(对于型钢，厚度是指切取试验材料的部位的厚度；单件钢材是指由单个钢锭或方坯、扁坯轧制成的轧件)。

b. 对于 B 级和 D 级钢，如果钢材质量不大于 50 t，则应从所交付的每批钢材中最厚的单件上切取一组 3 个冲击试样。当质量大于 50 t，从每 50 t 或不足 50 t 的余额的不同单件上各切取一组 3 个冲击试样。

c. 对于 D 级钢，当采用认可的可控制轧制工艺代替正火时，应按上述两项规定切取冲击试样，但要求从每 25 t 或不足 25 t 的余额的不同单件上各切取一组 3 个冲击试样。

(3)检验标准

化学分析和力学性能试验的结果应按船级社的标准核对检验，并以此做出检验结论。

①一般强度船体结构用钢的脱氧方法和桶样化学成分应符合表 2－11 的规定。

表 2－11　一般强度船体结构用钢的脱氧方法和化学成分

钢材等级		A	B	D	E
脱氧方法 厚度 t/mm		$t \leqslant 50$ 除沸腾钢外任何方法①；$t > 50$，镇静处理	$t \leqslant 50$ 除沸腾钢外任何方法；$t > 50$，镇静处理	$t \leqslant 25$ 镇静处理；$t > 25$，镇静和细晶处理	镇静和细晶处理
化学成分/%⑦⑧⑨	C	≤0.21③	≤0.21	≤0.21	≤0.08
	Mn	≥0.50	≥0.80④	≥0.60	≥0.70
	Si	≤0.50	≤0.35	≤0.35	≤0.35
	S	≤0.035	≤0.035	≤0.035	≤0.035
	P	≤0.035	≤0.035	≤0.035	≤0.035
	Al(酸溶)	—	—	≥0.015⑤⑥	≥0.015⑥

注：① 凡经 CCS 和订货方同意，$t \leqslant 12.5$ mm 的 A 级型钢可采用沸腾钢，但应在材料证书上注明。

② 所有等级的钢均应符合：C% ＋1/6Mn% ≤0.40%。

③ 对于型钢，最大含碳量可为 0.23%。

④ 当 B 级钢做冲击试验时，其最低含锰量可降低至 0.6%。

⑤ 对 $t > 25$ mm 的 D 级钢适用。

⑥ 对 $t > 25$ mm 的 D 级钢和 E 级钢，可采用总铝含量来代替酸溶铝含量的要求，此时，总铝含量应不超过 0.02%。经 CCS 同意后，也可使用其他细化晶粒元素。

⑦ 若采用温度－形变控制轧制(TMCP)状态交货，经 CCS 同意后，化学成分可以不同于表中规定。

⑧ 钢中残余铜含量应不大于 0.35%；铬、镍的残余含量各应不大于 0.30%。

⑨ 在钢材的冶炼过程中添加的任何其他元素，应在材料证书上注明。

②钢材的交货状态应符合表 2－12 的要求。

表 2－12　钢材的交货状态

<table>
<tr><th rowspan="3">钢材等级</th><th rowspan="3">脱氧方法</th><th rowspan="3">产品型式</th><th colspan="5">交货状态①②</th></tr>
<tr><th colspan="5">厚度 t/mm</th></tr>
<tr><th>$t \leq 12.5$</th><th>$12.5 < t \leq 25$</th><th>$25 < t \leq 35$</th><th>$35 < t \leq 50$</th><th>$50 < t \leq 100$</th></tr>
<tr><td rowspan="3">A</td><td>沸腾钢</td><td>型材</td><td>A(－)</td><td colspan="4">不适用</td></tr>
<tr><td>$t \leq 50$ mm，除沸腾钢外任何方法</td><td>板材</td><td colspan="4">A(－)</td><td>N(－)
TM(－)
CR(50)
AR^{+}(50)</td></tr>
<tr><td>$t > 50$ mm，镇静处理</td><td>型材</td><td colspan="4">A(－)</td><td>不适用</td></tr>
<tr><td rowspan="2">B</td><td>$t \leq 50$ mm，除沸腾钢外任何方法</td><td>板材</td><td colspan="2">A(－)</td><td colspan="2">A(50)</td><td>N(50)
TM(50)
CR(25)
AR^{+}(25)</td></tr>
<tr><td>$t > 50$ mm，镇静处理</td><td>型材</td><td colspan="2">A(－)</td><td colspan="2">A(50)</td><td>不适用</td></tr>
<tr><td rowspan="7">D</td><td>镇静处理</td><td>板材</td><td colspan="2">A(50)</td><td colspan="3">不适用</td></tr>
<tr><td rowspan="6">镇静处理和细晶处理</td><td rowspan="3">板材</td><td colspan="3" rowspan="3">A(50)</td><td>N(50)</td><td rowspan="3">N(50)
TM(60)
CR(25)</td></tr>
<tr><td>CR(50)</td></tr>
<tr><td>TM(50)</td></tr>
<tr><td rowspan="3">型材</td><td colspan="3" rowspan="3">A(50)</td><td>N(50)</td><td rowspan="3">不适用</td></tr>
<tr><td>CR(50)</td></tr>
<tr><td>TM(50)</td></tr>
<tr><td rowspan="2">E</td><td rowspan="2">镇静和细晶处理</td><td>板材</td><td colspan="5">N(每件)，TM(每件)</td></tr>
<tr><td>型材</td><td colspan="4">N(25)，TM(25)，AR^{*}(15)，CR^{*}(15)</td><td>不适用</td></tr>
</table>

注：① 交货状态。A：任意；N：正火；CR：控制轧制；TM(TMCP)：温度－形变控制轧制；AR^{*}：经 CCS 特别认可后，可采用热轧状态交货；CR^{*}：经 CCS 特别认可后，可采用控制轧制状态交货。

② 括号中的数值表示冲击试样的取样批量(单位为 t)，(－)表示不做冲击试验。每一批量应取 1 组 3 个夏比 V 形缺口冲击试样进行试验。

③一般强度船体结构用钢的力学性能应符合表2－13的规定。

表2－13 一般强度船体结构用钢的力学性能

<table>
<tr><th rowspan="5">钢材等级</th><th rowspan="5">屈服强度 R_{aH} 不小于/(N/mm²)</th><th rowspan="5">抗拉强度 R_a/(N/mm²)</th><th rowspan="5">伸长率 A_5 不小于/%</th><th colspan="7">夏比V形缺口冲击试验钢材</th></tr>
<tr><th rowspan="4">试验温度/℃</th><th colspan="6">平均冲击功不小于/J</th></tr>
<tr><th colspan="6">厚度 t/mm</th></tr>
<tr><th colspan="2">t≤50</th><th colspan="2">50＜t≤70</th><th colspan="2">70＜t≤100</th></tr>
<tr><th>纵向</th><th>横向</th><th>纵向</th><th>横向</th><th>纵向</th><th>横向</th></tr>
<tr><td>A</td><td rowspan="4">235</td><td rowspan="4">400～520①</td><td rowspan="4">22</td><td>20</td><td>—</td><td>—</td><td rowspan="4">34</td><td rowspan="4">24</td><td rowspan="4">41</td><td rowspan="4">27</td></tr>
<tr><td>B</td><td>0</td><td rowspan="3">27③</td><td rowspan="3">20②</td></tr>
<tr><td>D</td><td>－20</td></tr>
<tr><td>E</td><td>－40</td></tr>
</table>

注：① 经CCS同意后，A级型钢的抗拉强度的上限可以超出表中所规定的值。

② 除订货方或CCS要求外，t≤50 mm时冲击试验一般仅做纵向试验，但钢厂应采取措施保证钢材的横向冲击性能。

③ 对厚度不大于25 mm的B级钢，经CCS同意可不做冲击试验。

④ 厚度大于50 mm的A级钢，如经过细化晶粒处理并以正火状态交货，可以不做冲击试验；经CCS同意，以温度－形变控制轧制状态交货的A级钢亦可不做冲击试验。

⑤ 型钢一般不进行横向冲击试验。

④对于宽度25 mm、标距长度200 mm的全厚度板状试样，其最小伸长率应符合表2－14的规定。

表2－14 全厚度板状试样的最小伸长率

厚度 t/mm	t≤5	5＜t≤10	10＜t≤15	15＜t≤20	20＜t≤25	25＜t≤30	30＜t≤40	40＜t≤50
伸长率 A/%	14	16	17	18	19	20	21	22

(4)高强度船体结构用钢

①高强度船体结构用钢均应为经过细化晶粒处理的镇静钢，其桶样化学成分应符合表2－15的要求。

表2－15 高强度船体结构用钢的化学成分

等级		AH32,AH36,AH40,DH32,DH36,DH40,EH32,EH36,EH40	F32,F36,F40
化学成分⑤⑥	C	≤0.18	≤0.16
	Mn	0.90～1.60①	0.90～1.60
	Si	≤0.50	≤0.50

表 2－15(续)

等级		AH32,AH36,AH40,DH32,DH36,DH40,EH32,EH36,EH40	F32,F36,F40
	S	≤0.035	≤0.025
	P	≤0.035	≤0.025
	Al(酸溶)	$t>0.015$②③	$t\geq0.015$②③
	Nb④	0.02～0.05③	0.02～0.05③
	V④	0.05～0.10③	0.05～0.10③
	Ti④	≤0.02	≤0.02
	Cu	≤0.35	≤0.35
	Cr	≤0.20	≤0.20
	Ni	≤0.40	≤0.80
	Mo	≤0.08	≤0.08
	N	—	≤0.009(如含铝时，≤0.012)

注:① 对厚度不大于 12.5 mm 的钢材,其锰含量最低可为 0.70%。

② 可以采用总铝含量来代替酸溶铝含量的要求,此时,总铝含量应不小于 0.02%。

③ 钢厂可以将细化晶粒元素(Al、Nb、V 等)单独或以任一组合形式加入钢中。当单独加入时,其含量应不低于表列值;若混合加入两种以上细化晶粒元素时,则表中对单一元素含量下限的规定不适用。

④ 铌、钒、钛的含量还应符合:Nb% ＋V% ＋Ti% ≤0.12%。

⑤ 若采用 TMCP 状态交货,CCS 化学成分应满足 CCS《材料与焊接规范》(2012)3.3.2.3 的规定。

⑥ 在钢材的冶炼过程中添加的任何其他元素,应在材料证书上注明。

碳当量 C_{eq} 可根据桶样化学成分按下列公式计算:

$$C_{eq}=C+\frac{Mn}{6}+\frac{Cr+Mo+V}{5}+\frac{Ni+Cu}{15}\%$$

②钢材的交货状态应符合表 2－16 的要求。

表 2－16　高强度船体结构用钢的交货状态

<table>
<tr><th rowspan="3">钢材等级</th><th rowspan="3">细化晶粒元素</th><th rowspan="3">产品型式</th><th colspan="6">交货状态(冲击试验取样批量)①②</th></tr>
<tr><th colspan="6">厚度 t/mm</th></tr>
<tr><th>t≤12.5</th><th>12.5＜t≤20</th><th>20＜t≤25</th><th>25＜t≤35</th><th>35＜t≤50</th><th>50＜t≤100</th></tr>
<tr><td rowspan="5">AH32
AH36</td><td rowspan="2">Nb 和/或 V</td><td>板材</td><td>A(50)</td><td colspan="4">N(50),CR(50),(TM50)</td><td>N(50),CR(50),(TM50)</td></tr>
<tr><td>型材</td><td>A(50)</td><td colspan="4">N(50),CR(50),(TM50),AR ∗(25)</td><td>不适用</td></tr>
<tr><td rowspan="3">Al 或 Al 和 Ti</td><td rowspan="2">板材</td><td rowspan="2" colspan="2">A(50)</td><td colspan="2">AR*(25)</td><td colspan="2">不适用</td></tr>
<tr><td colspan="3">N(50),CR(50),(TM50)</td><td>N(50),CR(50),(TM50)</td></tr>
<tr><td>型材</td><td>A(50)</td><td colspan="4">N(50),CR(50),(TM50),AR*(25)</td><td>不适用</td></tr>
</table>

表 2-16(续)

<table>
<tr><th rowspan="3">钢材等级</th><th rowspan="3">细化晶粒元素</th><th rowspan="3">产品型式</th><th colspan="6">交货状态(冲击试验取样批量)①②</th></tr>
<tr><th colspan="6">厚度 t/mm</th></tr>
<tr><th>$t≤12.5$</th><th>$12.5<t≤20$</th><th>$20<t≤25$</th><th>$25<t≤35$</th><th>$35<t≤50$</th><th>$50<t≤100$</th></tr>
<tr><td>AH40</td><td>任意</td><td>板材、型材</td><td>A(50)</td><td colspan="4">N(50),CR(50),(TM50)</td><td>不适用</td></tr>
<tr><td rowspan="5">DH32
DH36</td><td rowspan="2">Nb 和/或 V</td><td>板材</td><td>A(50)</td><td colspan="4">N(50),CR(25),(TM50)</td><td>N(50),
CR(25),
(TM50)</td></tr>
<tr><td>型材</td><td>A(50)</td><td colspan="4">N(50),CR(50),(TM50),AR*(25)</td><td>不适用</td></tr>
<tr><td rowspan="3">Al 或 Al 和 Ti</td><td rowspan="2">板材</td><td colspan="2" rowspan="2">A(50)</td><td>AR*(25)</td><td colspan="3">不适用</td></tr>
<tr><td colspan="3">N(50),CR(25),TM(50)</td><td>N(50),
CR(25),
(TM50)</td></tr>
<tr><td>型材</td><td colspan="2">A(50)</td><td colspan="3">N(50),CR(50),TM(50),AR*(25)</td><td>不适用</td></tr>
<tr><td>DH40</td><td>任意</td><td>板材,型材</td><td colspan="5">N(50),CR(50),TM(50)</td><td>不适用</td></tr>
<tr><td rowspan="2">EH32
EH36</td><td rowspan="2">任意</td><td>板材</td><td colspan="6">N(每件),TM(每件)</td></tr>
<tr><td>型材</td><td colspan="5">N(25),TM(25),AR*(15),CR*(15)</td><td>不适用</td></tr>
<tr><td rowspan="2">EH40</td><td rowspan="2">任意</td><td>板材</td><td colspan="6">N(每件),TM(每件),QT(每热处理长度)</td></tr>
<tr><td>型材</td><td colspan="5">N(25),TM(25),QT(25)</td><td>不适用</td></tr>
<tr><td>FH32</td><td rowspan="2">任意</td><td>板材</td><td colspan="6">N(每件),TM(每件),QT(每热处理长度)</td></tr>
<tr><td>FH36</td><td>型材</td><td colspan="5">N(25),TM(25),QT(25),CR*(15)</td><td>不适用</td></tr>
<tr><td rowspan="2">FH40</td><td rowspan="2">任意</td><td>板材</td><td colspan="6">N(每件),TM(每件),QT(每热处理长度)</td></tr>
<tr><td>型材</td><td colspan="5">N(25),TM(25),QT(25),</td><td>不适用</td></tr>
</table>

注:① 交货状态。A 为任意;N 为正火;CR 为 控制轧制;TM(TMCP)为 温度-形变控制轧制;QT 为淬火加回火;AR* 为经 CCS 特别认可后,可采用热轧状态交货;CR* 为经 CCS 特别认可后,可采用控制轧制状态交货。

② 括号中的数值表示冲击试样的取样批量(单位为 t)。每一批量应取 1 组 3 个夏比 V 形冲击试样。

③高强度船体结构用钢的力学性能应符合表 2 – 17 的规定。

表 2 – 17　高强度船体结构用钢的力学性能

钢材等级	屈服强度 R_{eH} /(N/mm²)	抗拉强度 R_m/(N/mm²)	伸长率 A_s/%	夏比 V 形缺口冲击试验						
				试验温度/℃	平均冲击功/J					
					厚度 t/mm					
					$t \leqslant 50$		$50 < t \leqslant 70$		$70 < t \leqslant 100$	
					纵向	横向	纵向	横向	纵向	横向
AH32	315	440 ~ 570	22	0	31	22	38	26	46	31
DH32				– 20						
EH32				– 40						
FH32				– 60						
AH36	355	490 ~ 620	21	0	34	24	41	27	50	34
DH36				– 20						
EH36				– 40						
FH36				– 60						
AH40	390	510 ~ 660	20	0	39	26	46	31	55	37
DH40				– 20						
EH40				– 40						
FH40				– 60						

对于宽度 25 mm、标距长度 200 mm 的全厚度板状试样，其最小伸长率应符合表 2 – 18 的规定。

表 2 – 18　全厚度板状试样的最小伸长率

厚度 t /mm	等级	$t \leqslant 5$	$5 < t \leqslant 10$	$10 < t \leqslant 15$	$15 < t \leqslant 20$	$20 < t \leqslant 25$	$25 < t \leqslant 30$	$30 < t \leqslant 40$	$40 < t \leqslant 50$
伸长率 A /%	AH31, DH32, EH32, FH32	14	16	17	18	19	20	21	22
	AH36, DH36, EH36, FH36	13	15	16	17	18	19	20	21
	AH40, DH40, EH40, FH40	12	14	15	16	17	18	19	20

2.1.1.4 铸钢件检验

船用铸钢件是指用于制造船体结构、机械结构、锅炉、压力容器和管系等用的铸钢件。船用铸钢件一般较多地用来制作艉柱、艉轴管、挂舵臂、舵承座、螺旋桨轴架、锚、阀件等。船用铸钢件应由船级社认可的铸造厂进行制造。

所用铸件由船级社认可的制造厂提供,有的大型船厂设有船级社认可的铸造车间直接生产船用铸钢件。因此,船厂对铸钢件的检验也有两种形式,对于前者须检查材质证件、船检证书、试验报告和实物标记,并进行外观质量检验;对于后者,实际上是工厂能力及制造过程检验。

1. 铸钢件检验程序和方法

(1)船用产品检验的申请

凡属船用产品的铸钢件,铸造厂制造铸钢件前,必须先向船级社申请船用产品检验,同时向船级社提供该铸钢件的图样。当申请得到核准后,铸钢件生产过程的检验工作由铸造厂检验部门和船级社两级进行。

(2)外观质量检验

①铸钢件表面经适当处理,如经酸洗、局部打磨、喷丸、喷砂或钢丝刷清理等清整后,可借助小锤等工具或用视觉进行外观质量检验,铸钢件表面不得有气孔、裂缝、缩孔、冷隔、结疤及影响铸钢件实际使用的其他缺陷。

②铸钢件表面的粗糙度按相关国家标准或按批准图样的要求进行验收。

③铸钢件外形尺寸按相关国家标准或按批准图样的要求进行验收。

(3)化学成分分析检验

铸钢件应采用镇静钢制成。成品铸钢件的化学成分应按熔炼炉次取样进行检查。各种牌号的铸钢件均应按入级船舶的相应标准进行验收。在核查化学成分时,还须注意各种船用铸钢件在规范中的特殊要求,如船体结构用铸钢件的含锰量应不小于3倍实际含碳量,机械结构用铸钢件当用两个或两个以上的铸件以焊接方式焊成整体时,其含碳量应不超过0.23%,等等。

(4)铸钢件的热处理和力学性能试验

每个或每批铸钢件应具有足够的试验材料,以满足试验和复验的需要。试块可与铸件整体浇铸或附连于铸件的本体上,试块的厚度应与铸件的厚度相适应。所有须经热处理的铸钢件,其试样必须随所代表的铸件同炉热处理。不同熔炼炉次,但牌号相同的一批铸件同炉热处理时,应按每一熔炼炉次检验。当同一熔炼炉次的一批铸件,在固定热处理工艺和热处理质量稳定的条件下分炉热处理时,只要不和规定的规范发生矛盾,则允许抽检。

试块在热处理完成后才能与铸件本体分离,并打上船级社的代号钢印等标记。在制备试样进行力学试验时,一般均须通知验船师参加监督检验。

铸钢件力学性能试验的规则参见任务2.1的规定。力学试验结果按入级船舶的相应标准进行验收。

(5)无损探伤检验

铸钢的无损探伤按船级社同意的标准进行检查。

①磁粉探伤和着色检查

铸钢件经精加工的表面可按规范或图样的规定进行磁粉探伤或着色检查,以检查铸钢件表面或浅表面是否存在缺陷。这些检查部位一般指:

a. 所有填角和截面突变处;

b. 用气割或碳弧气刨进行加工的部位;

c. 组装时焊接过的部位;

d. 使用中有可能承受高应力的区域。

磁粉探伤和着色检查,一般应在验船师在场时进行。

②超声波检查

铸钢件的内部缺陷一般用超声波进行检查,其检查部位一般指:

a. 图样上所指明的部位;

b. 组装时焊接过的部位;

c. 根据经验有可能出现严重内部缺陷的部位。

铸钢件进行超声波检查区域的外表须经机加工或打磨,使其表面粗糙度达到探伤要求。

铸钢件超声波检查时,一般也应在验船师在场时进行。铸钢件经无损探伤检验后,探伤部门应出具检验报告,并得到验船师的签字认可。

(6)船用产品检验证书

船用铸钢件经外观检验、热处理、理化试验及无损探伤试验合格后,船厂检验员应对铸钢件再进行一次表面质量和几何尺寸的复验,在确认所有结果均符合船级社规范后,提交验船师实物认可。认可时应备齐铸钢件的化学成分报告、热处理报告(包括记录)、力学性能报告和无损探伤报告。最后,在经验船师检验认可的铸钢件上打上铸件的炉罐号、验船师及检验日期等钢印标记,拓印后随同整理好的质量证明文件一并交验船师,由船级社颁发船用产品检验证书。

2. 铸钢件缺陷修补检验

船用铸钢件的缺陷可能在外表检查时发现,也可能在热处理或机加工后发现。对于不允许存在的缺陷,可以用机械加工、批凿、打磨、气割或碳弧气刨等方法去除。

铸钢件缺陷修补后的检验规定如下:

(1)缺陷去除后,应进行无损探伤以证实缺陷已被完全消除。对于因去除缺陷所产生的浅槽或凹坑,不会削弱该铸件的强度时,可将其磨成光滑的圆弧状过渡表面。

(2)重要铸件采用气割或碳弧气刨铲除缺陷时,可视铸件的化学成分、缺陷大小和性质,进行必要的预热。

(3)凡拟采用焊补方法对铸钢件缺陷进行修补时,应将缺陷情况和焊补工艺规程提交验船师审核。

(4)根据被补焊钢材的性质,在焊补缺陷前后应做预热和焊后热处理。

(5)铸钢件缺陷焊补后,补焊处和邻近母材处必须磨光,并根据原来缺陷的数量、大小和部位的草图进行无损探伤,以确认缺陷已被全部清除。

2.1.1.5　锻钢件检验

船用锻钢件是指用于制造船体结构、轴系和机械、曲轴、锅炉、受压容器及管系等用的锻钢件。船用锻钢件一般较多地用来制作舵杆、舵轴、舵销、中间轴、螺旋桨轴、曲轴、联轴器及轴系连接螺栓等。

船用锻钢件应由船级社认可的锻造厂进行制造,应采用符合船级社规定方法制造的碳钢或锰钢。若采用规定以外的碳钢、碳锰钢或合金钢时,应将其化学成分、力学性能和热处理工艺等资料提交船级社审核，经同意后使用。

造船厂对锻钢件的检验有两种形式：一是锻钢件由锻造厂提供，船厂检验时须核查材质证件、船检证书、试验报告和实物标记，并进行外观质量检验；另一种是船厂设有锻造车间，这时锻钢件的检验就是锻钢件制造全过程的检验。

1. 锻钢件检验程序和方法

(1)检验申请

凡锻钢件属船用产品的，锻钢件制造前必须先向船级社申请船用产品检验，同时应向船级社提供该锻钢件的图样。锻钢件生产过程的检验由锻造厂检验部门和船级社两级进行。

(2)锻件检验的基本要求

①所有锻件应采用镇静钢制造。

②锻件由铸锭直接锻制或由铸锭锻成的方坯锻成时，铸锭应在激冷铸型中铸成，其上端应具有较大的横截面和有效的冒口。

③锻件必须缓慢、均匀地加热，尽可能将锻件锻制成接近成品的尺寸和形状，并留有合理的加工余量。

④钢锭的顶部和底部应切去足够的弃料，以保证成品锻件中不致有缩孔和有害偏析。

⑤所有锻件的心部区域应能达到足够的塑性变形。对主要是呈纵向纤维变形的锻件的锻造比应不小于表2－19的规定。

表2－19 锻件的锻造比

锻制方法	总锻造比
直接由钢锭锻制或由钢锭锻成的钢坯锻制	$L>D$ 时，3∶1；$L\leq D$ 时，1.5∶1
由轧制产品锻制	$L>D$ 时，4∶1；$L\leq D$ 时，2∶1

注：①锻造比系指钢锭平均横截面积与锻件截面积(毛坯)之比。如果钢锭经受过初锻，则可取初锻后的平均横截面面积作为计算锻造比的基准。
②L 和 D 系指成品锻件的长度和直径。
③作为代替锻件的轧制钢棒，其总锻造比应不小于6∶1。

⑥环形锻件和其他类型的空心锻件，应由切自钢锭或钢坯的坯料锻制，而这些坯料在心轴扩拔之前，应经适当的冲孔、钻孔和套孔。

⑦对使用时要求具有有利的纤维方向的锻件(加曲轴)，其锻造工艺应交船级社认可。

(3)外观质量检验

①锻件表面应光滑平整，其形状与尺寸应符合工艺要求。锻件不允许有白点存在。

②在锻件的非加工面上不允许有裂纹、夹层、结疤、折叠等缺陷。

(4)化学成分分析检验

锻钢件的化学成分分析，应从同一冶炼炉罐号的铸锭或料坯中进行全部或抽样试验。各种牌号的锻钢件均应按入级船舶的相应标准进行验收。在核查化学成分时，还须注意各种船用锻钢件均应按入级船舶的相应标准进行验收。在核查化学成分时，还须注意各种船用锻钢件在规范中的特殊要求，如轴系用锻钢件是由几件锻钢件装焊成整体锻钢件的，其含碳量不得超过0.23%等。

(5)锻钢件的热处理和力学性能试验

各种锻钢件应按照规范和图样注明的要求进行热处理,热处理后应从锻件上截取试样,进行力学性能试验。其试验项目和试样数量的确定,各船级社在规范中都有明确规定,必须按照规定办理。力学性能试验的结果按船级社规范进行评定。试验合格的锻钢件应打上船级社的代号钢印等标记。

(6)无损探伤检验

锻件在完成机加工后,应按船规要求进行磁粉探伤或着色检查。锻件在机加工到适合于超声波检查的阶段和最终热处理后,应在其表面做径向和轴向的超声波检查。检验方法和评定标准应得到船级社的认可。锻钢件无损探伤检验时,一般应有验船师在场时进行。锻钢件经无损探伤检验后,探伤部门应出具检验报告,并得到验船师的签字认可。

(7)船用产品检验证书

船用锻钢件经外观检验、热处理、理化试验及无损探伤试验合格后,船厂检验员应备齐上述所有试验的报告,提交验船师认可。最后,在经验船师检验认可的锻钢件上打上锻件的炉罐号、锻造编号及船级社钢印标记。这些标记拓印后随同整理好的质量证明文件一并交验船师,由船级社颁发船用产品检验证书。

2. 锻钢件缺陷修补的检验

船用锻钢件表面的轻微缺陷可用凿削或修磨的方法去除,并用磁粉探伤或着色检查证实该缺陷已被完全清除。锻件表面一般不允许用焊补方法修整缺陷,对低应力区域细小缺陷,经验船师同意才可补焊,但在焊前必须将补焊的详细情况及检查程序提交验船师认可。

2.1.1.6 铝合金检验

本节所述铝合金指用于建造船体和设备的耐海水腐蚀的铝合金板材、型材(包括棒材和管材)、铝合金铆钉及铝合金活塞。对于制造低温液化气运输球罐用铝合金,其有关试验资料应提交船级社认可,其他铝合金的铸件和锻件可按船级社接受的有关标准验收。

铝合金可采用经船级社认可的锭模以及连续或半连续铸造方法生产。板材应按其力学性能要求,采用热轧或冷轧方法制造,型材应采用挤压方法制造,管材可采用挤压或拉拔方法制造。

除另有协议外,铝合金的无损检测不作为验收条件,但制造厂应采取有效措施确保铝合金的内部质量。

1. 铝合金质量证书的检查

对材料质量证书检查的内容有:

(1)核对材料牌号、规格、数量及炉批号与实物是否一致;

(2)材质证书上应有船级社的书面证明内容、船级社印记和验船师的签名;

(3)根据材料的不同品种、级别,分别按船级社规范中所列的标准核对材料的化学成分和力学性能。

2. 铝合金外观检查

(1)铝合金产品表面不应有裂纹、分层、腐蚀、氧化夹杂物、起皮、气泡、硝盐痕和严重的机械损伤及影响后续加工或使用的有害缺陷,缺陷的判定应符合船级社接受的有关技术条件。

(2)铝合金产品边缘应齐平、无毛刺,外形尺寸应符合船级社规定的有关技术条件。成品材料应具有规定的表面粗糙度,并无影响使用的内外部缺陷。轻微的表面缺陷可用打磨的方法去除。

(3)制造厂应检验每批铝合金产品的尺寸公差。铝合金轧制产品和挤压产品的尺寸应符合表2－20和表2－21的要求。

表2－20 轧制产品的负公差

名义厚度 t/mm	名义宽度 B/mm		
	小于1 500	1 500～2 000	2 000～3 500
$3 \leqslant t \leqslant 4$	0.10	0.15	0.15
$4 < t \leqslant 8$	0.20	0.20	0.25
$8 < t \leqslant 12$	0.25	0.25	0.35
$12 < t \leqslant 20$	0.35	0.40	0.50
$20 < t \leqslant 50$	0.45	0.50	0.65

表2－21 挤压产品的负公差

名义壁厚 t/mm	产品外接圆直径 B/mm			
	非闭合型型材			闭合型型材
	小于250	250～400	大于400	所有直径
$3 \leqslant t \leqslant 6$	0.25	0.35	0.40	0.25
$6 < t \leqslant 50$	0.30	0.40	0.45	0.30

3.化学成分分析

对铝合金进行化学成分复验时,应检查每炉产品的化学成分,铝合金的化学成分应符合船级社的规定。根据情况,船级社可能要求做耐腐蚀性及可焊性等特殊试验或提供有关资料。其他铝合金或不完全符合船级社要求的铝合金,应经船级社同意后,方可选用。

4.力学性能试验

铝合金产品通常按批取样进行试验。每批铝合金材料应具有相同炉号、相同制造工艺、相同材料等级和状态、相似的形状和尺寸。取样数量应符合船级社的规定。

(1)轧制产品每批的质量应不超过2 000 kg,每批制取1个试件。若单件质量大于2 000 kg,则仅取1个试件。

(2)挤压产品应按表2－22要求取样进行试验。

表2－22 挤压产品取样数量

产品名义质量	每批质量	取样数量
1 kg/m	1 000 kg和不足1 000 kg的余额	1个试件
1～5 kg/m	2 000 kg和不足2 000 kg的余额	1个试件
>5 kg/m	3 000 kg和不足3 000 kg的余额	1个试件

拉伸试样的取法及试验结果参照船级社的规定。

2.1.1.7 有色金属检验

这里所述的有色金属指用于铜合金铸造螺旋桨(包括桨叶和桨毂)、铜合金轴、泵、阀体、轴套、衬套、铜管等船用配件的有色金属。若采用船级社规定以外的铜合金,经船级社同意,可按有关标准验收。所有材料都必须是经过船级社认可的工厂生产的,或都是经过船级社认可的材料。

1. 材料证书的检查

对材料质量证书检查的内容有:

(1)核对材料牌号(产品型号)、规格、数量与实物是否一致;

(2)材质证书上应有船级社的书面证明内容、船级社印记和验船师的签名;

(3)根据材料的不同品种、级别,分别按船级社规范中所列的标准核对材料的化学成分和力学性能。

2. 材料(产品)外观检查

(1)对于成品,检查产品尺寸是否符合图纸要求,偏差是否在允许的范围。

(2)对于铸件,检查所有铸件表面应清理光整,不应有缩孔、疏松、气孔、裂纹、夹渣及影响其使用的缺陷。

(3)铜管,应对所有的管子进行内外表面的目检和尺寸校核。管子表面应光滑清洁,不应有针孔、裂缝、气泡、分层和绿锈等缺陷存在。

3. 化学成分检查

对成品一般不进行化学成分分析,如发现不符合上文所述内容时,才进行化学成分的分析,并且必须符合船级社的有关规定。

管子的化学成分见表2-23。

表2-23 管子的化学成分

牌号	化学成分/%							
	Cu	As	Fe	Pb	Ni	Al	Mn	Zn
铝黄铜	76.0~79.0	0.02~0.06	≤0.06	≤0.07	—	1.8~2.5	—	余量
铜镍铁合金90/10	余量	—	1.0~2.0	—	9.0~11.0	—	0.50~1.0	—
铜镍铁合金70/30	余量	—	0.4~1.0	—	29.0~33.0	—	0.50~1.5	—

4. 力学性能试验

力学性能试验参照船级社的有关标准,如螺旋桨试样加工成吉尔型试样进行试验,铜管必须进行压力试验、压扁试验、扩口试验等,具体试样数量参照船级社的标准。

2.1.2 工作任务训练

某船厂购进一批板厚20 mm的CCS AH32钢材200 t,根据CCS《材料与焊接规范》的要求,确定钢材复检的项目,并根据CCS《材料与焊接规范》的要求绘制钢材力学性能试验试样CAD加工图,设计材料检验报告式样。

任务2.2 焊接材料检验

2.2.1 相关知识

2.2.1.1 焊接材料分类及检验程序

造船用焊接材料包括焊条、焊丝和焊剂等均应符合船级社规定的要求和规定选用的焊材等级，当采用规定以外的焊接材料时，应经船级社同意后方可使用。焊接材料应由船级社认可的工厂进行制造，制造焊接材料所用的钢材亦应由船级社认可的钢厂提供，船厂应向经船级社认可的焊接材料制造厂订购焊接材料。

1. 焊接材料的分类

船体结构钢焊接材料按其屈服点可以分为9个等级，各个等级又按其缺口冲击韧性可进一步划分为若干个级别。冲击韧性以数字1～5表示，高强度焊接材料以字母Y表示；若焊接材料的屈服点大于400 N/mm^2，则在字母Y后接以数字40～69。含镍低合金钢焊接材料则以其钢中镍合金的含量表示，分为0.5Ni、1.5Ni、3.5Ni、5Ni和9Ni，共5个级别。

2. 焊接材料的检验程序

(1)船厂对焊接材料检验的基本规定

焊接材料必须经过入库检验，一般只做外观检验，对焊时内在质量的复验视情况而定。焊接材料经船级社认可的，船厂一般不做复验。除此以外的焊接材料均须进行化学分析试验和力学性能试验，复验合格后方能验收入库。

(2)焊接材料按批验收内容

①有船级社印记的产品质量保证书；

②材料的包装良好；

③在材料包装盒、箱上标明材料的牌号、规格、批号、生产日期和船级社的认可标志。

④凡已认可的焊接材料，应在每一包装盒中附上一份使用说明书。该说明书应包括制造厂对该焊接材料所推荐的贮存、焙烘和使用的参数。

凡不具备上述条件的焊接材料不予验收。

(3)核查焊接材料质量证明书

焊接材料质量证明书必须具备以下内容：

①材料的型号、牌号、规格；

②批号、数量、制造日期；

③熔敷金属化学成分、检验结果；

④熔敷金属力学性能、检验结果；

⑤制造厂厂名和地址；

⑥制造厂检验部门及检验人员的签章。

3. 焊接材料复验

(1)焊接材料抽样试验钢材的加工

除船体结构钢焊接材料熔敷金属试验用的试板可使用任何等级船体结构钢外，各级焊接材料试验用的试板可根据船级社规定的材料选取。试板边缘可采用机加工、等离子切割或自动气割的方法加工，如采用气割时，则应清除留在坡口处的氧化物。

(2)焊接材料抽样检验的数量要求

①电弧焊焊条

每批焊条按需要的数量,至少在三十个部位平均抽取代表性的产品。

②埋弧自动焊焊丝

检验焊丝化学成分时,在每批焊丝中按盘数任选3%的盘数但不少于2盘分别自每盘焊丝的两端截取试样。

③焊剂

焊剂撒放时,每批焊剂的抽样处不少于6处,若焊剂已包装,则应从每10袋焊剂中的一袋内抽取一定量的焊剂,每批焊剂中抽取的焊剂总量应不少于10 kg。抽取的焊剂应混合均匀,然后用四分法取出5 kg焊剂作为试焊焊剂,供焊接力学性能检验试板用。另取5 kg作为检验焊剂,供其他检验项目用。

(3)试板的制备

各种焊接材料试板试验时所用的焊接电流、电弧电压和焊接速度等应按制造厂所推荐的参数进行,试板尺度等具体制备方式须按船级社的规定进行。

(4)试样的制备

试样从试板上截取时,可先进行无损探伤。以便截取试样时避开与焊接材料无关的那些缺陷。当该类缺陷较多而无法避开时,应在理化试验前将该试板作废另取试板进行试验。按规定,上述所有试样均不允许热处理。

从试板上截取并经焊接的试样包括熔敷金属拉力试样、对接接头拉力试样、对接焊缝弯曲试样、对接焊缝冲击试样、宏观检查试样、硬度试验试样、角焊缝破断试验试样。焊接材料进行复验时,具体选择制作哪些试样,由检验员按照具体情况和船级社的规定确定。

(5)焊接材料试验结果的评定原则

①各项试验结果应符合船级社的规定。

②对于冲击试验,以一组3个试样试验值的算术平均值进行验收。允许3个试验值中有1个低于规定的平均值,但不得低于规定平均值的70%。

当一组3个冲击试样的试验结果不合格时,若低于规定平均值的试样不超过2个,且其中低于规定值70%的试样不超过1个,则允许3个冲击试样进行复试。前后6个试样的算术平均值应满足规定平均值的要求。且低于规定平均值的试样不应超过2个,其中低于规定平均值70%的试样不超过1个,则复试合格。如上述复试结果仍不合格,经船级社验船师同意,可重新焊接试件,并进行全部规定项目的试验。

③除冲击试验外,当任一试验结果不合格时,可在原试件上或在同一批试验材料中以同样工艺重新焊制的试件上,对不合格项目制取双倍试样进行复试,复试结果必须全部合格。

2.2.1.2　电弧焊条检验

1. 外观质量检验

(1)焊条外形

焊条药皮应均匀并紧密地包覆在焊芯周围,整根焊条的药皮上不应有影响焊接质量的裂纹、气泡、杂质和药皮剥落等缺陷。

(2)焊条露芯

焊条引弧端药皮应倒角,焊芯端面应露出,以便于引弧。

焊条露芯长度规定如下:

①碳钢焊条，型号为 EXXI5，EXXI6，E5018，EXX28，E5048 等焊条，露芯长度约为焊芯直径的 1/2 或 1.6 mm，取两者中较小值，其他型号焊条露芯长度为焊芯直径的 2/3 或 2.4 mm，取两者中较小值。

②不锈钢焊条露芯长度规定如下：

a. 焊条直径大于 2.0 mm，露芯长度不应大于 1.6 mm；

b. 焊条直径为 2.5 mm 及 3.2 mm，露芯长度不应大于 2.0 mm；

c. 焊条直径大于 3.2 mm，露芯长度不应大于 3.2 mm。

(3)焊条偏心度

焊条药皮覆盖厚度不均匀则会形成偏心，如图 2－20 所示。

$$\text{焊条偏心度} = \frac{T_2 - T_1}{\frac{1}{2}(T_1 + T_2)} \times 100\%$$

图 2－20 焊条的偏心

焊条允许偏心度按直径大小规定如下：

① 2.5 mm≤焊条直径 d<3.2 mm，偏心度不大于 5‰；

② 3.2 mm≤焊条直径 d<5 mm，偏心度不大于 5%；

③ 5 mm≤焊条直径 d，偏心度不大于 4%。

(4)焊条尺寸应符合表 2－24 规定

表 2－24 焊条直径偏差

单位：mm

焊条直径		焊条长度	
基本尺寸	极限偏差	基本尺寸	极限偏差
1.6	±0.05	200～250	±2.0
2.0		250～350	
2.5		250～350	
3.2		350～450	
4.0		350～450	
5.0		350～450	
5.6		450～700	
6.0		450～700	
6.4		450～700	
8.0		450～700	

焊条夹持端长度应符合表 2－25 规定。

表 2－25 焊条夹持端长度

单位：mm

焊条直径	夹持端长度
≤4.0	10～30
≥5.0	15～35

注：用于重力焊的焊条，夹持端长度不得小于 25 mm。

2. 电弧焊条试验

造船用电弧焊焊条由船级社认可的工厂生产，验收时可只核对质量证书、标记和进行外观检查，只有在必要时才进行化学分析和力学性能试验，主要包括熔敷金属试验、对接焊试验、角焊缝试验和测氢试验、深熔对接焊试验、深熔角接焊试验。

(1)熔敷金属试验

熔敷金属试验一般应焊制 2 个试件，1 个以直径 4 mm 的焊条焊制，另 1 个以制造厂生产的同型号焊条中最大直径的焊条焊制。每一熔敷金属试验的试件应制备 2 块试板和 1 块垫板。试板的厚度为 20 mm，宽度不小于 100 mm，长度约 300 mm，开 10°的斜角。垫板的厚度为 10 mm，宽度为 30 mm，且与试板等长。按常规工艺以单道焊或多道焊的方法在平焊位置焊接。如图 2－21 所示，从试件上截取 1 个纵向拉伸试样和 1 组 3 个 V 形缺口冲击试样，进行拉伸和冲击试验。还应对每一试件进行熔敷金属化学成分分析。

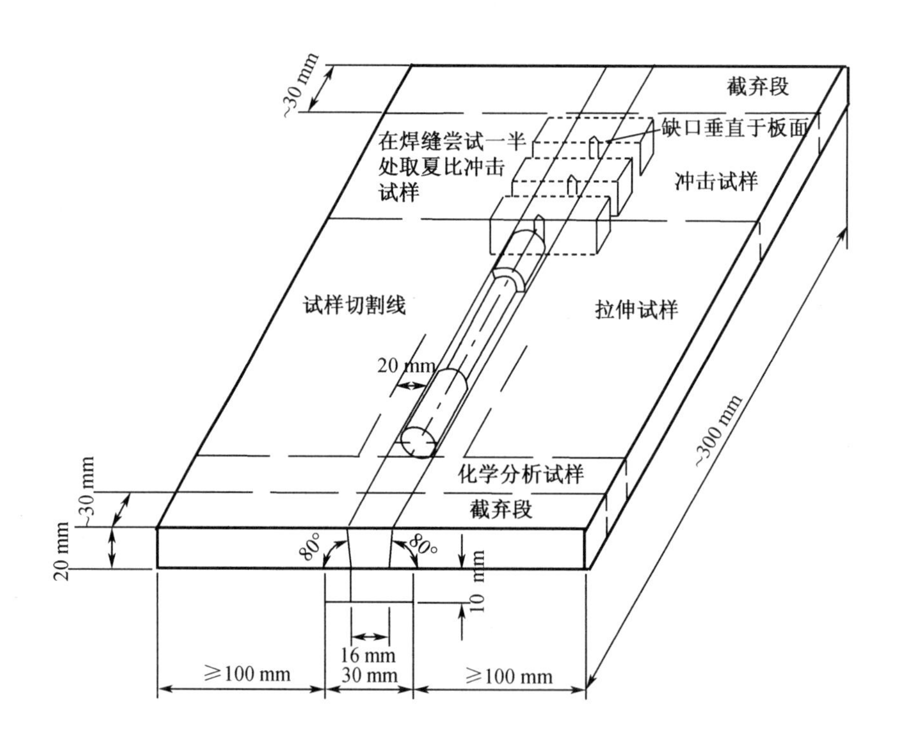

图 2－21　熔敷金属试验试件取样示意图

(2)对接焊试验

按规范规定，在平焊、横焊、立向上焊和仰焊、立向下焊焊接位置选用规定规格的焊条，每一对接焊试件应制备 2 块试板，试板的厚度为 15 ~ 20 mm，宽度不小于 100 mm，长度应足够提供截取规定数量和尺寸的试样。试板边缘开 30°斜角。焊接的道间温度应不高于 250 ℃，也不低于 100 ℃(温度在焊缝中心线的上表面处测量)。所有对接焊试件均应清根，然后用直径 4 mm 或该型号中直径较小的焊条，按原焊接位置进行封底焊。按图 2－22 所示，截取 1 个横向拉伸试样、2 个弯曲试样和 1 组 3 个冲击试样(仰焊位置的试样可免做冲击试验)，进行拉伸、正反弯曲和冲击试验。

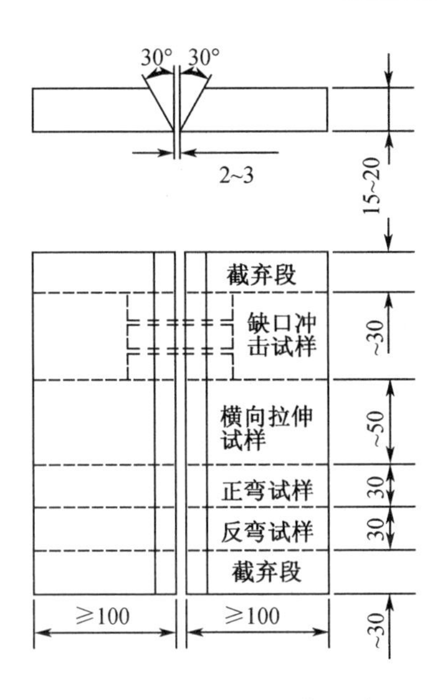

图 2－22　对接焊试验试件取样示意图

(3)角焊缝试验

每一焊接位置应焊制 1 个角接焊试件。试件的第 1 侧焊缝应以该型号焊条中直径最大的焊条焊接,另一侧应以同一型号中直径最小的焊条焊制。焊脚尺寸通常根据试验时所用焊条的直径和焊接电流确定。每一角接焊试件应制备 2 块试板,试板的厚度为 20 mm,宽度为 150 mm,长度应能保证充分焊完直径最大焊条的全部长度。按图 2－23 所示,截取 3 个长度为 25 mm 的断面宏观检查试样,检验焊缝的熔合情况,显示无裂纹、无过多的气孔和夹渣等缺陷。

按图 2－24 所示做硬度测试。在余下的两个分段中,取一个分段将第 1 侧的角焊缝凿槽或刨尽,另一个分段将第 2 侧的角焊缝凿槽或刨尽,进行角焊缝破断试验,其断面应显示出熔合良好,无裂纹和疏松等缺陷。

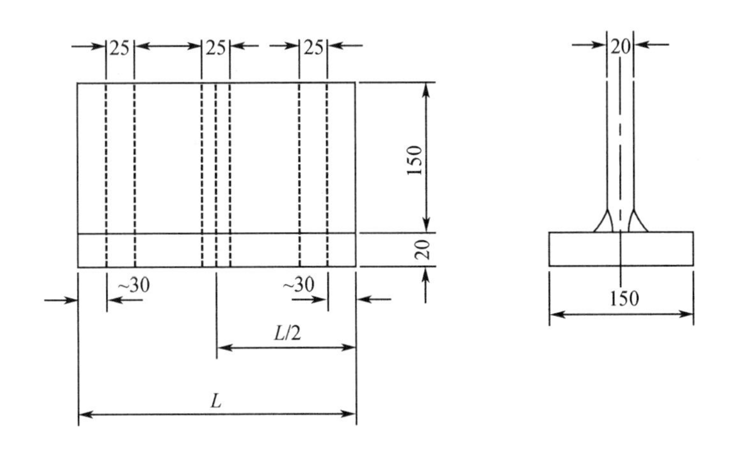

图 2－23　角焊缝试验试件取样示意图

(4)测氢试验

制备4块任何等级的结构钢钢板作为测氢试验的试板。试板厚度为12 mm，宽度为25 mm，长度为125 mm。焊前，试板应予以清洁并称重，质量精确到0.1 g。焊条应按制造厂推荐的焙烘方法进行焙烘，使焊条充分干燥。施焊的焊条直径为4 mm，焊接电流约为150 A，以短弧在试板宽度为25 mm的表面上堆焊一道长约100 mm的焊道(约用去150 mm焊条长度)。每一试样焊完后应在30 s内脱渣完毕，然后将试样浸入温度为20 ℃的清水中冷却，过30 s后将试样清洗干净、擦干并放入一个适宜于用甘油置换法收集氢气的装置中。4个试样应(由一个操作人员)在30 min内焊毕并置入收集氢气的装置中。试样应在温度为45 ℃的甘油中浸放48 h，然后取出，再分别在酒精和水中清洗干净，待干燥后称重(精确到0.1 g)，以确定熔敷金属的质量。应仔细测定被收集的氢气的体积，精度应达到0.05 cm^3，然后将测得的体积换算成标准状态(0 ℃，101.325 kPa)下的体积。

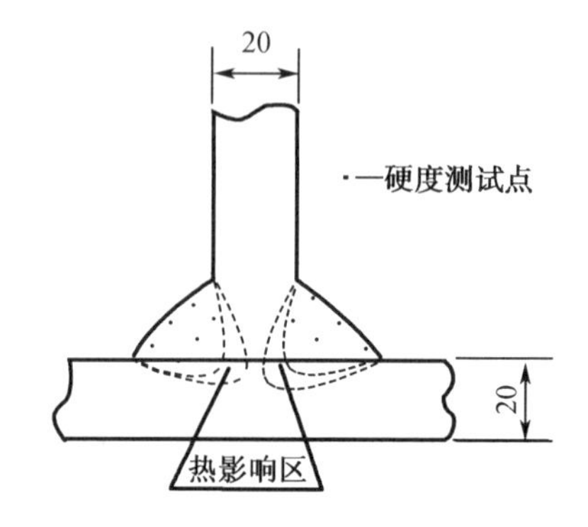

图2-24　角焊缝破断试验试件示意图

(5)深熔对接焊试验

深熔对接焊的试件应制备2块试板。试板的厚度为焊条直径的2倍另加2 mm，板宽不小于100 mm，长度根据试样尺寸与数量而定。试板对接接头边缘不开坡口，但应加工成直角边。试板应装配齐平，定位后装配间隙不大于0.25 mm。试件应采用制造厂生产的最大直径的焊条，并按制造厂推荐的电流与工艺方法在平焊位置进行双面单道对接焊(不清根)。按图2-25所示，每一试件应截取2个横向拉伸试样、2个弯曲试样和1组3个冲击试样(缺口位于焊缝中心)进行拉伸、弯曲和冲击试验。在截取试样时应检查对接焊缝的焊透情况。试件两端的截弃段(约30 mm)加工成断面宏观检查试样，试样的断面应显示出焊缝完全熔合且全部焊透。

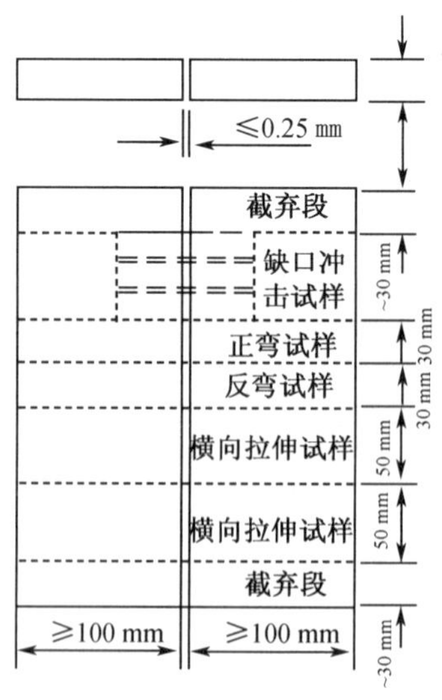

图2-25　深熔对接焊试验试件取样示意图

(6)深熔角接焊试验

深熔角接焊的试件应制备2块试板。试板厚度约为12.5 mm,宽度约为100 mm,长度约为180 mm。立板的接头边缘应机加工成直角边。试件按“T”形装配,装配间隙应不大于0.25 mm,如图2-26所示。试件的一侧用直径4 mm的焊条,另一侧用制造厂生产的最大直径的焊条,按制造厂推荐的焊接电流,在试件的每一侧分别焊制一道长度不小于160 mm的焊道。从试件两端各截下长约35 mm的一段作为宏观断面检查试样,以检查焊缝熔合情况。对采用直径为4 mm焊条焊接的一侧焊缝,其熔深应不小于4 mm;对采用最大直径焊条焊接的另一侧焊缝,其熔深应记入报告。

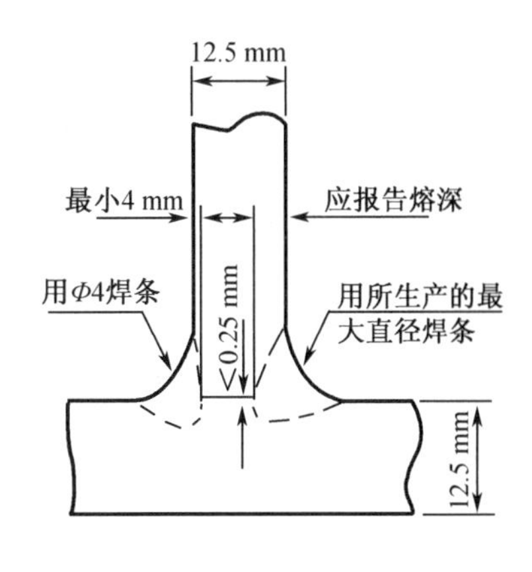

图2-26 深熔角接焊试验示意图

2.2.1.3 焊丝和焊剂检验

1. 外观质量检验

埋弧自动焊丝一般为裸丝,船用焊丝则盖有铜涂层,防止生锈。不管哪种焊丝,均应清洁光顺,粗细均匀,外形无突变,埋弧自动焊丝直径应符合国家标准的允许偏差。

2. 埋弧自动焊丝和焊剂试验

造船厂对焊丝和焊剂除了进行外观质量检验,一般还对焊丝进行化学成分分析试验(防止其他钢丝混同焊丝投入生产)。如果焊丝、焊剂从订货到进船厂入库都很严格,验收时可只核对质量证书、标记和进行外观质量检验。当有必要时才对焊丝和焊剂进行熔敷金属和对接焊试验,其结果应符合相应船规的要求,具体试验方法在船级社规范中有规定。

2.2.2 工作任务训练

某船厂购入1批E5015焊条,根据CCS《材料与焊接规范》的要求,确定焊条复检的项目,并以平对接焊试验为例,根据CCS《材料与焊接规范》的要求确定试样取样位置,绘制钢材力学性能试验试样CAD加工图,设计材料检验报告式样。

【项目习题】

1. 什么是金属材料的强度和塑性?
2. 金属材料维氏硬度的试验原理是什么?
3. 金属材料冲击试验的主要用途有哪些?
4. 船厂对船用钢材检验的内容是什么?
5. 船厂对船用型材常用的检验方法是什么?
7. 钢材的检验标准是什么?
8. 船厂管材的主要检验过程是什么?
9. 对有色金属如何检验?
10. 对焊接材料的检验要求有哪些?

项目3　船体建造检验

【项目描述】

船舶建造检验的目的是为了确保船舶在整个建造阶段依据国际公约、船旗国政府的有关规定和中国船检的规范而批准的图纸进行建造;其材料、设备和建造工艺满足规范、标准、国际公约和船旗国政府的有关规定,符合预定的要求。本节内容主要以《中国造船质量标准》为依据,按照船体建造的流程介绍船体建造各阶段检验的内容与要求。通过本项目的学习,并经过船体建造检验专项实训后,应达到以下要求:

1. 知识要求

(1)熟悉建造各阶段检验的各项内容,熟悉相关检验标准。

(2)掌握船体测量与无损检测的技能。

(3)熟悉造船精度管理的内容与实施方案。

2. 能力要求

(1)理解船体建造检验与相关检验标准的关系。

(2)掌握船体建造检验的相关技能。

(3)掌握出具船体检验报告相关公文写作能力。

【项目实施】

任务3.1　零件与部件检验

3.1.1　相关知识

3.1.1.1　船体放样和号料检验

在进行船体零件与部件检验前,要先进行船体放样和号料检验。船体放样是船体建造的第一道工序,也就是根据设计图纸将船体型线及结构按一定比例进行放大,以获得光顺的线型及构件在船体上的正确位置、形状和尺寸,作为船体构件下料、加工的依据。船体放样的目的不仅是将设计图放大,更重要的是要将设计图上因绘图比例限制而形成的型值误差和曲线或曲面不光顺因素消除掉,即对型线进行光顺。在船体放样过程中,还要补充设计图中尚未完全表示出的内容,并依据放大、光顺的图样求取船体构件的真实形状和几何尺寸,为后续工序提供施工资料,例如样杆、样板和草图等。

常用的船体放样方法有手工放样和数学放样两种,手工放样方法已被逐渐淘汰掉,目前大部分船厂都采用数学放样方法进行船体放样。

船体构件号料,就是依据放样提供的构件样板、草图、样杆和数据,在平直的钢板和型材上画出或印出构件的切割线及加工线。为了充分利用钢材,减少余料,在船体号料过程中将材料等级和厚度一样的船体零件置于同一钢板边框内进行合理排列的过程叫作套料。

套料的方法有手工套料和数控套料，大部分船厂采用数控套料方法进行零件加工。在进行计算机自动套料时，数据库向电子计算机输入零件数量、识别编码和可用板材尺寸。电子计算机接着将所需零件按尺寸分类，计算重心，并使其外接一个多边形，板材尺寸分解成点光栅。程序利用随机数发生器将从大到小的一组零件“抛到”板材上去套料。根据所定标准对每个零件的位置进行检查，并把每种情况以最佳位置储存起来，直到不能将更多的零件安排到板材上去。零件最佳位置精确定位后，进行自动“搭桥”用切割路线将零件切割边缘连起来，然后绘制切割图，输出切割磁盘，并记下余料尺寸。

号料检验员在进行号料检验时，必须了解工艺符号的种类与定义，号料检验通常是巡视检验。号料检验的主要检验内容、精度标准与检验方法可参见表3-1。

表3-1 号料检验内容、精度标准与检验方法

单位：mm

项目		精度标准		检验方法
		标准范围	允许极限	
长度偏差		±2.0	±3.0	用样板、样条与钢皮卷尺测量检验
宽度偏差		±1.5	±2.5	
曲线外形偏差		±1.5	±2.5	
直线度	$l \leq 4$ m	≤1.0	≤1.2	直线度指零件的直线边缘，l 为画线长度
	4 m $< l \leq 8$ m	≤1.2	≤1.5	
	$l > 8$ m	≤2.0	≤2.5	
开孔切口		±1.5	±2.0	

在进行号料检验时还应注意以下几点。

(1)号料是船体开工建造的首道工序，为确保用料正确与质量可靠，必须注意如下要点：

①号料钢材表面质量或经钢材预处理后涂层表面的质量应符合建造规定的要求。

②钢材的牌号、规格必须符合号料样板、草图及零件号料表上的要求。钢板号料后的余料上须标明此钢材的牌号和厚度。

③按建造施工要领要求须记录钢材炉批号或船体零件的检验编号，必须在号料时逐一记录在册备查。

(2)船体零件上应写清工程编号、零件编码、肋位号或纵骨号，各种线条含义表达应清晰，工艺符号正确。横向构件必要时要注明左右、上下、内外等，纵向构件必要时要注明左右、上下、艏艉等。所有字体应按所号料零件在船上的位置正写，以利装配安装。

(3)长的T形材腹板号料应画出矫正用的检验直线，以供面板装焊后将该线矫直。

(4)若号料线为两相邻零件的共用气割线，则要留出割缝补偿量。

(5)进行刨边钢板的号料检验时，应检查钢板的平面度。

3.1.1.2 零件检验

1.零件加工简介

零件的加工种类分为零件边缘加工和零件成形加工。在造船过程中，经过号料(或套料)的船体钢材要进行切割分离，并对其中部分零件进行焊接坡口加工，通常将这种切割分离与坡口加工的零件加工工艺统称为钢质零件的边缘加工。零件形状加工是为了将钢材弯曲成形而进行滚弯、压弯、顶弯、折角、折边、压筋、水火成形、大火成形等各种加工作业。

边缘加工方法有机械切割法(剪切、冲孔、刨边和铣边等)、化学切割法(气割)和物理切割法(等离子切割和激光切割等)。剪切仅适用对于中小型船舶所用的钢板厚度不大于12 mm 的船体零件的边缘加工,冲切与滚剪仅用于加工薄板作业。采用数控切割机进行零件边缘加工作业效率最高。机械法加工焊接坡口的主要设备是刨边机。一般经过剪切或气割的平直船体构件,都可以送刨边机进行坡口加工,刨出 I 形、V 形、U 形、X 形等各种形式的坡口。采用气割法加工坡口通常都是在进行边缘切割的同时切割出焊接坡口。

零件的成形加工通常有冷弯和热弯两种。肋骨等型材大都采用机械冷弯方法加工。单向曲度板一般采用机械冷弯方法加工,复杂曲度板则先用冷弯机械加工出一个方向的曲度,然后再用水火弯板法加工出其他方向的曲度。

2. 零件边缘加工检验

零件边缘加工的检验通常采取巡视检验,检验员在进行巡视检验时,应带好钢卷尺、粉线、角尺、焊缝量规、气割面精度标准样板等工具。零件边缘加工检验的具体检验内容、精度标准与检验方法可参见表 3-2 ~ 表 3-9。

表 3-2　零件边缘加工检验表(1)　　单位:mm

工序	检验内容	精度标准		检验方法
		标准范围	允许极限	
剪切	1. 长度偏差	±3.0	±4.0	用卷尺测量
	2. 宽度和高度偏差	±2.0	±3.0	用卷尺测量
	3. 边缘直线度	≤1.0	≤1.5	拉粉线测量
刨边	1. 直线度	≤0.5	≤1.0	待拼装时用焊缝量规测量接缝空隙
	2. 坡口面角度偏差	±2°	±4°	
气割	1. 主要构件尺寸偏差	±2.5	±4.0	用卷尺测量
	2. 次要构件尺寸偏差	±3.5	±5.0	用卷尺测量
	3. 面板宽度尺寸偏差	±2.0	+4.0	用卷尺测量
	4. 坡口尺寸		-3.0	
	①坡口面角度 θ_0 偏差	±2°	±4°	用焊缝量规测量
	②坡口深度偏差 d_1	±1.5	±2.0	用卷尺测量
	③过渡段偏差 l_1	$\pm0.5d_1$	$\pm1.0d_1$	用卷尺测量

表 3-3 零件边缘加工检验表（2）

单位：mm

工序	位置	检验内容		精度标准		检验方法
		零件类型	设备	标准范围	允许极限	
气割表面粗糙度	零件自由边	主要构件	自动气割	0.10	0.20	1. 型钢端头气割面按手工气割标准要求
			手工、半自动气割	0.15	0.30	
		次要构件	自动气割	0.10	0.20	
			手工、半自动气割	0.50	1.0	
	零件焊接边	主要构件	自动气割	0.10	0.20	2. 用气割面精度标准样板中的表面粗糙度模板对照检测
			手工、半自动气割	0.40	0.80	
		次要构件	自动气割	0.10	0.20	
			手工、半自动气割	0.80	1.50	

表 3-4 零件边缘加工检验表（3）

单位：mm

工序	位置检验内容	精度标准		检验方法
		标准范围	允许极限	
气割缺口	1. 构件的自由边 ①在船中0.6倍船长区域内弦顶列板的上边缘、在船中0.6倍船长区域内强力甲板和外板上所有开口边缘、特别重要的纵材及悬臂梁。	—	无缺口	缺口定义：凡气割凹口大于该处粗糙度三倍以上，一般采用目测估值
	②重要的纵横强力构件	—	<1.0	
	③其他构件	—	<3.0	
	2. 焊接接缝边 ①角焊缝	—	<2.0	
	②对接焊缝： 船中0.6倍船长区域的外板、强力甲板	—	<3.0	
	3. 其他	—		

在进行零件边缘加工检验时还应注意以下要点：

(1)若检验的零件边缘为船体结构的自由端，则不允许存在剪切毛刺或气割面下边缘挂渣，否则应予以消除。

(2)应注意零件边缘加工产生的变形问题，对产生较大的弯曲变形的零件通常须再经钢板矫平机或型材矫直机矫平直。

(3)零件经边缘加工也会暴露出钢材夹灰、分层等内在质量问题，应留意。

3. 零件形状加工检验

加工样板是零件形状加工作业的基准，用于外板弯曲加工作业的加工样板通常称为三角样板。船厂大都采用铝质可调三角样板，检验员在检验外板前应仔细阅读《外板展开工作图》，先检验可调三角样板形状的准确性，然后再检验外板弯曲加工的准确性。检验员还应仔细阅读各分段胎架图，检查胎架上拼接的外板的形状是否加工准确。检验员还应检验肋骨与纵骨的加工弯曲度及平面度。零件形状加工检验的具体检验内容、精度标准与检验方法可参见表3－5～表3－8。

表3－5　零件折边加工检验表

单位：mm

检验内容		精度标准		备注
		标准范围	允许极限	
折边宽度 b_0	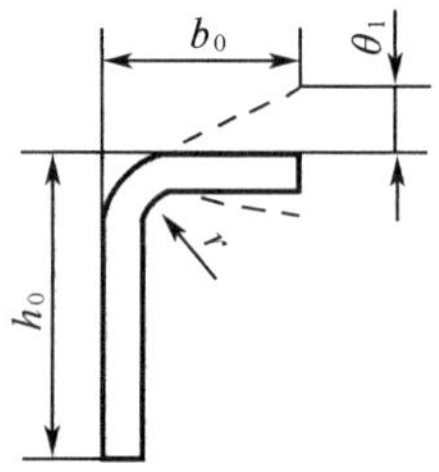	±3.0	±5.0	以 $b_0=100$ 计
腹板高度 h_0		±3.0	±5.0	
折边角度 θ_1		±2.5	±4.5	
折边弯曲半径 r		≥3t	2t	a. 应使用适应宜圆角冷弯成型和焊接的钢材； b. 若有资料证明冷弯后不降低材料性能，r 可以为2； c. 对于适用于 CSR 的产品，r≥4.5t
折边方向的直线度		≤10	≤25	以10 m计
腹板方向的直线度				

表3－6　槽形板加工检验表

单位：mm

检验内容		精度标准		备注
		标准范围	允许极限	
槽的高度 h_1	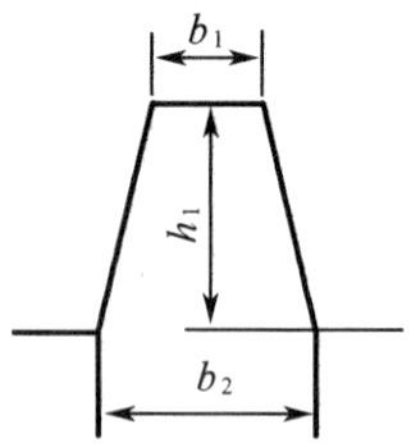	±3.0	±6.0	—
槽的宽度 b_1、b_2				
槽的直线度		≤10	≤25	以10 m计

表3－7　波形板加工检验表

单位：mm

检验内容			精度标准		检验方法
			标准范围	允许极限	
波高 h_2		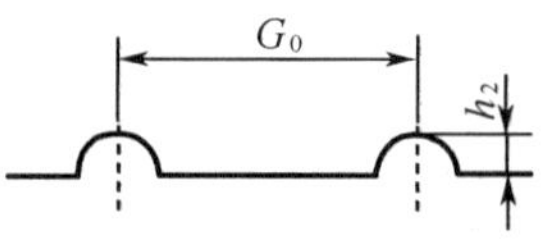	±2.5	±5.0	—
波形间距 G_0	有配合时		±2.0	±3.0	
	无配合时		±6.0	±9.0	

表 3-8 外板弯曲加工检验表

单位:mm

检验内容		精度标准		备注
		标准范围	允许极限	
单曲度板	曲面与样板空隙	≤2.5	≤5.0	每档肋距内
	三角样板检验线的直线度	±2.0		
双曲度板	拉线与样板上基准线的偏差	≤4.0	±3.0	
	肋位方向与样箱的空隙	≤3.0	≤5.0	
	长度方向与样箱的空隙			

在进行零件形状加工检验时还应注意以下要点:

(1)板材经形状加工工序后,检验员在检验时已能看到板材画线面的反面,应注意检查该表面质量是否符合质量要求。

(2)经压弯与锤击的板材,检验时应注意板材表面是否有压痕与锤印。

(3)检验折角形平板龙骨等船体主要结构件的折角处不允许出现裂缝。

(4)对一般强度船体结构钢进行水火弯板作业时热加工温度控制在 600 ~ 900 ℃,大火弯板最高温度不大于 1 100 ℃,水火弯板对同一部位重复加热次数不得超过三次。完工板材表面不允许产生熔融、锤鳞、皱痕等加工缺陷。

(5)检验双曲度外板,用三角样板测量肋位线弯曲度和用拉线方法测量三角样板上平线直线度时,应注意不允许将外板双曲度加工过量,致使装配困难,允许外板曲度稍许平坦,有利于分段装配时用水火弯板方法进行收边作业。

(6)检验艏艉部外板,三角样板必须用斜撑撑对肋位面。

3.1.1.2 部件检验

1.部件装配简介

部件装配是将经过加工的两个或两个以上的船体零件,组合装配成有限范围的结构单元的工艺过程。部件装配、组件装配的零件应在分段工作图中注明,有些船厂将其绘成部件、组件装焊图册,有利于确保部件、组件施工质量。

部件装配的内容有:

(1)肋板、强肋骨、强横梁、底纵桁等"T"形部件安装;

(2)纵、横舱壁上安装扶强材;

(3)肋骨框架装配;

(4)甲板、平台板、内底板、舱壁、平行中体傍板及船底板的板列拼板;

(5)各种基座的预先装配。

2.部件检验

部件检验内容包括部件装配检验、部件焊接质量检验和部件矫正检验。本节主要介绍部件装配检验和部件矫正检验,部件焊接质量检验将在焊接质量检验项目中介绍。部件矫正检验要求每个部件、组件装焊后均经水火矫正后才能转入分段装配工序,以减少分段装焊后矫正的工作量,确保分段外形的准确。

在进行部件检验时,检验员要详细阅读分段工作图或部件装焊图册,了解属于部件装配的两个或两个以上零件的相对位置、角度及焊接规格。检验员还应了解部件装配作业的一般工艺要求，把好质量检验关。部件检验具体检验内容、精度标准与检验方法参见表3－9。

表3－9 部件装配和焊后矫正检验表

单位：mm

项目			精度标准		超差处理
			标准范围	允许极限	
十字接头的错位	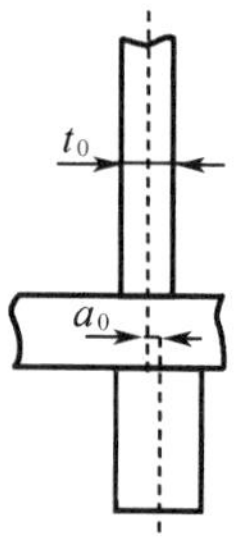 a_0—错位量； t_0—较薄板的厚度	主要结构（纵总强度受力结构）	$\leqslant 1/4t_0$	$\leqslant 1/3t_0$	1. 当$1/3t_0 \leqslant a_0 \leqslant 1/2t_0$时，应增强焊脚，如下图： 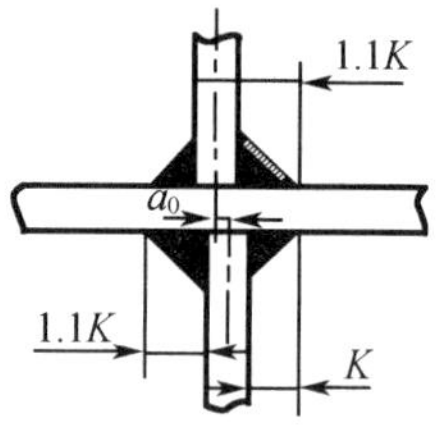 K—规定的焊脚尺寸 2. $a_0 > 1/2t_0$时，应重新装配（拆除距离至少为50 a_0）
		其他（指受力结构）	$\leqslant 1/3t_0$	$\leqslant 1/2t_0$	超差时应修正（拆除距离至少为30 a_0）
角接接头的间隙	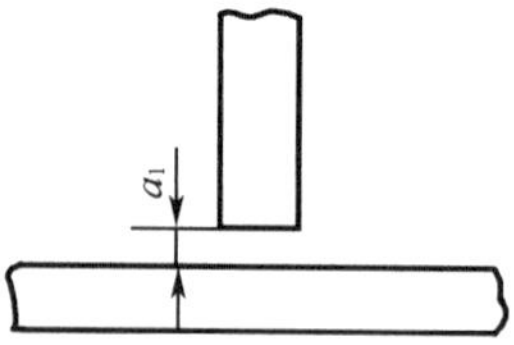 a_1—间隙量		≤2	≤3	超差（即超出允许极限）处理。 1. 当$3 < a_1 \leqslant 5$时，增加焊脚尺寸(a_1-2) 2. 当$5 < a_1 \leqslant 16$时： a. 增设背垫堆焊，若背垫拆除应进行清根封底焊； 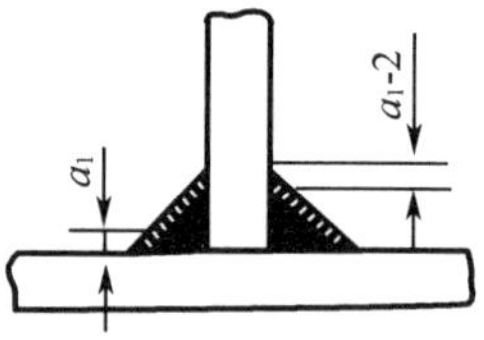 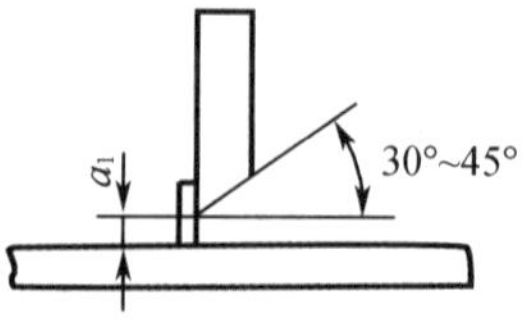

表3－9(续1)

项目			精度标准		超差处理
			标准范围	允许极限	
					b. 增设垫板焊接，垫板厚度 $t_1 \leqslant t_3 \leqslant t_2$，$t_1$、$t_2$ 为角接板厚度； 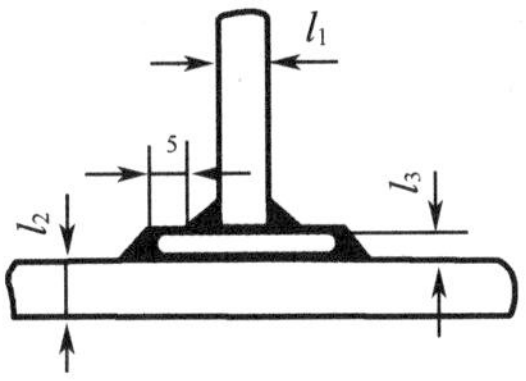 c. $a_1>16$ 时，部分换心，割换高度不小于300 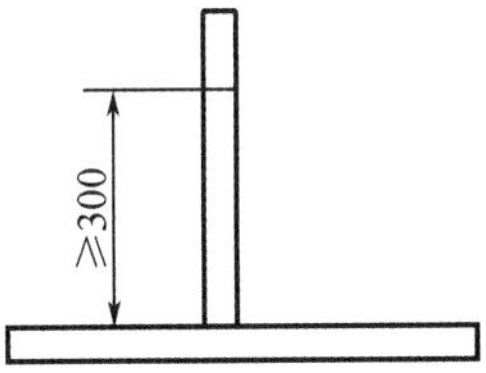
搭接间隙偏差	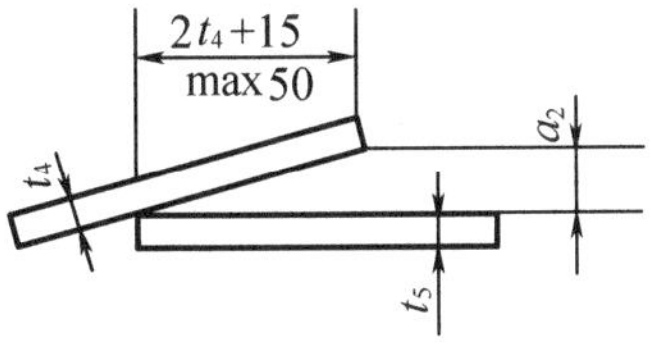 2t_4+15 max50 a_2—间隙量； t_4—薄搭接板厚度； t_5—厚搭接板厚度		≤2.0	≤3.0	超差处理： 1. 当 $3<a_2\leqslant 5$ 时，增加焊脚尺寸(a_2-3)； 2. 当 $a_2>5$ 时，重新装配
对接接头错边量	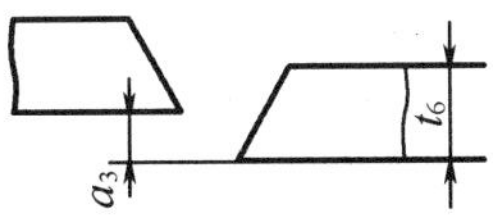 a_3—错边量； t_6—较小的板厚度	主要构件	≤0. 1 t_6 且≤3	≤0. 15 t_6 且≤3	超差则重新装配
		次要构件	≤0. 15 t_6 且≤3	≤0. 2 t_6 且≤3	

表 3-9(续 2)

<table>
<tr><th colspan="3" rowspan="2">项目</th><th colspan="2">精度标准</th><th rowspan="2">超差处理</th></tr>
<tr><th>标准范围</th><th>允许极限</th></tr>
<tr><td>对接接头平整度</td><td colspan="2"> 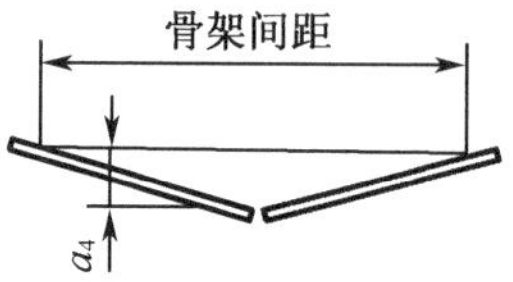骨架间距
a_4
a_4—平整量</td><td>≤2.0</td><td>≤3.0</td><td>超差则加工艺板拉平</td></tr>
<tr><td rowspan="3">手工焊、CO_2焊坡口根部间隙</td><td rowspan="3"> 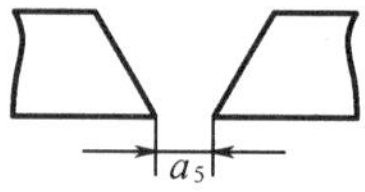a_5
a_5—坡口根部间隙</td><td>手工焊、CO_2焊</td><td>0~3.5</td><td>≤5.0</td><td rowspan="3">超差处理:
1. 当 $5 < a_5 \leq 16$ 时
a. 加衬垫,焊正面;
b. 去除衬垫,封底焊 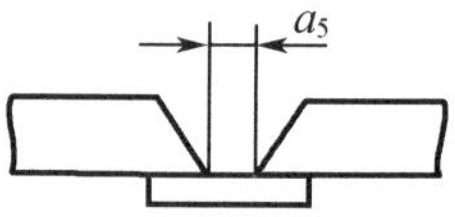
a_5
2. 当 $16 < a_5 \leq 25$ 时
a. 加衬垫,正面单侧补焊成型后再焊主焊缝;
b. 去除衬垫,清根后封底焊 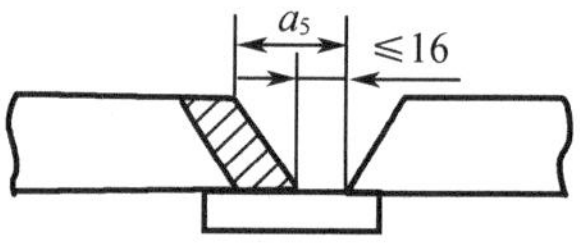
a_5 ≤16
3. 当 $a_5 > 25$ 时,部分材料应重新装配 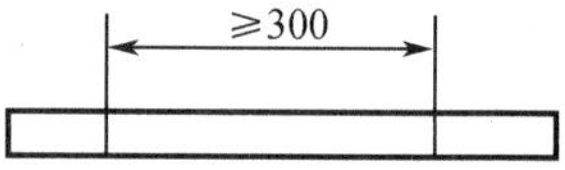
≥300</td></tr>
<tr><td>手工焊(带衬垫)</td><td>$3 \leq a_5 \leq 9$</td><td rowspan="2">$a_5 \leq 16$</td></tr>
<tr><td>CO_2单面焊(带衬垫)</td><td>$5 \leq a_5 \leq 9$</td></tr>
</table>

在部件检验过程中还应注意以下要点:

(1)若肋板、桁材上设有人孔盖,应注意其安装相对于船体的首、尾、内、外的位置。

(2)检验组合型材面板与腹板,应注意其中哪些面板应装成特定的角度,且左右对称构件是否装配对称。

(3)肋骨框架装配后应检查辅助加强材位置是否合理,主要考虑待分段装配竖立框架后,辅助加强材不得影响其他结构件的安装。

(4)薄板板列拼板焊缝若采用手工焊接,则焊后通常用锤击焊缝方法将焊接产生的角变形矫平,然后画线安装构件。

(5)安装舱壁扶强材时应注意扶强材上下端离舱壁边缘尺寸的准确性,在扶强材焊妥且舱壁平面矫正后再安装吊运用的辅助加强材。

3.1.2 工作任务训练

船体板列一般由3~5块钢板拼焊而成，为做好板列拼板精度控制工作，在钢板号料时要在钢板上画出某些对合线或检查线，图3-1为待拼焊钢板，写出图中1,2,3,4线的名称，说出如何依据这些线进行拼板的精度控制工作。该板列板厚度均为20 mm，采用埋弧自动焊焊接，设计该板拼板焊接的坡口形式。

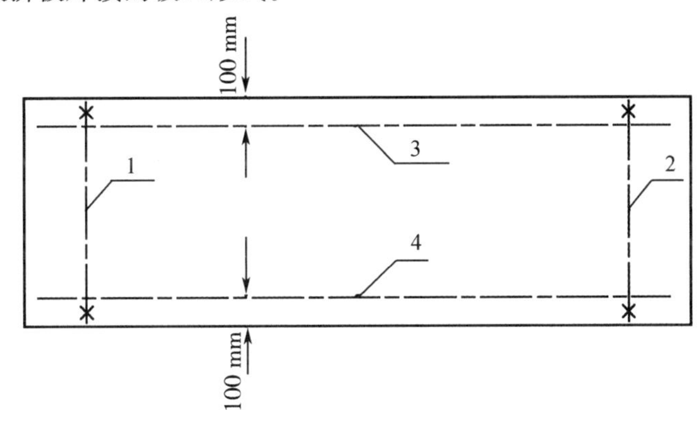

图3-1 待拼焊钢板

任务3.2 分段制造检验

3.2.1 相关知识

3.2.1.1 胎架检验

1. 胎架简介

胎架是船体分段装配中的重要专用工艺装备，在船体制造时作为分段外模用，它的表面线型与分段的外表面相吻合。胎架的作用是使分段的装配和焊接工作具有良好的条件，而对于中小型船舶和大型船舶的分段建造，胎架又具有不同的作用。对于中小型船舶，船体线型变化大、船体结构钢板薄，要求胎架具有足够的强度和刚度来控制分段外形，以减少分段脱离胎架后的焊接变形。而对于大型船舶，船体线型变化小、船体结构钢板厚，胎架作为强制控制焊接变形装备的作用明显减少，其主要作用是支承分段重力。建造大型船舶的船厂广泛采用可调胎架建造分段，把由胎架保证线型的做法，改变为靠船体结构件来保证分段外形，通过合理的装焊工艺，应用高效焊接技术等措施，使分段变形控制在最小范围内。许多中小型船厂至今仍难以将固定胎架淘汰，为节约胎架用料，通常采用简易式固定胎架。对船体线型要求高的分段，可采取胎架加放反变形工艺措施，使分段变形控制在建造精度范围内。检验员应根据生产设计提供的不同的胎架结构形式及其支承的船型，对胎架检测精度的验收掌握不同的要求。

2. 胎基准面的切取

船体分段的外形大部分带有曲型。不同部位的分段有不同的曲型，而且相差很大，如艏、艉部位的舷侧分段外形和形体中部的舷侧分段外形。如何使分段装配胎架的表面型线既满足分段装配的要求，又能最大程度改善分段的施工条件，扩大自动焊、半自动焊的使用范围，降低胎架制造成本，这与胎架基准面的切取有很大的关系。

目前胎架基准面的切取方法有正切、单斜切、正斜印、双斜切四种，如图 3 – 2 所示。

（1）正切胎架的基准面平行或垂直于船体基线面，同时又垂直于肋骨面，如图 3 – 2（a）所示。由于基准面垂直于肋骨剖面，所以胎架的制造比较简单，分段构架的画线、安装、检验、测量等工作也较方便。底部分段、甲板分段和一些曲型变化不大的舷侧分段、半立体分段的胎架基准面通常选择正切形式。

（2）单斜切胎架的基准面垂直于肋骨曲面，与船体基面成一倾角，如图 3 – 2（b）所示。由于基准面垂直于肋骨剖面，所以胎架的制造也比较方便。

（3）正斜切胎架的基准面垂直于船体基线面或纵中剖面，与肋骨剖面成一倾角，如图 3 – 2（c）所示。由于胎架基准面不垂直于肋骨剖面，所以胎架的制造、构架的画线、安装要用角度样板。这种胎架多用于艏、艉部升高较大的底部分段和半立体分段。

（4）双斜切胎架的基准面与船体基线面成一倾角，且又不垂直于肋骨剖面，如图 3 – 2（d）所示。这种胎架基准面的切取可以降低胎架的高度，节省胎架材料，改善施工条件，但胎架的制造、分段构架的画线、安装都比较复杂。这种胎架大多用于曲型变化很大的舷侧分段。

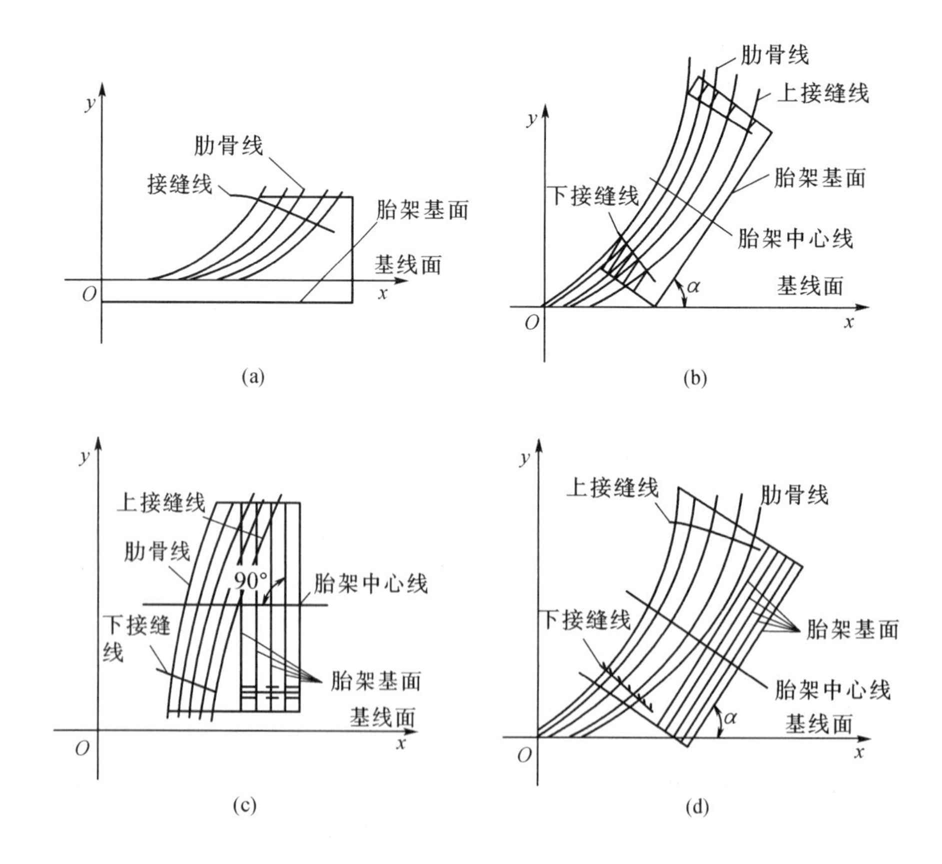

图 3 – 2　胎架基准面的切取

（a）正切；（b）单斜切；（c）正斜切；（d）双斜切

3. 胎架的分类

(1)按结构形式分:框架式、单板式和支柱式胎架

①框架式胎架:胎架模板采用框架式模板,与拉马角钢、纵向牵条组装成胎架。

②单板式胎架:采用单板式模板组装成的胎架,这种胎架刚度大,控制分段焊接变形的性能好。但这种胎架需要以整块钢板割出,耗费材料较多,因此,仅用于舰艇、线型要求高及薄板结构的分段,也用于批量生产的分段。

③支柱式胎架:根据支柱高度可否调节,支柱式胎架又可分为固定型和坐标套管升降型两种。

a. 固定型胎架是在须设置胎架模板的肋位上,竖起若干根角钢,用角钢做横向连接,角钢上端按型值画线,切割成型。一般用于甲板、上层建筑及刚性强的舷侧分段。这种胎架用料少,制造方便,但在保证分段线型方面较差一些。

b. 坐标套管升降型胎架的支柱由可以调节高度的支柱组成。胎架表面曲型根据分段线型的型值在高度方向上调节而成。支柱由内外两根不同口径的管子套接组成,在内外管上各按不同高度钻有数排销孔,当内外管按胎架型值调节高度后,用销插入相应的销孔加以固定。这种胎架可用于各种甲板分段、舷侧分段及曲型较小的立体分段。随着电子技术在造船工业上的广泛应用,可通过数控液压装置,根据型值表来自动调节胎架,这样的升降型胎架使用起来方便,具有较高的经济效益。

(2)按胎架用途分:底部胎架、舷侧胎架、甲板胎架和艏艉柱胎架等

①底部胎架用于船体底部分段的装配。根据船体底部分段的结构和分段的曲型又可分为正造胎架与反造胎架。通常此类胎架的基准面与船体基线面是平行的(即正切),但在艏艉部升高较大的底部分段装配中,胎架基线面可选用正斜切形式。

②舷侧胎架用于船体舷侧分段的装配。由于舷侧分段的线型在全长范围内变化较大,胎架基准面的切取也有所不同。位于平行中体部位的舷侧分段,其胎架基准面可取正切;在艏艉部位的舷侧分段,为了降低胎架模板的高度,根据分段的曲型,胎架基准面可取正斜切、单斜切或双斜切。

③甲板胎架用于甲板分段或以甲板为施工基面进行反造的立体分段的装配,如艏艉立体分散、上层建筑分段等。

④艏艉柱胎架用于艏艉柱的装配。胎架基面通常采用平行纵中剖面的正切基准面(侧装面)和垂直于纵中剖面的正斜切基准面(正造法)。

此外,根据同一胎架使用范围的大小和次数的多少又可分为通用胎架和专用胎架。如由升降型坐标支柱组成的胎架、平行中体部位的底部反造胎架和舷侧胎架,都可称为通用胎架,它占全船胎架总数的70%左右。有时根据全船各分段的不同曲型进行统计归类,把框架式模板制成几种标准的框架,只要变换在相应标准框架上的线型板即可得到不同表面曲型的模板,由这种标准框架组成的胎架也称为通用胎架。艏艉柱胎架、艏艉底部胎架和舷侧胎架,以及为了满足某些船舶产品的特殊工艺需要设计制造的回转胎架和左右摇摆胎架等,都可列入专用胎架范围。

回转胎架能绕水平轴旋转,使分段内的构架获得更好的焊接位置,适用于圆筒形分段(如潜艇的艇体等)的装配。摇摆胎架依靠摆动或滚动装置将胎架倾斜至一定角度,以求得到最佳的焊接位置。由于这些胎架结构复杂,制造成本高,因此使用不够广泛。

4. 胎架结构

胎架结构通常由坚固的基础、各种形式的胎架模板(简称模板)、拉马角钢、纵向牵条组成,如图 3 - 3 所示。

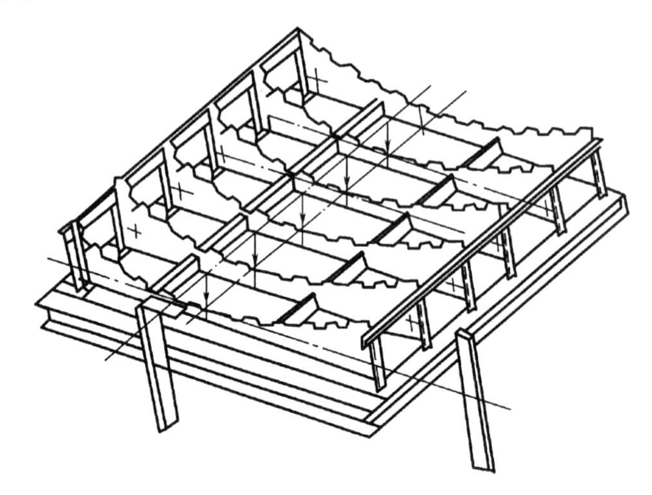

图 3 - 3　胎架结构

(1)胎架基础

在分段的装配过程中,胎架一方面承受分段的重力,另一方面要保证分段的线型、控制分段的焊接变形,所以,模板必须坐落在有足够承载能力而不下沉变形的基础上。基础上表面力求保持在一个水平面上。目前经常采用的胎架基础有水泥墩基础、条形基础和水泥平台基础,如图 3 - 4 所示。

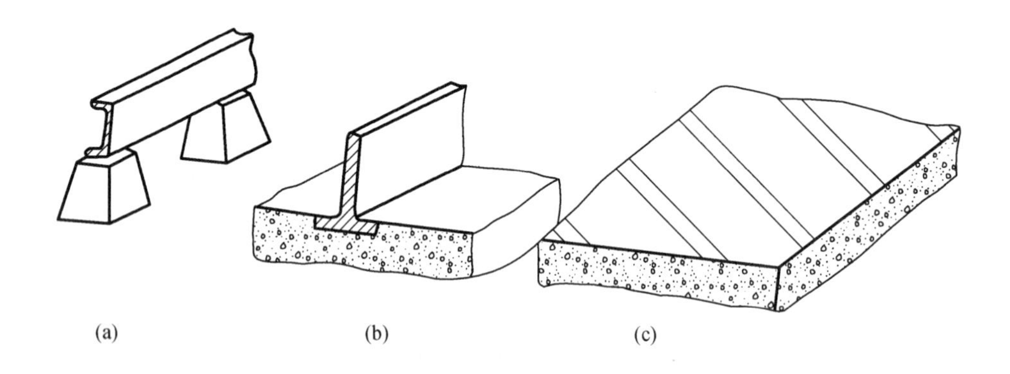

图 3 - 4　胎架基础

(a)水泥墩;(b)条形;(c)水泥平台

①水泥墩基础:在平地上,按一定间距排列浇筑水泥墩座。在水泥墩座上沿纵向铺设 22 ~ 24 号槽钢(或工字钢),如图 3 - 4(a)所示。模板可直接竖立于槽钢上定位。

②条形基础:在平台上,横向按一定间距排列设置连续的 T 形钢筋混凝土条,如图 3 - 4(b)所示,T 形混凝土条下部与钢筋混凝土连为一体。T 形上部沿平台纵向布置有槽钢(或工字钢),上表面基本保持水平。胎架模板可在槽钢上定位。

③水泥平台基础:在平地上,用钢筋混凝土浇筑成有一定厚度的平台,平台表面按一定

间距排列布置有T形钢质埋件，埋件下部通过钢筋与平台钢筋连为一体，浇筑后，T形埋件上表面与平台上表面基本位于同一水平面上。模板可直接竖立于平台上与T形埋件定位焊固定，如图3－4(c)所示。它既可作为胎架基础又可作为平台使用，结构较强，控制分段焊接变形的作用大，工作场地也大，画线方便。

(2)模板

模板经常采用的形式有单板式、框架式、支柱式三种。

①单板式是用整块钢板割制而成，如图3－5所示。为了减轻模板与分段的接触面，有利于分段和胎架贴紧，使分段在焊接时有自由收缩的可能，模板的表面通常制成齿形。

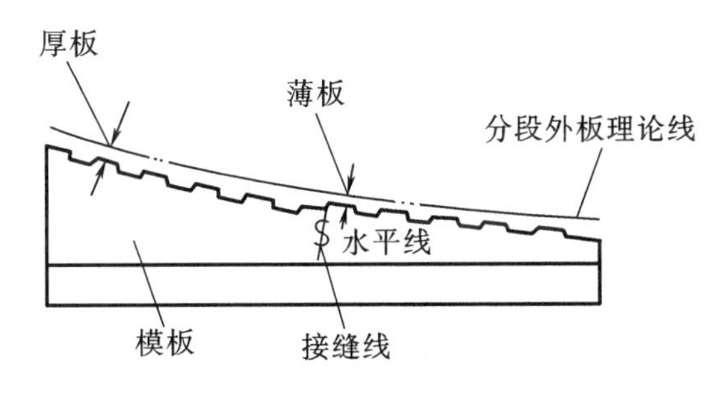

图3－5　单板式模板

②框架式是用线型板、支撑材、底桁材与拉马角钢组装而成，如图3－6所示。

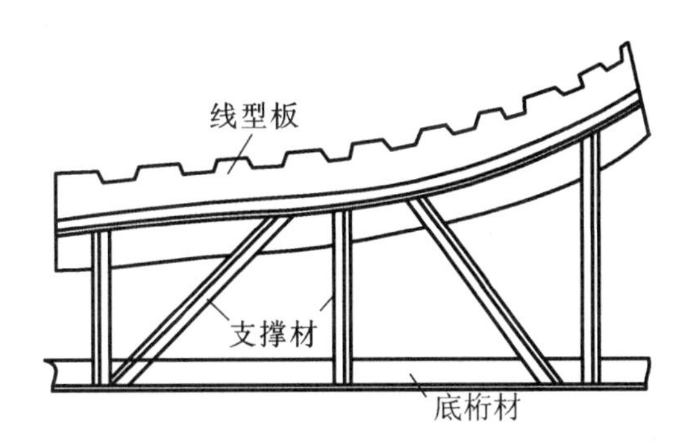

图3－6　框架式模板

③支柱式采用许多单根型钢(支柱)，按胎架图所示位置竖立在平台上制造而成，如图3－7所示。

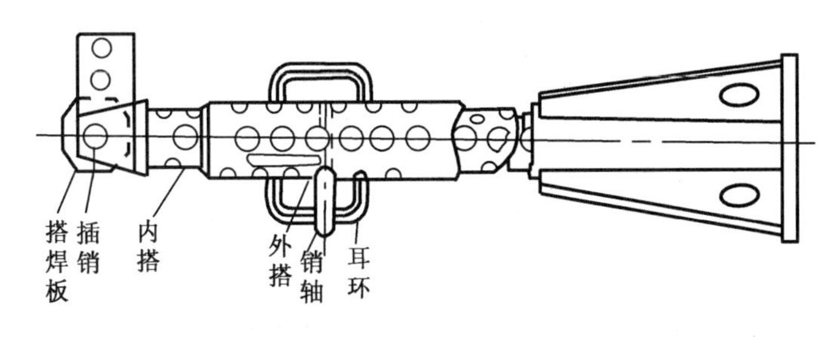

图3－7　固定型支柱式模板

(3)拉马角钢

拉马角钢设置在模板上部,与模板上表面基本平行。拉马角钢除增加模板的刚性外,还可借助于弓形马、螺丝马使分段外板贴紧胎架横板。

(4)纵向牵条

纵向牵条通常采用角钢制成,在模板之间纵向连接。纵向牵条除了固定模板纵向间距、加强胎架刚度、作拉马装置外,也是胎架纵向线型的模板,因此牵条上缘应与分段纵向线型吻合。纵向牵条的位置常设在分段纵向的相应构架处。为保证边接缝处的线型,在离边接缝 150 mm 左右处可增设纵向牵条。如果分段纵向强度很大,或对纵向线型要求不高,在胎架上也可以不设纵向牵条,此时在模板的一面加设斜点撑,以增加模板的强度。纵向牵条间距一般为 1.5 m 左右。

5. 胎架检验

检验员应认真查阅分段工作图,详细了解分段胎架类型与结构。在进行现场检验时,检验员应带好钢卷尺和其他检验工具,并借用现场作业者所使用的水准仪、激光经纬仪、水平软管、线锤及胎架画线样板等设备进行检测。模板胎架检验的具体内容、精度标准与检验方法可参见表 3-10。

表 3-10 膜板胎架检验内容、精度标准与检验方法　单位:mm

检验内容	精度标准		检验方法
	标准	允许	
模板位置偏差	≤2.0	≤3.0	按胎架图尺寸检测
模板垂直度	1/1 000	2/1 000	用线锤检测
模板中线或水线基准线偏差	≤1.0	≤2.0	用线锤检测
平线四角水平	≤2.0	≤3.0	用水准仪或水平软管检测
模板型线与样板型线偏差	±1.0	+1.0 -3.0	用胎架画线样板检测
模板上外板接缝线偏差	±1.5	±3.0	用胎架画线样板检测

在进行胎架检验时,还应注意以下要点:

(1)用于建造艏、艉部分段或纵向线型变化大的分段的模板或胎架,竖立的模板画线面应与结构理论线面一致,气割面角度应向下倾斜。

(2)胎架应在线型经气割完工后的状态下检验。

(3)胎架模板上应写明肋位号,画出船中线或舷侧分段甲板线、外板接缝线等。

(4)舷侧分段的支点式或管式可调胎架要检验在胎架平台上预设的外板定位基准线位置的准确性。

(5)对分段艏艉曲度变化大的大接缝附近应设有胎架模板,以确保大接缝处外板拼接后的曲度。

以下以支柱式胎架为例介绍胎架的检验内容、检验方法及检验要求,具体见表 3-11。

表 3－11 支柱式胎架检验内容、精度标准与检验方法

<table>
<tr><th>序号</th><th colspan="3">检验内容</th><th>检验方法</th><th>检验要求</th></tr>
<tr><td rowspan="5">1</td><td rowspan="5">外观</td><td colspan="2">外支撑管与地面是否牢固连接</td><td rowspan="5">目测</td><td rowspan="5">有损坏及时整修，方可使用</td></tr>
<tr><td colspan="2">内支撑管是否弯曲与损坏，并能上下自由伸缩</td></tr>
<tr><td colspan="2">连接插销是否弯曲</td></tr>
<tr><td colspan="2">铁链、卡环是否脱落</td></tr>
<tr><td colspan="2">钢管连接孔是否变形</td></tr>
<tr><td rowspan="3">2</td><td rowspan="3">数据</td><td colspan="2">胎架水平基准面用标记注明</td><td>定期用水平软管、水平仪校核</td><td>公差 ±2 mm</td></tr>
<tr><td colspan="2">每一支柱高度尺寸</td><td rowspan="2">按设计胎架图要求</td><td rowspan="2">公差 ±2 mm</td></tr>
<tr><td colspan="2">胎架外围定位尺寸应按工艺要求施工</td></tr>
<tr><td rowspan="3">3</td><td rowspan="3">稳性</td><td rowspan="3">支柱距地面高度</td><td>$H \geqslant 1\ 500$ mm</td><td rowspan="3">卷尺</td><td>加一档水平支撑杆将支柱与相邻支柱固定</td></tr>
<tr><td>$H \geqslant 2\ 000$ mm</td><td>加二档水平支撑杆将支柱与相邻支柱固定</td></tr>
<tr><td>$H > 2\ 500$ mm</td><td>支柱高度不允许采用模板式胎架</td></tr>
</table>

3.2.1.2 画线检验

1. 概述

胎架经验收合格，装配工在胎架上拼装外板或甲板已焊妥，焊缝经外观表面质量检查合格，即可进入画线工序。画线操作应对照分段工作图，依据草图、样条、样板等，先用激光经纬仪画出角尺基准线，然后画出各种结构线、开口线与大接缝线，按分段焊接表要求，画好断续焊焊段尺寸，提交检验。分段画线位置正确与否，将决定分段中各零、部件装焊位置的正确性，尤其对在分段大接缝处连续构件的位置及外板、甲板、纵横壁上开孔位置及大小的正确与否起着关键作用，更影响到船体大接缝质量和外观的美观及强度。

2. 船体构件理论线

船体结构图样常采用小比例绘制，构件又通常采用不同图线表示其投影，因此，图样中构件的定位尺寸可能出现不同理解。为了给予明确地表示，CB/T 253—1999《金属船体构件理论线》规定了船体构件安装定位的基准，同时也是船图中板及构件标注尺寸界线的依据，即规定了构件理论线的位置。船体构件理论线是确定构件定位尺寸的依据，在船体建造时是确定构件安装位置的基准线。

(1)确定理论线的基本规定

①沿高度方向定位的构件，以靠近基线(BL)一边为理论线，如图 3－8 所示。

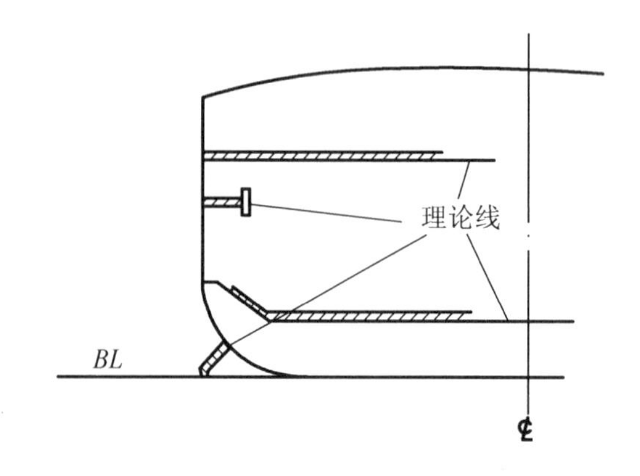

图 3－8　沿高度方向定位的构件的理论线

②沿船长方向定位的构件，以靠近船中(⚇)一边为理论线，如图 3－9 所示。

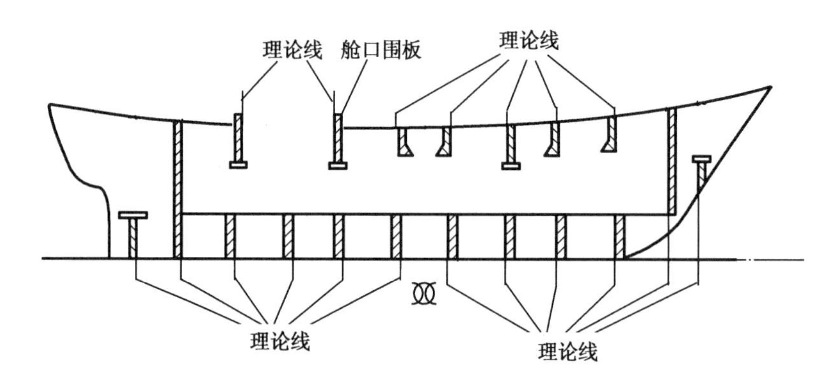

图 3－9　沿船长方向定位的构件的理论线

③沿船宽方向定位的构件，以靠近船体中线(₵)一边为理论线，如图 3－10 所示。

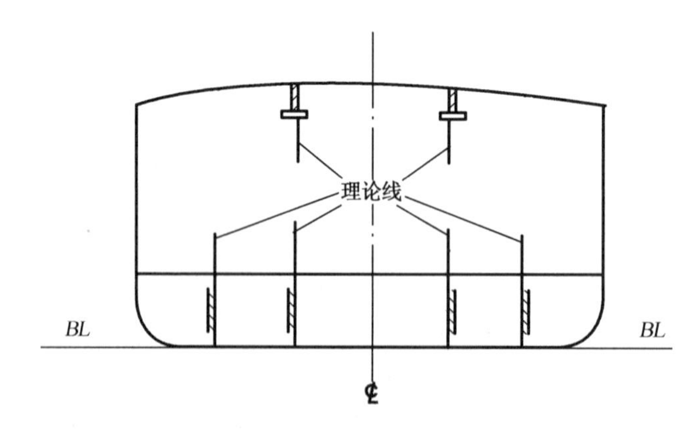

图 3－10　沿船宽方向定位的构件的理论线

④位于船体中线的构件，取其厚度中线为理论线，如图 3－11 所示。

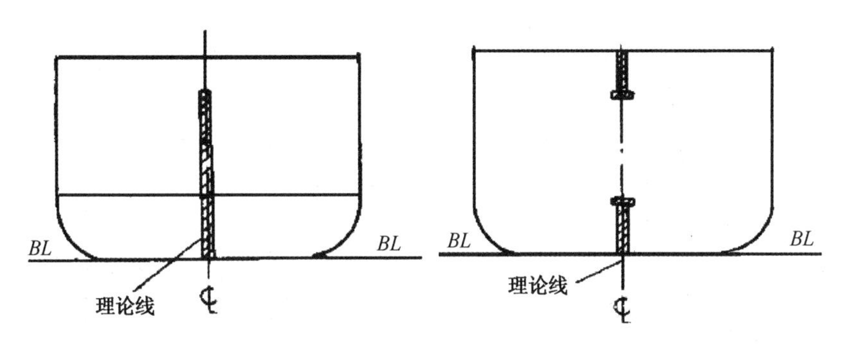

图 3－11 位于船体中线的构件的理论线

(2)下列构件或具有下列结构形式的构件,其理论线位置由下列规定确定,而与基本规定无关。

①不对称型材和折边板材以其背面为理论线,如图 3－12 所示。

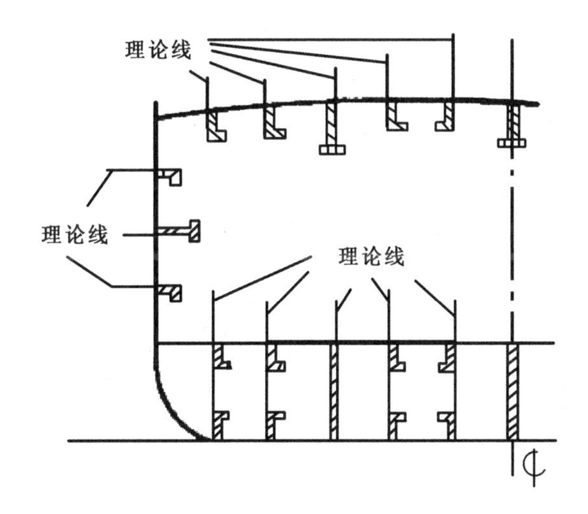

图 3－12 不对称型材的理论线

②封闭形对称型材,以其对称轴线为理论线,如图 3－13 所示。

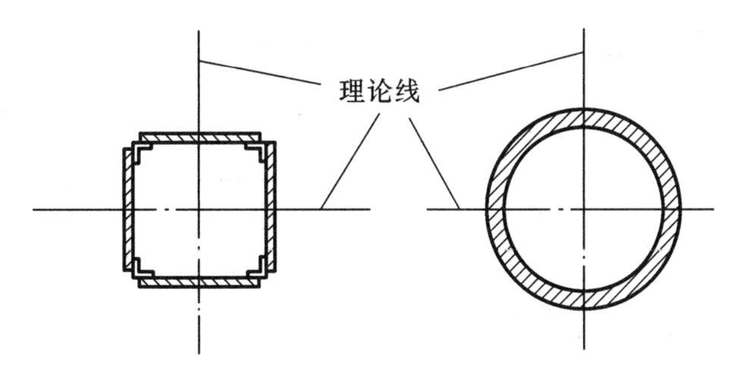

图 3－13 封闭形对称型材的理论线

③外板、烟囱、轴隧以板的内缘为理论线,如图 3－14 所示,锚链舱围壁以板的外缘为理论线,如图 3－15 所示。

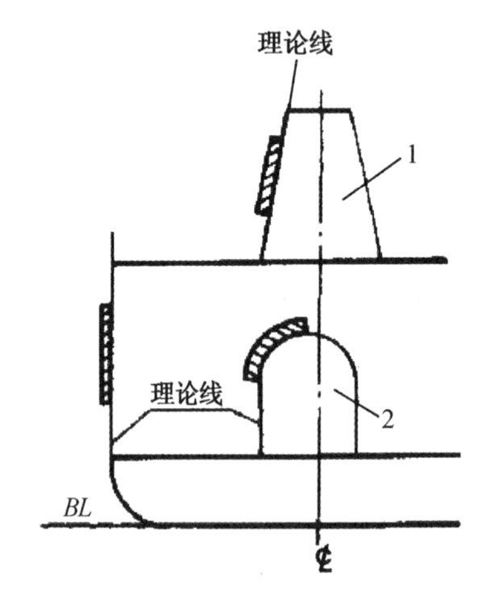

图 3-14　外板、烟囱、轴隧的理论线

1—烟囱;2—轴隧

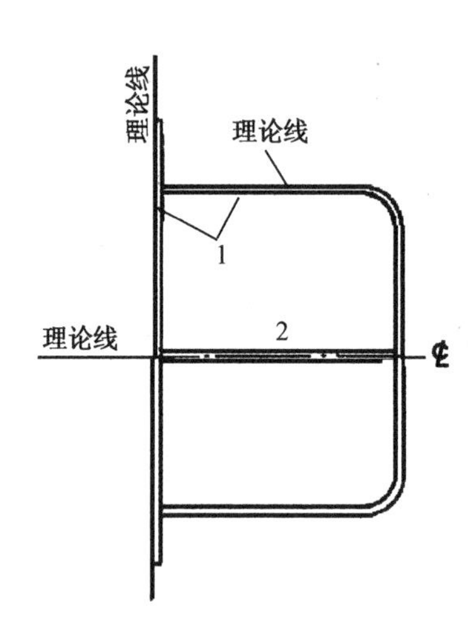

图 3-15　锚链舱围壁的理论线

1—锚链舱围壁;2—锚链舱中纵壁

④基座纵桁腹板以靠近轴中心线一边为理论线,纵桁面板以面板下缘为理论线。与基座纵桁连接的旁桁材或旁内龙骨及基座纵桁下的旁桁材的理论线同基座纵桁一致,如图 3-16 所示。

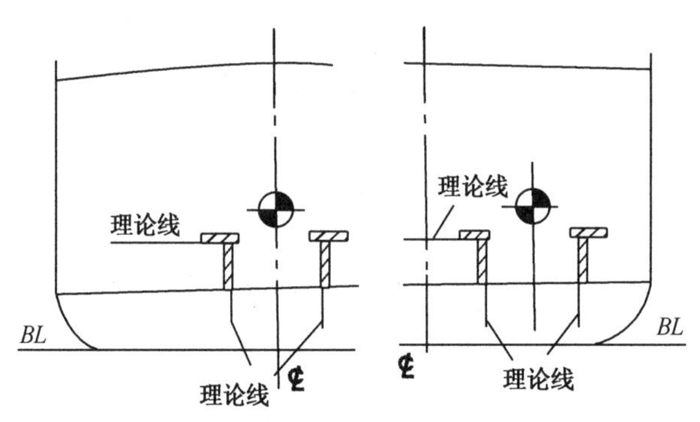

图 3-16　基座纵桁的理论线

⑤舱口围板以靠近舱口中心线一边为理论线。舱口纵桁及舱口端围板所在肋位的横梁、肋骨、肋板的理论线与舱口围板一致,如图 3-17 所示。

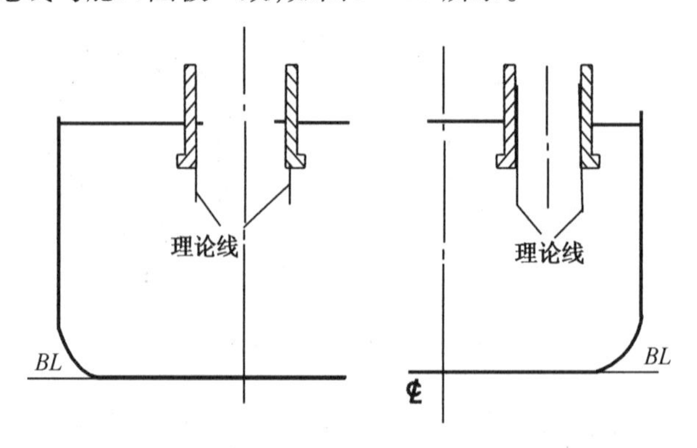

图 3-17　舱口围板的理论线

⑥边水舱的纵舱壁以布置扶强材一边为理论线，如图3－18所示。

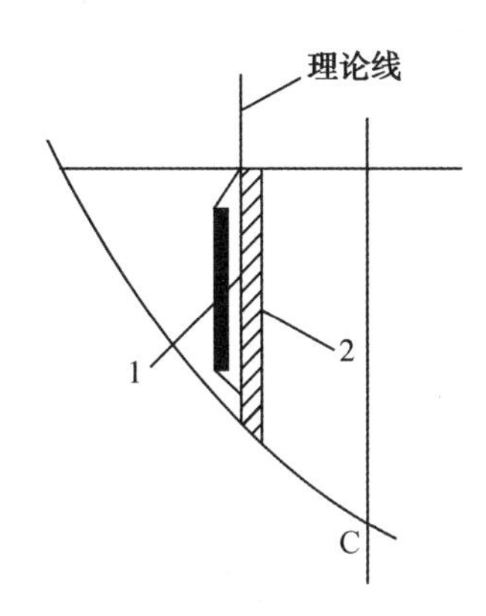

图3－18 边水舱纵舱壁的理论线

1—扶强材；2—过水舱舱壁

以上是确定船体构件理论线位置的基本原则规定，而船体结构图上因节点的具体形式不同或有特殊要求，则在画线或装配时必须按产品的构件理论线图样施工。

3. 画线检验

检验员首先应阅读所验船舶的船体分段工作图与船体构件理论线图，尤其对设有主机座的船体分段，更要核对主机轴线位置及基座腹板之间开挡尺寸的准确性。画线检验内容、精度标准与检验方法可参见图3－19和表3－12。

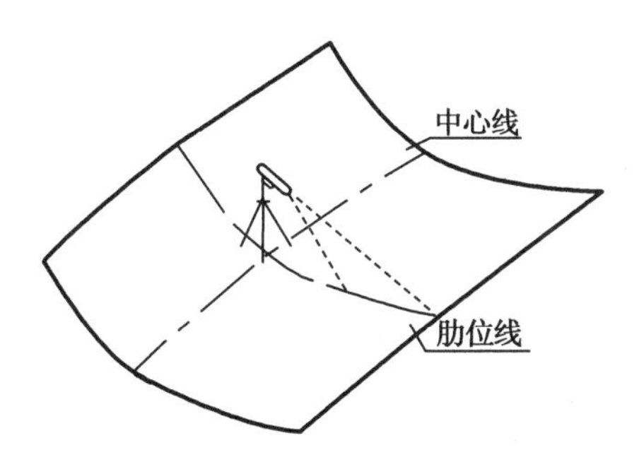

图3－19 船体分段画线示意图

表3－12 画线检验内容、精度标准与检验方法 单位：mm

检验内容	精度标准		检验方法
	标准	允许	
中线、结构线、开口线偏差	≤1.0	≤1.5	用画线草图或样条检测
构件厚度位置偏差	正确	正确	按船体构件理论线图检查
端头肋位距大接缝尺寸偏差	±2.0	±4.0	对预整修端头，检查余量即可
内底、平台、甲板宽度偏差	±2.0	±4.0	用画线草图或样条检测

在进行画线检验时应注意以下事项：

(1)如果画线依据是采用木样条(棒)，应注意木质材料受气温、湿度影响会产生尺寸误差；

(2)纵向曲度变化大的外板上画肋位线应依据胎架模板位置，注意前后方向定位位置的准确性；

(3)结构线线条的一侧均应标明构件的厚度位置；

(4)按分段工作图工艺要求，注意对工艺孔、舱口及大接缝处门窗画线后的处理；

(5)依据样条提供的尺寸点画曲线，尺寸点之间的距离太大会影响曲线的准确性，应增加尺寸点或增作曲线画线样板，以确保画线准确。

3.2.1.2　分段检验

1. 概述

分段制造是造船工程中的主要工艺阶段，它也是船体建造中实施工程管理的重点对象，一个造船厂的船体建造能力，主要就是反映在分段的制造能力上。因此现代化造船厂，对分段制造的工艺、计划日程的安排和周期，都需要进行深入的研究，使分段制造工作合理化。分段的划分不是单纯的工艺问题，而是必须考虑生产管理时的工作量平衡，必须考虑有利于壳舾涂一体化造船生产，这就需要分段的同类型化，使作业人员经常重复操作而提高分段制造的工作效率。分段结构类型的标准化也是造船作业标准化的重要内容之一，因此可以按标准型分段和部件组织起专业化生产作业线和机械化分段制造流水线，使分段制造的工艺流程合理化，由此将分段结构形式进行如下分类。

(1)平面直线形分段

指分段的板材是平面，而边缘均是直线长方形分段。通常是船舶的平行中体区域的底板、外板、甲板、隔壁等分段。

(2)平面曲线形分段

指分段板材零件是平面形，而边缘是曲线的分段。一般是靠近艏部区域的纵、横隔壁等分段。

(3)曲线分段

指分段的外板是曲面，而边缘也是曲线的分段，如艏、艉部带曲面外板的舷侧分段和底部分段。制造分段时，首先在支柱式胎架上按工作图的高度型值，调整支柱高度，组成所需的曲面形状，然后将外板在胎架上进行拼装焊接。分段线型在脱离胎架后会有所缩小，火工矫正一般仅改善外板线型的光顺性，而难以复位至胎架线型，因此对精度要求高的曲面分段只有在胎架制造时采取反变形措施。

(4)立体和半立体分段

指由外板、甲板、隔壁等结构件组成的封闭和半封闭型的分段。一般立体型分段有艏艉区域的艏立体、艉立体、球鼻首、环形和机舱区的“F”形分段。特殊结构的油船，其货油舱区有“D”形分段和“Π”形分段等。半立体分段有“L”形和“Π”形分段等。以上立体分段可以由甲板、舷侧和隔壁等小分段组装而成，也可以由单一的外板零件拼装而成。立体和半立体分段的优点是船台安装方便，吊装效率高，分段上可以充分扩大预舾装和开展平行作业。

2. 平面和曲面分段检验

由于平面分段一般不提供单独图样，通常在立体分段工作图的工艺中指明该分段中哪些结构先组装成平面分段，因此检验员在进行平面分段检验时，必须整体阅读各立体分段工作图的装配工艺，掌握全船平面分段的位置与数量，结构情况与建造要领要求，才能做好检验工作。检验员在进行曲面分段检验时，应详细阅读分段工作图，了解其结构、余量加放位置、放泄塞位置及焊接规格等工艺要求。检验曲面分段四角水平时，应在分段焊接前预设水平线。平面和曲面分段的具体检验内容、精度标准与检验方法可参见表 3－13。

表 3－13 平面和曲面分段检验内容、精度标准与检验方法 单位：mm

检验内容		精度标准		备注
		标准	允许	
分段长度偏差	平面	±4	±6	
	曲面		±8	
分段宽度偏差	平面		±6	
	曲面		±8	
内部构件相对于板的偏离		≤5	≤10	
高度偏差		±2.0	±3.0	用线锤检测
分段正方度	平面	≤5	≤10	指最终画线的对角线偏差
	曲面	≤10	≤15	
分段扭曲度			≤20	在横梁或桁材面板上测量

在检验过程中还应注意以下要点。

(1)检验平面分段时，应注意纵、横舱壁结构的对称性、梁拱及脊弧方向的正确性。对波形或槽形舱壁，由于波形或槽形呈非对称形，在检验时要特别注意判别凸出的波形或槽形方位的正确性，分段上应标记船中线、肋位检验线和水线检验线。

(2)检验曲面分段时，应注意如下几点：

①分段中线应标记在分段两端外板或甲板的外表面上，水线基准线应标记在分段两端肋位的肋骨或横舱壁上，艏、艉柱分段除两端外，整条中线应号上冲印；

②舷侧分段应画出按分段工作图所要求的船台定位用水线基准线，并号上冲印；

③分段应画出按分段工作图所要求的肋位基准线，并号上冲印；

④分段四周大接缝边缘，除留有余量外，还应按分段工作图要求开好焊接坡口；

⑤在检验实施精度管理造船的分段时，执行有关专用工艺文件的要求。

(3)应注意检查分段是否按工艺要求进行加强，以免吊运时发生变形。

3. 立体分段检验

立体分段检验是对分段的外形尺寸、构件尺寸、构架位置、零件数量、装配精度和焊接质量的检验。做好立体分段质量控制工作，是确保船体大接缝线型光顺、缩短船体建造船台周期的关键。检验员在进行立体分段检验前应仔细阅读所验船舶的船体分段工作图与船体建造施工要领，了解与分段检验有关的装焊工艺要求，熟悉分段大接缝坡口形式及加放余量情况。掌握应装焊的船体其他零件、部件、放泄塞、人孔盖座的装焊工艺要求，掌握预舾装工艺所要求的舾装件安装工艺及焊接规格要求等。

立体分段是组成主船体结构的独立的完整区段，因此，除分段工作图中标明暂不安装

及暂缓焊接的零部件外，通常应装焊完工，但为了检验后返修施工方便，立体分段一般安排在分段未脱离胎架前检验，故允许分段中仰焊暂不完工及少量外板或内底板为改善焊接通风而暂不安装，这些焊缝及板列留待分段完工检验时进行检验，各类分段的具体检验内容、精度标准与检验方法可参见表 3－14 ~ 表 3－16。

表 3－14　立体分段检验表

单位：mm

检验内容		精度标准		备注
		标准	允许	
上、下平面的中心线偏差	平面立体	≤4	≤7	
	曲面立体	≤4	≤7	
上、下平面的肋位线偏差	平面立体	≤4	≤7	
	曲面立体	≤6	≤12	
分段扭曲度	平面立体	≤10	≤20	在主要平面上，依三点作成平面，然后测量另一点对该平面的误差
	曲面立体	≤15	≤25	
同一水平结构的高度		±4	±6	
两个水平面间的高度		±5	±10	

表 3－15　主机基座检验表

单位：mm

检验内容	精度标准		备注
	标准	允许	
基座面板平面度	≤5	≤10	
基座面板长度及宽度	－2 ＋4	－4 ＋6	
基座纵桁与分段中心线偏差	±2	±4	

表 3－16　艉柱立体分段检验表

单位：mm

检验内容	精度标准		备注
	标准	允许	
轴毂后端与舵杆中心线距离 l_2	±5	±10	
分段扭曲度 c_0			
分段扭曲度	≤5	≤10	
舵杆中心线与艉轴中心线偏差 a_{11}	≤4	≤8	

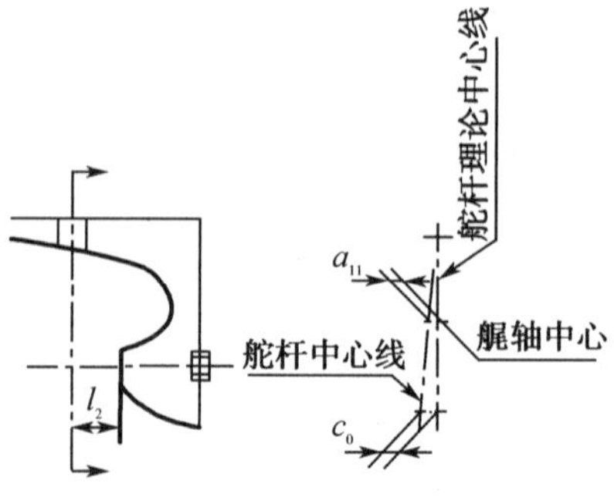

在立体分段检验过程中还应注意以下要点：

(1)双层底立体分段正造一般在专用胎架上进行。双层底立体分段反造一般是以内底板为基准面，在胎架上制造。检验中应重点检查肋板、桁材的流水孔、透气孔、通焊孔、水密舱周围贯通构件上堵漏孔的完整性，分段内左、右舷尖角肋板与外板及内底边板焊缝表面质量及包角焊的完整性。分段艏艉外板表面及内底板上表面应画出船中线、肋骨检验线，并号上冲印。

(2)舷侧半立体分段根据线型的不同，其装配方式也不同。平行中体区域的舷侧分段线型是平直的，可直接在平台上进行装配。艏艉部位曲形较大需要在胎架上装配。应重点检查舷侧半立体分段的甲板边板与舷顶列板夹角的准确性及角焊缝的质量，包括坡口准备及焊缝质量。分段艏艉部的肋骨及带纵舱壁的舷侧分段的纵壁上应画出船台定位用的水线检验线。分段外板的上下口处应画出肋骨检验线。

(3)对全宽甲板带舷侧外板的半立体分段应重点检验舷侧外板曲面分段安装位置的准确性，根据分段工作图检查舷顶列板与甲板边板的角焊缝的工艺要求。检测分段两端肋骨或横舱壁的垂直度。艏艉端的甲板上应画出船中线，两端肋骨画出水线检验线，外板上画出肋骨检验线。

(4)对艏立体分段应重点检测艏柱板安装位置的准确性。艏艉端甲板上应画出船中线，艉部外板上画出肋骨检验线，艉端横舱壁上画出水线检验线，并号上冲印。

(5)对艏楼半立体分段除进行一般检验外，还应查阅分段建造要领中对艏柱板的安装是否有反变形的要求。

(6)艉楼半立体分段检验注意事项可参见全宽甲板带舷侧外板的半立体分段的检验要求。

(7)对于甲板室分段应重点检查分段焊缝规格是否符合工艺要求。分段艏艉甲板上应画出船中线，并号上冲印。分段两端肋骨或横舱壁上应画出水线检验线，并号上冲印。特别注意检查分段是否按工艺要求进行加强，以保证吊运时不发生变形。

(8)应在分段艏艉端画出船中线，并号上冲印。分段艏端横舱壁上应画出水线检验线，并号上冲印。分段艏部外板上画出肋骨检验线，并号上冲印。对艉柱立体分段还应用拉钢丝线法检测艉轴中心与舵柱中心。

以下以某船厂的货舱舭部分段为例介绍分段的检验要求，见图 3－20。

装配作业检验标准：

分段长：L < ±4 mm

分段宽：B < ±4 mm

内底高：H_1 = ±3 mm

舭部尖顶高：H_2 = ±4 mm

分段方正度：(测斜板) <4 mm

分段扭曲度：(测斜板) < ±8 mm

纵骨端面度：< ±4 mm

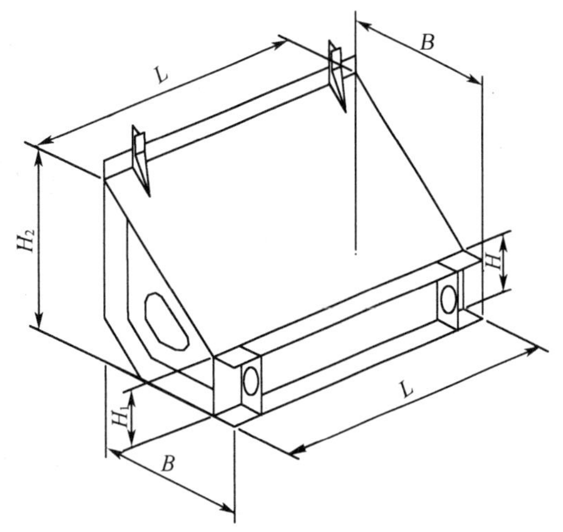

图 3－20 货舱舭部分段建造检验示意图

4. 分段建造测量

(1)传统测量方法

①船体测量工具

船体测量工具一般有直尺、卷尺、水平尺、圆规、粉线团、角尺、拉线架、钢丝及水平仪和激光经纬仪等。

②水平面测量的常用方法

水平面的测量是船体零、部件分段装配过程中一项重要的基本测量项目,也是船舶机械设备安装、定位过程中的一项重要检验项目。

a. 水平尺检测平面法

小型机座的水平面的测量都用水平尺,将水平尺放在机座平面上,要纵横两个方向进行测量,观察水平尺中的气泡位置,若在中间,说明机座已水平,否则应根据测量结果调整,直至纵横两个方向都水平为止。在斜船台上安装机座时同样要测量纵横两个方向的水平,横向的水平测量与平船台测量水平的方法相同,但纵向水平的测量,须考虑船台的坡度。

b. 十字线检测平面法

当一个底部分段位于胎架上正造,龙筋与肋板均已安装结束,将吊装内底板时,为了检查一下各构架上表面是否位于同一平面上,可用十字线法进行检测,如图 3-21 所示。

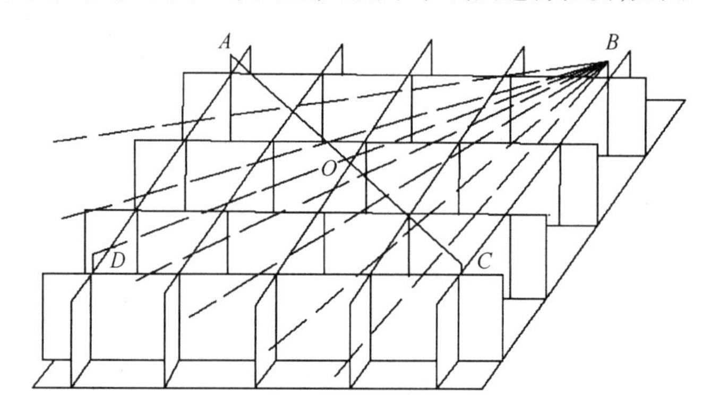

图 3-21　十字线检测平面法

十字线检测平面法的步骤如下。

步骤一:在分段四角的构架上表面选 A、B、C、D 四点,各点向上移 15 mm,用粉线对角相连交于 O 点。

步骤二:两线相交情况。如果两线紧贴在一起,则将位于上面的 AC 线一端(A 点或 C 点)稍微抬高一些,如果 BD 位于 O 点处随着 AC 线升高而升高时,则说明分段有扭曲变形。此时将 BD 线抽出,置于 AC 线之上,测量两线在 O 点处的距离,即得分段扭曲变形量。

步骤三:将 BD 线二端等值下移,使两线于 O 点处刚好相交,此时两线相交形成的平面即为构架上表面的基平面。

步骤四:固定 A、B、C 三点,以 B 为圆心,将 BD 线的 D 端沿圆弧方向做缓慢移动。移动过程中两线必须保持刚好相交的状态。此时仔细观察所有构架上表面离开 BD 的距离线是否均为 15 mm:

如果大于 15 mm,则该处构架上表面低于基平面。

如果小于 15 mm,则该处构架上表面高于基平面。

(2)垂直度的测量方法

垂直度是指构件在装配过程与基面的垂直状态,垂直度的测量是在船体部件、分段、船台装配过程中的一项重要的基本测量项目。船体建造中,常用的垂直度测量方法有水平尺法、线锤法、激光经纬仪法。

a. 线锤法检测横舱壁的垂直度

如图 3－22 所示，在横舱壁的上口刚性较强部位（有扶强材部位）焊一扁钢垂直于横舱壁，在扁钢距横舱壁为 S 处吊线锤至横舱壁下口，测量线锤与横舱壁距离 S_1。

当 $S_1=S$ 时，横舱壁垂直于分段内底板；

当 $S_1>S$ 时，横舱壁首倾（向艏倾斜）；

当 $S_1<S$ 时，横舱壁尾倾（向艉倾斜）。

一般应对横舱壁的左、中、右三个部位都做垂直度测量，防止由于横舱壁变形而引起影响测量的正确性。

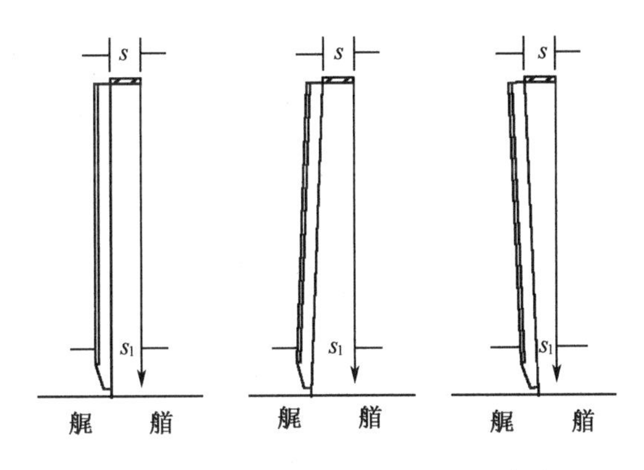

图 3－22 线锤法检测横舱壁的垂直度

b. 激光经纬仪检测横舱壁的垂直度

如图 3－23 所示，在分段内底板上，画一条与横舱壁安装位置线平行的直线，其间距为 h_1，作为设置经纬仪的基准线，将经纬仪放置在直线上任意点。对中整平，使视准轴与直线相交，固紧照准部，望远镜绕横轴转动改变望远镜的俯仰角，测量横舱壁的上口到视准轴的距离 h。

当 $h_1=h$ 时，则横舱壁垂直于内底板；

当 $h_1>h$ 时，则横舱壁上口首倾；

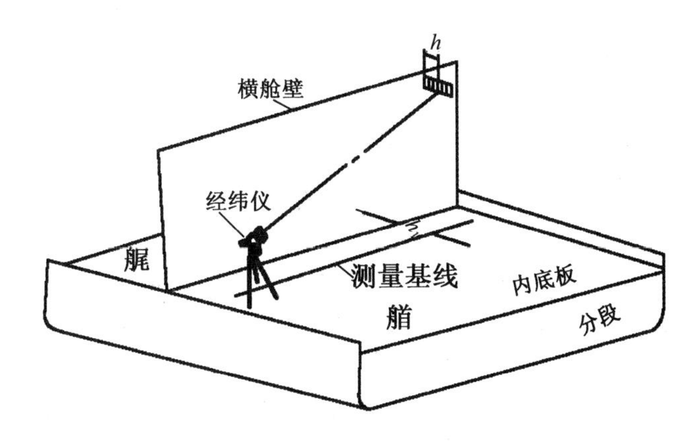

图 3－23 横舱壁的垂直度测量

当 $h_1 < h$ 时，则横舱壁上口艉倾。

在水平船台上，纵舱壁的垂直度测量方法与横舱壁相似。

5. 分段完工检验

分段的完工检验是在完成全部施工内容，包括对分段进行尺度和外形测量之后的完整性检验。它是船体建造过程中必须检验的项目。要检验的分段数量是分段划分图中分段的数量。完工检验包括工厂检验部门的检验和工厂报请验船部门和船东的检验。检验部门在每个分段报验之前必须先自行检查，并提出检查意见，待施工部门修复后再经检验员验收合格，然后通知验船部门与船东检验。验船师和船东在分段检验现场发现质量缺陷时，应用彩色笔在分段上的缺陷处做标记，给出处理意见。并通过书面形式通知厂方，船厂应根据验船师和船东的意见，可按所验船舶的技术部门制定的质量标准协商解决，并参照《中国造船质量标准》(CSQS)的要求消除质量缺陷。检验员、验船师和船东各选用何种颜色的彩色笔做标记由船厂检验部门与施工部门及验船师商定。船体检验工艺符号见表 3－17。

表 3－17　检验工艺符号

名称	符号	标记方法	说明
校平	△	在构件需校平处用彩色笔标上校平符号	构件须校平
换新	⊗	在需换新的构件上用彩色笔标上换新符号	构件拆除换新
拆装	▯	在需拆装的构件上用彩色笔标上拆装符号	该构件拆下并修复后仍装回原处
拆除	×	在需拆除的构件上用彩色笔标上拆除符号	该构件拆除取消
扣槽	○ Q	在缺陷处用彩色笔圈示，并标上扣槽符号	焊缝或构件表面缺陷处须扣去缺陷部分
补焊	○ W	在缺陷处用彩色笔圈示，并标上补焊符号	焊缝或构件表面缺陷处须补焊或重焊
批平	○ P	在缺陷处用彩色笔圈示，并标上批平符号	焊缝或构件表面缺陷处须批平
磨光	○ G	在缺陷处用彩色笔圈示，并标上磨光符号	焊缝或构件表面缺陷处须磨光

分段检验前，检验员应将《船体钢材与焊接材料使用部位记录表》与《检验通知单》中的该分段使用的钢材规格、钢号、炉批号、检验编号及焊接材料牌号填写好，然后通知验船部门与船东。检验后，由验船师、船东与检验员在验收证明书上签名认可，验船师与船东各执一份，检验员自留一份作为备案。在进行分段完工检验时的焊接质量要求可参见焊接检验部分的内容，分段的平整度与修整要求可参见表 3－18、表 3－19，脚手架眼板和吊装眼板修复和工艺板清除可参见表 3－20、表 3－21。

表 3－18 局部平面度检验表

单位：mm

检验内容		精度标准		说明
		标准	允许	
外板	平行中体（船侧板、船底板）	≤4	≤6	b—每一肋距的平面度
	艏艉弯曲部分	≤5	≤7	
双层底	内底板	≤4	≤6	
舱壁	纵、横舱壁	≤6	≤8	
上甲板	平行中体	≤4	≤6	
	艏艉部位	≤6	≤8	
	非暴露部位	≤7	≤9	
第二甲板	暴露部位	≤6	≤8	
	非暴露部位	≤7	≤9	
上层建筑甲板	暴露部位	≤4	≤6	
	非暴露部位	≤7	≤9	
围壁	暴露部位	≤4	≤6	
	两面非暴露部位	≤7	≤9	

表 3－19 整体平面度

单位：mm

项目		标准范围	允许极限	
外板	平行中体	$\pm 2l/1\ 000$	$\pm 3l/1\ 000$	检验方法：最小的检测距离 $l=3$ m；但对舱壁、外壁的检测距离约为 5 m
	艏艉部	$\pm 3l/1\ 000$	$\pm 4l/1\ 000$	
甲板、内底板		$\pm 3l/1\ 000$	$\pm 4l/1\ 000$	
纵、横舱壁		$\pm 4l/1\ 000$	$\pm 5l/1\ 000$	
上层建筑	甲板	$\pm 3l/1\ 000$	$\pm 4l/1\ 000$	
	外壁	$\pm 2l/1\ 000$	$\pm 3l/1\ 000$	
其他		$\pm 5l/1\ 000$	$\pm 6l/1\ 000$	

表 3－20 脚手架眼板和吊装眼板修复

项目		要求	说明
脚手架眼板	油水舱内	允许全部留下	1. 眼板割除后，表面粗糙度应符合有关标准 2. 允许留下或眼板割除后留根，须经船东认可
	机舱内	只割除影响外观和通行的眼板	
	货舱内	全部割除	
	外板、甲板等外侧部位	全部割除	

表 3－20(续)

项目		要求	说明
吊装眼板	油水舱内	允许全部留下	3. 对强度特别重要的部位割除后应补焊磨光 4. 影响外观和通行的吊装眼板,割除后应补焊磨光
	货舱内	甲板内侧处割除后可以允许留根 10 mm	
	外板、甲板等外侧部位	全部割除	

表 3－21　工艺板清除

项目	要求	说明
需要良好外观处	外板、甲板和上层建筑外侧应全部批平,工艺板咬边允许深度 0.5 mm,超过者应补焊磨光	舷顶列板、强力甲板的角隅板工艺板应少设或不设,其咬边应全部补焊磨光
不需要良好外观处	舱内部批掉特别显眼部位的工艺板,工艺板咬边允许深度 0.5 mm～1 mm,长度不大于 30 mm,超过者应补焊和修复,但可不批磨	舷顶列板、强力甲板的角隅板工艺板应少设或不设,其咬边应全部补焊磨光

3.2.2　工作任务训练

图 3－24 是某散货船底边舱立体图,L_1、L_2、B_1、B_2、H_1、H_2、H_3、H_4 是完工测量时须测量值,请根据《中国造船质量标准》制定各须测量值的测量方案,并在该分段的完工测量表中写出各测量值的偏差标准和极限偏差(表 3－22)。

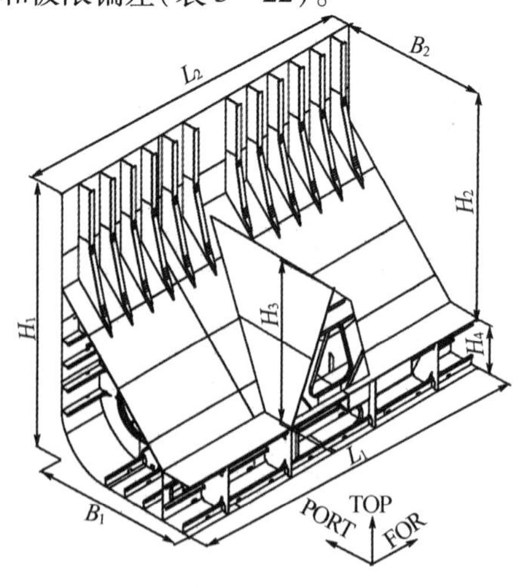

图 3－24　底边舱立体图

表3-22 分段完工测量表

单位:mm

测量项目	测量位置	理论尺寸	偏差标准	偏差极限	实测尺寸	实际偏差	结论	备注
分段长度	L_1							
	L_2							
分段宽度	B_1							
	B_2							
分段高度	H_1							
	H_2							
	H_3							
	H_4							

任务3.3 船体总装检验

3.3.1 相关知识

船舶总装是在部件装焊、分段或总段装焊及舾装、涂装的基础上,在船台(船坞)完成船舶整体装焊和舾装、涂装的工艺阶段。在进行船舶总装前应做好分段的预修整工作、船台上的准备工作,然后进行分段吊装工作及分段装焊工作。

3.3.1.1 分段预修整检验

1. 概述

分段预修整是分段在胎架上或在完工检验合格后,采用激光经纬仪画出分段大接缝线,然后用半自动气割机割除余量并割好焊接坡口的工艺过程。根据分段的固定状态,分段预修整可分为三种方法:分段在胎架固定耳板不拆除的紧固状态下进行预修整画线;分段在拆除胎架固定耳板后的自由状态下进行预修整画线;分段经交验合格后被调整至水平状态下进行预修整画线。其中,第二种方法由于预修整画线后遗留焊接工作量不多,产生的变形量较小,而预修整画线仅占用在分段脱离胎架前的少量时间,因此,应用广泛。分段预修整工序是船体建造精度管理起步阶段的行之有效的方法,尤其对小型船舶的总段及中型船舶的双层底分段更为适用,大型船舶的精度管理技术发展方向是推广实施船体中部分段从零部件号料起不留余量,用加工工艺补偿量的方法进行精度控制,艏艉区域分段采用预修整后进行安装工艺,以减少钢材工艺余量和分段安装工时。

2. 分段预修整检验

预修整就是使船体结构从原先需要现场配合切割余量的方式改变为在提前的工序中对余量边缘预先进行切割的方式。在进行分段预修整检验前,检验员首先应阅读船体建造要领,了解船体建造精度计划涉及分段预修整有哪些分段,采用何种状态下进行预修整画线,在进行分段预修整检验时,要控制好画基准线的精度、画大接缝线时须加放的焊接收缩补偿量。

3.3.1.2　船台基准线检验

船台中心线、水线检验线、肋骨检验线、龙骨线检验线及分段安装工艺规定的其他线条统称为船台基准线。船台基准线对船体分段能在船台上正确定位、安装，确保主船体建造精度起着重要作用，船台基准线精度是确保船体主尺度建造精度的基础，必须认真检验。

1. 船台基准线定义

(1)船台中心线

为了确定分段在船台上的左右位置而设置的船体中线位置线称为船台中线。船台中线标记在船台面上。船台中线直线精度是确保船体建造完工后船体中线直线度的基础。

(2)肋骨检验线

为了确定分段在船台中线上的艏艉方向上的前后位置而设置的船体肋骨位置线称为肋骨检验线。肋骨检验线垂直船台中线，标记在船台面上。肋骨检验线控制各分段艏艉方向安装位置以确保船体总长度。

(3)龙骨线检验线

为了确定底部分段在船台上的高度位置而设置的船体龙骨线位置线称为龙骨线检验线。龙骨线检验线标记在船台旁边的标杆或船中线上竖立的矮标杆上。龙骨线检验线位置准确性是确保船体建造完工后船体基线直线度的基础。

2. 船台基准线检验

(1)船台中心线

确定船台中心线的方法有照光板法、拉钢丝吊线锤法、望光柱法及经纬仪法，目前国内大、中型船厂均使用经纬仪确定船台中心线。在进行船台中心线画线时(图3－25)，将激光经纬仪安置在船台中心线的一端，使其垂直轴对准为画船台中心线预埋的槽钢中心线上的 O 点(即经纬仪置中的 O 点)；将经纬仪瞄准船台另一端槽钢的中心线上的 O'点，在 O 至 O' 中每隔1.5～2 m由激光光斑定出一点；用油漆线连接上述各点且用样冲打上一些冲眼，经复查后，完成船台中心线的绘制。

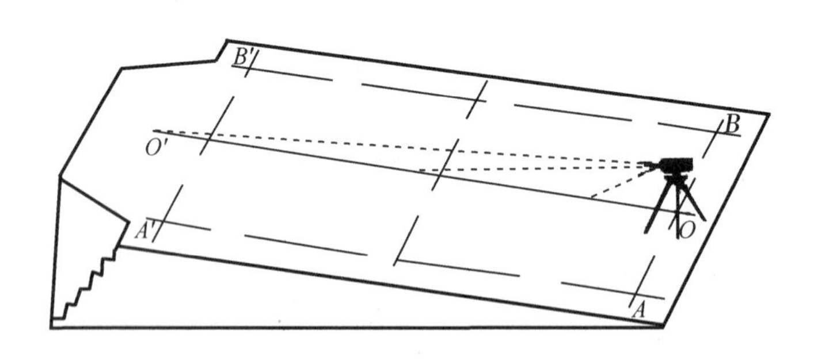

图3－25　船台基准线画线示意图

(2)肋骨(检验)线

按船台安装定位线图，在船台中心线上画出各分段艏艉端的肋骨位置，并用色漆标上肋位号码，作为分段对准位置用。当船体基线坡度与船台坡度不相等时，则应根据两者之间的几何关系通过换算后确定分段肋骨线位置。图3－26所示为当船体龙骨坡度与船台坡度不等时，分段艏艉肋位线(位于船台中心线上)长度的计算原理。AB 为某一分段投影且同时为船体基线的一部分，AB 与水平面的夹角为 β；分段艏艉 A、B 向下投影到船台中心线

上得 A''、B'',此即为分段在船台中心线上的肋位线;A''、B''经向上平移后即与船体基线组成$\triangle ABB'$。其中$\angle ABB'=90°-\beta$,$\angle AB'B=90°+\alpha$。由

$$\frac{AB}{\sin(90°+\alpha)}=\frac{AB'}{\sin(90°-\beta)}$$

$$A''B''=AB'=AB\frac{\cos\beta}{\sin\alpha}$$

式中 AB——船体分段艏艉肋骨间的距离;

$A''B''$——船体分段艏艉肋骨间距离投影到船台中心线上的长度;

β——船体龙骨坡度;

α——船台坡度。

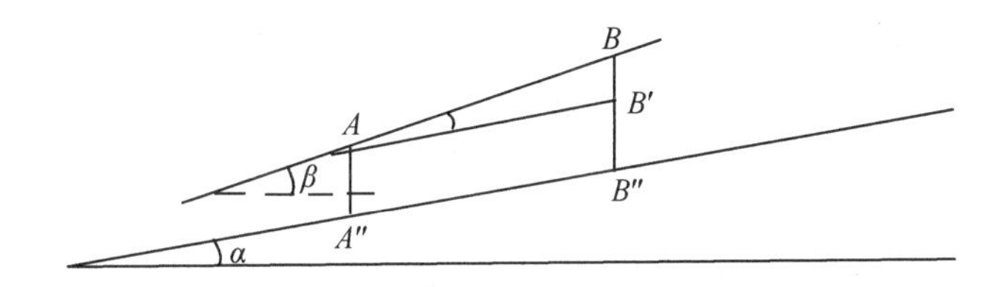

图3-26 船体龙骨坡度与船台坡度不等肋位线长度的计算原理

为了在船台装配过程中便于使用经纬仪,一般在船台的中部和艏、艉处画若干船台中心线的垂直线,即肋骨(检验)线,并打上样冲记号。

(3)船台中心线两侧的平行线

为在船台装配过程中建立平行于船台中心的垂直平面(指垂直于水平面的平面)的需要,可在船台中心线的两侧,距船台中心线为船体半宽(0.5~1 m)处各画一根平行中心线的直线。

画平行线步骤:在船台中心线艏、艉处的垂直线上(肋骨检验线),分别各量取船体半宽加1 m得 A、A'、B、B'四点;分别在 A、B 处架设激光经纬仪,参照前述绘制船台中心线的方法,画出直线 AA'和 BB'并打上样冲记号。

(4)高度标杆上的高度线

船台上的高度标杆一般设置在船台两侧,其上标有船体基线、水线和甲板边线等,以作为船台铺墩、分段吊装定位和检验的标准。对于倾斜船台一侧标杆上的基线,可将经纬仪望远镜调至其垂直角读数等于船体龙骨坡度,沿标杆逐一画线,即可确定与水平面交角等于龙骨坡度的直线(标杆连线应平行于船台中心线)。按要求沿每一根标杆自该直线与标杆的交点处向上或向下平移相等的距离,即可确定船体基线的高度刻画。高度标杆上其他各高度刻画诸如各水线及甲板边线等,它们在标杆上离基线的高度为

$$h_i=H_i\cdot\cos\beta$$

式中 h_i——以 i 排序,在标杆上由基线直至甲板边缘的高度;

H_i——意义同上但当船体处于水平放置时;

β——龙骨坡度。

另外,当高度标杆的布置不满足上述要求,或对船台两侧标杆同时确定基准高度时,可采用前述在倾斜船台上确定船体基面的辅助标杆法或计算法。

船台基准线的检验内容、精度标准与检验要求可参见表3-23。

表 3-23　检验内容、精度标准与检验方法　　单位:mm

检验内容	精度标准		检验方法
	标 准	允 许	
船台中线直线度	≤0.5	≤1.0	在用激光经纬仪画线时参与监视
肋骨检验线垂直度	≤0.1/1 000	≤0.2/1 000	同上方法检验与船台中线垂直度
龙骨线检验线直线度	≤1.0	≤1.5	用激光经纬仪或水平软管检测

3.3.1.3　分段船台(船坞)搭载检验

1. 船台装焊工艺简介

分段安装是将船体分段或总段在船台上组装成完整船体的工艺过程。分段在船台上常用的安装方式有总段安装法、层式安装法、塔式安装法和岛式安装法等。船厂可根据实际情况选择合适的建造方法。下面以塔式建造法为例介绍分段吊装顺序和分段安装的工艺。在进行船台安装时,要根据船台吊装网络图的指示和要求依次进行分段吊装工作。首先进行基准分段的吊装和定位,然后根据吊装网络图的要求吊装基准分段相邻的分段和其他分段,对已形成环形船体段部分,进行分段大接缝的焊接。实施船体建造精度控制的船厂在进行船台装配时,分段大接头不保留余量,采用加放工艺余量的办法来补偿施工变形。船厂因受技术条件的限制,未实施分段船台装配精度控制时,则分段大接头需要保留余量。分段大接缝的焊接作业与分段吊装作业平行进行。下面重点介绍基准分段的定位程序和分段大接头余量布置原则。

(1)基准分段的定位

基准分段是船台合龙起始点,其选择应使船台上舾装工作与船体工作接近同时完成。由于机舱舾装工作量大,一般常把起始点选在机舱附近,以便使机舱部船体尽早形成,尽早开展舾装工作。基准分段通常是底部分段,其定位过程如下:

①使分段定位肋骨线对准船台上相应的肋位线,以确定分段长度方向上的位置,见图 3-27。

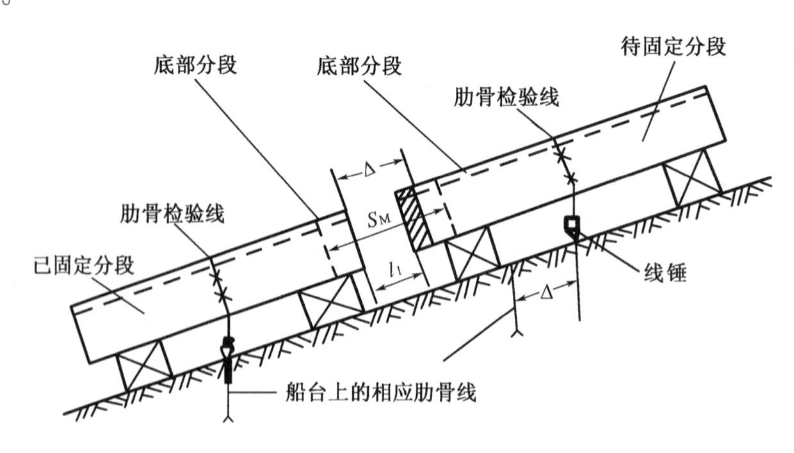

图 3-27　分段长度方向上的位置定位

②使分段中心线对准船台中心线,见图 3-28,以确定分段宽度方向上的位置。

③校正分段基线高度。一般可用水平软管或激光经纬仪,以高度标杆为基准,从船底测量分段的高度,以确定分段在高度方向上的位置,见图3-29。

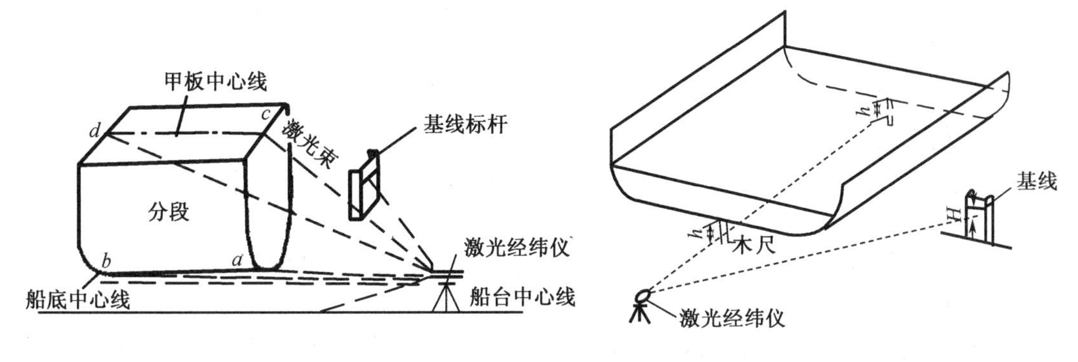

图3-28 分段宽度方向上的位置定位

图3-29 分段在高度方向上的位置

④测量分段左右水平检验线,以确定分段的左右水平度,方法同高度的测量与调节方法相同。

以上几项调整工作互有影响,因此须反复多次,直到各个方向都符合要求为止。

(2)分段大接头余量布置原则:

①两个分段对接的大接头边缘一边留余量,另一边不留余量,以便在分段安装定位时进行余量画线和切割工作;

②基准分段(包括吊装的第一个舷侧分段和甲板分段)横向大接头不留余量;

③其余底部分段、舷侧分段、甲板分段均在朝向基准分段的一端留余量,另一端不留余量;

④岛式建造法中的嵌补分段两端都留余量;

⑤舷侧分段与底部分段对接的纵向接头,底部分段不留余量,舷侧分段留余量;

⑥舱壁分段与底部连接的下口边缘留余量,其余边缘不留余量;

⑦上层建筑分段纵向大接头下口留余量,横向大接头留余量原则与主体相同;

⑧甲板分段两舷不留余量。但是,当中间甲板的边板划分归舷侧分段时,则甲板分段两侧的纵向大接头应留余量。

总段大接头留余量的原则与底部分段相同。

2.分段安装检验

在进行分段安装检验时,检验员要认真阅读船体建造要领和分段安装工艺文件,主要检验分段上的检验线定位是否准确,检验大接缝间隙和焊接坡口尺寸是否满足船体建造精度控制要求。分段安装检验的具体检验内容、精度标准参见表3-24。

在理论上分段安装均要按船台中线、肋骨检验线、龙骨线检验线与水线检验线定位,但由于船体质量在长度方向分布不均匀,船体结构中和轴又处于主船体中心偏下,以及分段在船台上搁置的时间有长短等,造成船体建造焊接变形的趋势总是中部下垂,艏艉上翘,因此,还应注意如下几点:

①基准分段定位高度可允许稍高于龙骨线检验线,具体数值参见相关工艺文件。

②用层式安装法合龙双层底分段,全船双层底的龙骨线可允许些许中拱状态,具体数值参见相关工艺文件。

③分段安装工艺中规定加放反变形的分段,必须按工艺规定的反变形值检测分段定位的准确性。

④全船双层底分段及底部分段装焊后,应将船台中线驳至内底板上,作为船体中线供其上分段定位基准用。

⑤船体分段横向大接缝必须在所在两分段的艏艉均已安装相邻分段后才能施焊,否则应采取其他工艺措施。

⑥检验船体中部带有上甲板边板的分段安装高度时,应特别重视型深尺寸,否则将影响满载吃水与干舷值。

⑦对于舷侧分段检验,应重视检测左右舷侧分段肋位的对称性,以确保甲板分段安装时横梁的对接。

⑧检验设有主机基座的底部分段及艉柱立体分段的安装位置,应检测轴中心线位置的准确性。

⑨检验与主船体甲板梁拱值不一致的上层建筑甲板室时,应检测图样上注明位置处的甲板间高。

⑩大型船舶由于分段质量大,船台装焊部分分段后,有可能影响平板龙骨原定位的基准位置,检验员应准确测量龙骨线挠曲度值,发现偏差较大应及时向技术部门反映,以便及时修正分段安装工艺。

⑪在主船体装焊后、拉主机轴线前、密性试验后及画吃水标志前,应检测龙骨线挠曲度。

表 3-24 船台(船坞)装配尺寸检验表 单位:mm

<table>
<tr><th colspan="2" rowspan="2">检验内容</th><th colspan="2">检验标准</th><th rowspan="2">备注</th></tr>
<tr><th>标准</th><th>允许</th></tr>
<tr><td rowspan="6">中心线</td><td>双层底分段与船台(船坞)</td><td>≤3.0</td><td>≤5.0</td><td rowspan="6">h—艏艉端点高度</td></tr>
<tr><td>甲板、平台、横舱壁与双层底</td><td>≤5.0</td><td>≤8.0</td></tr>
<tr><td>艏艉端点与船台(船坞)</td><td>≤0.1%h</td><td>≤0.15%h</td></tr>
<tr><td>上层建筑与甲板</td><td rowspan="2">≤4.0</td><td rowspan="3">≤8.0</td></tr>
<tr><td>上舵承中心线与船台(船坞)中心线</td></tr>
<tr><td>艉轴孔中心线与船台(船坞)中心线</td><td>≤5.0</td></tr>
<tr><td rowspan="4">水平线</td><td>底部、平台、甲板四角水平</td><td>≤8.0</td><td>≤12.0</td><td rowspan="4"></td></tr>
<tr><td>舱壁左右前后水平</td><td>≤4.0</td><td>≤6.0</td></tr>
<tr><td>舷侧分段前后水平</td><td>≤5.0</td><td>≤10.0</td></tr>
<tr><td>上层建筑四角水平</td><td>≤10.0</td><td>≤15.0</td></tr>
<tr><td rowspan="3">定位高度</td><td>舱壁</td><td>±3.0</td><td>±6.0</td><td rowspan="3"></td></tr>
<tr><td>舷侧分段</td><td>±5.0</td><td>±8.0</td></tr>
<tr><td>上层建筑</td><td>≤10.0</td><td>≤15.0</td></tr>
<tr><td colspan="2">分段接缝处肋距</td><td>±10.0</td><td>±20.0</td><td></td></tr>
<tr><td colspan="2">舱壁垂直度</td><td><0.1%h_1,
且<10.0</td><td><0.12%h_1,
且<12.0</td><td>h_1—舱壁高度</td></tr>
</table>

3.3.2 工作任务训练

某船厂船坞尺寸为530 m×102 m，见图3-30，设计船坞中心线、肋位线、半宽线、水线，船体基线的画线方案和检验标准，根据图3-31所示，制定基准分段的定位方案和检验标准。

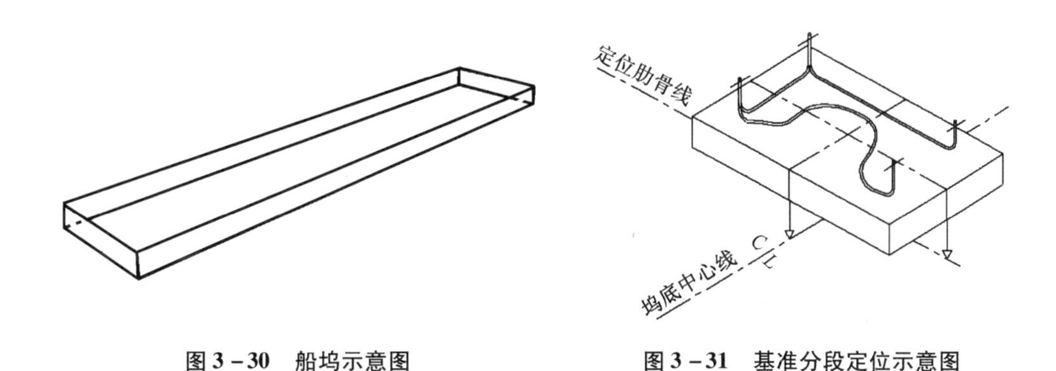

图3-30 船坞示意图

图3-31 基准分段定位示意图

任务3.4 船体焊接质量检验

3.4.1 相关知识

船体焊缝焊接质量对船舶建造质量有很大的影响，甚至直接影响船舶的安全使用，焊接接头的质量好坏直接影响产品的安全使用。如船舶主要结构的焊接接头存在严重焊接缺陷时，在大风大浪的冲击下，该结构可能损坏甚至导致整个船体断裂。其他焊接结构存在焊接缺陷时，也会造成重大损失。经验和教训使人们认识到，对焊接接头进行必要的检验是保证焊接质量的一项重要措施。质量检验既能减少废品的产生，也能及时发现缺陷和找到缺陷产生的原因，进而从各方面采取措施防止缺陷的产生。世界各国对船舶的质量检验都是极为重视的，也是极为严格的，设有专门机构（如船级社、海事协会等）从事这方面的工作，各船级社都颁布了各自的焊接检验规范。我国船级社负责船舶从设计、施工到交船验收各个环节的质量监督工作，这就保证了船舶质量的不断提高。因此，在船舶建造过程中每一步骤都必须严格控制焊接质量，而船体的焊接质量一方面和操作人员的操作工艺水平、技术水平有关，另一方面和材料、设备、焊接的方法，以及焊接质量和装配质量也有很大关系。因此在焊接过程中必须严格控制各种因素。焊接质量检验能确保产品质量、保证结构安全使用。

焊接质量的检验方法有三种：焊工的自检、工序间互检、专职人员的检验。

3.4.1.1 焊接缺陷

1. 焊接缺陷定义

在实际施工中，由于各种因素不可避免地会出现这样或那样的质量问题，即焊接缺陷，根据焊接缺陷的性质，可分为形状尺寸缺陷、结构缺陷、性能缺陷三类。

（1）形状尺寸缺陷

有焊接变形、尺寸偏差（包括错边、角度偏差、焊缝尺寸过大或过小等）、外形不良（包括焊缝高低不平、波纹粗劣、宽窄不齐等)、飞溅和电弧擦伤。

(2)结构缺陷

有焊缝表面气孔和内部气孔、夹渣、未熔合、未焊透、焊瘤、凹坑、咬边和焊接裂纹。

(3)性能缺陷

焊接接头力学性能(抗拉强度、屈服点、冲击韧性及冷弯角度)、化学成分等性能不符合技术要求。

焊接缺陷按其在焊接接头的部位,又可分为外观缺陷和内部缺陷。

2. 外观缺陷

(1)咬边

因焊接造成沿焊趾(或焊根)处出现的低于母材表面的凹陷或沟槽称为咬边。它是由于焊接过程中,焊件边缘的母材金属被熔化后,未及时得到熔化金属的填充所致。咬边可出现于焊缝一侧或两侧,可以是连续的或间断的。

①危害:咬边将削弱焊接接头的强度,产生应力集中。在疲劳载荷作用下,使焊接接头的承载能力大大下降。咬边往往还是引起裂纹的发源地和断裂失效的原因。

②形成原因:焊接工艺参数不当,操作技术不正确造成。如焊接电流大、电弧电压高(电弧过长)、焊接速度太快等。

③防止措施:选择适当的焊接电流和焊接速度,采用短弧操作,掌握正确的运条手法和焊条角度,坡口焊缝焊接时,保持合适的焊条与侧壁距离。

(2)焊瘤

焊接过程中,在焊缝根部背面或焊缝表面,出现熔化金属流淌到焊缝之外未熔化的母材上所形成的金属瘤称为焊瘤。焊瘤一般是单个的,有时也能形成长条状,在立焊、横焊、仰焊时多出现。

①危害:影响焊缝外观,使焊缝几何尺寸不连续,形成应力集中的缺口。管道内部的焊瘤将影响管内介质的有效流通。

②形成原因:操作不当或焊接规范选择不当。如焊接电流过小,而立焊、横焊、仰焊时电流过大,焊接速度太慢,电弧过长,运条摆动不正确。

③防止措施:调整合适的焊接电流和焊接速度,采用短弧操作,掌握正确的运条手法。

(3)凹坑

焊后在焊缝表面或背面形成低于母材表面的局部低洼缺陷。

①危害:将会减小焊缝的有效工作截面,降低焊缝的承载能力。

②形成原因:焊接电流过大,焊缝间隙太大,填充金属量不足。

③防止措施:正确选择焊接电流和焊接速度,控制焊缝装配间隙均匀,适当加快填充金属的添加量。

(4)烧穿

焊接过程中熔化金属自坡口背面流出,形成穿孔的缺陷。常发生于底层焊缝或薄板焊接中。

①危害:焊缝表面质量差,烧穿的下面常有气孔、夹渣、凹坑等缺陷。

②形成原因:焊接过热,如坡口形状不良,装配间隙太大,焊接电流过大,焊接速度过慢,操作不当,电弧过长且在焊缝处停留时间太长等。

③防止措施:减小根部间隙,适当加大钝边,严格控制装配质量,正确选择焊接电流,适

当提高焊接速度,采用短弧操作,避免过热。

(5)焊缝表面形状及尺寸偏差

焊缝表面形状及尺寸偏差属于形状缺陷,其经常出现的有对接焊缝超高、角焊缝凸度过大、焊缝宽度不齐、焊缝表面不规则等。

①危害:影响焊缝外观质量,易造成应力集中。

②形成原因:坡口角度不当,装配间隙不均匀,焊接规范选择不当,焊接电流过大或过小,焊接速度不均匀,运条手法不正确,焊条或焊丝过热等。

③防止措施:选择正确焊接规范,适当的焊条及其直径,调整装配间隙,均匀运条,避免焊条和焊丝过热。

3. 内部缺陷

(1)气孔

焊接过程中熔池金属高温时吸收和产生的气泡,在冷却凝固时未能逸出而残留在焊缝金属内所形成的孔穴,称为气孔。气孔是一种常见的缺陷,不仅出现在焊缝内部与根部,也出现在焊缝表面。焊缝中的气孔可分为球形气孔、条形气孔、虫形气孔及缩孔等。气孔可以是单个或链状成串沿焊缝长度分布,也可以是密集或弥散状分布。焊接区中的气体来源有大气的侵入,溶解于母材、焊丝和焊芯中的气体,受潮药皮或焊剂熔化时产生的气体,焊丝或母材上的油污和铁锈等脏物在受热后分解所释放出的气体,焊接过程中冶金化学反应产生的气体。熔焊过程中形成气孔的气体主要有氢气、一氧化碳和氮气。

①危害:影响焊缝外观质量,削弱焊缝的有效工作截面,降低焊缝的强度和塑性,贯穿性气孔则使焊缝的致密性破坏而造成渗漏。

②产生原因:焊接区保护受到破坏;焊丝和母材表面有油污、铁锈和水分;焊接材料受潮,烘焙不充分;焊接电流过大或过小,焊接速度过快;采用低氢型焊条时,电源极性错误,电弧过长,电弧电压偏高;引弧方法或接头不良等。

③防止措施:提高操作技能,防止保护气体(焊剂)给送中断;焊前仔细清理母材和焊丝表面油污、铁锈等,适当预热除去水分;焊前严格烘干焊接材料,低氢型焊条必须存放在焊条保温筒中;采用合适的焊接电流、焊接速度,并适当摆动;使用低氢型焊条时应仔细校核电源极性,并短弧操作;采用引弧板或回弧法的操作技术。

(2)夹渣

焊后残留在焊缝中的熔渣,称为夹渣。夹渣不同于夹杂,夹杂是指在焊缝金属凝固过程中残留的金属氧化物或来自外部的金属颗粒,如氧化物夹杂、硫化物夹杂、氮化物夹杂和金属夹杂等。夹渣是一种宏观缺陷。夹渣的形状有圆形、椭圆形或三角形,存在于焊缝与母材坡口侧壁交接处,或存在于焊道与焊道之间。夹渣可以是单个颗粒状分布,也可以是长条状或线状连续分布。

①危害:减少焊接接头的工作截面,影响焊缝的力学性能(抗拉强度和塑性)。焊接技术条件中允许存在一定尺寸和数量的夹渣。

②产生原因:多层焊时,每层焊道间的熔渣未清除干净,焊接电流过小,焊接速度过快;焊接坡口角度太小,焊道成形不良;焊条角度和运条技法不当;焊条质量不好等。

③防止措施:每层应认真清除熔渣;选用合适的焊接电流和焊接速度;适当加大焊接坡口角度;正确掌握运条手法,严格控制焊条角度和焊丝位置,改善焊道成形;选用质量优良的焊条。

(3)未熔合

熔化焊时，在焊缝金属与母材之间或焊道(层)金属之间未能完全熔化结合而留下的缝隙，称为未熔合。有侧壁未熔合、层间未熔合和焊缝根部未熔合三种形式。

①危害：未熔合属于面状缺陷，易造成应力集中，危害性很大(类同于裂纹)。焊接技术条件中不允许焊缝存在未熔合。

②产生原因：多层焊时，层间和坡口侧壁渣清理不干净；焊接电流偏小；焊条偏离坡口侧壁距离太大；焊条摆动幅度太窄等。

③防止措施：提高操作技能，防止保护气体(焊剂)给送中断；焊前仔细清理母材和焊丝表面油污、铁锈等，适当预热除去水分；焊前严格烘干焊接材料，低氢型焊条必须存放在焊条保温筒中；采用合适的焊接电流、焊接速度，并适当摆动；使用低氢型焊条时应仔细校核电源极性，并短弧操作；采用引弧板或回弧法的操作技术。

(4)未焊透

焊接时，接头根部未完全熔透的现象，称为未焊透。单面焊时，焊缝熔透达不到根部为根部未焊透；双面焊时，在两面焊缝中间也可形成中间未焊透。

①危害：削弱焊缝的工作截面，降低焊接接头的强度并会造成应力集中。焊接技术条件中不允许焊接接头中超过一定容限量的未焊透。

②产生原因：坡口钝边太厚，角度太小，装配间隙过小；焊接电流过小，电弧电压偏低，焊接速度过大；焊接电弧偏吹现象；焊接电流过大使母材金属尚未充分加热时而焊条已急剧熔化；焊接操作不当，焊条角度不正确而焊偏等。

③防止措施：正确选用和加工坡口尺寸，保证装配间隙；正确选用焊接电流和焊接速度；认真操作，保持适当焊条角度，防止焊偏。

(5)焊接裂纹

在焊接应力及其他致脆因素的共同作用下，焊接过程中或焊接后，焊接接头中局部区域(焊缝或焊接热影响区)的金属原子结合力遭到破坏而出现的新界面所产生的缝隙，称为焊接裂纹。它具有尖锐的缺口和长宽比大的特征。焊接裂纹是最危险的缺陷，除降低焊接接头的力学性能指标外，裂纹末端的缺口易引起应力集中，促使裂纹延伸和扩展，成为结构断裂失效的起源。焊接技术条件中是不允许焊接裂纹存在的。

在焊接接头中可能遇到各种类型的裂纹。按裂纹发生部位有焊缝金属中裂纹、热影响区裂纹或熔合线裂纹、根部裂纹、焊趾裂纹、焊道下裂纹和弧坑裂纹；按裂纹的走向有纵向裂纹、横向裂纹和弧坑星形裂纹；按裂纹的尺寸有宏观裂纹和显微裂纹；按裂纹产生的机理有热裂纹、冷裂纹、再热裂纹和层状撕裂。

焊接裂纹是一种危害最大的缺陷，不仅降低焊接接头的强度，还会引起应力集中，使焊接结构承载后造成断裂，使产品报废，甚至会引起严重的事故。

①焊接热裂纹：热裂纹大部分是在稍低于凝固温度时产生的凝固裂纹，也有少量是在凝固温度区间产生的，大多数热裂纹产生在焊缝中，有时也产生热影响区。热裂纹可分为结晶裂纹、液化裂纹和多变化裂纹三种。

a. 热裂纹形成机理：在焊缝金属凝固过程中，当熔化金属中存在一定量的低熔点共晶体时，首先结晶的是金属晶粒，而在晶粒间存在低熔点液体薄膜。所产生的裂纹有以下几点：有低熔点共晶体存在并造成低熔点共晶体的偏析；低熔点共晶体有一定的量；在低熔点共晶体凝固前产生了拉升应力。

b. 防止措施:

(a)冶金措施。用控制母材和焊接材料的化学成分的办法,改变熔池中的金属成分,防止裂纹的产生,其主要方法如下:控制母材中的硫磷含量;增加母材和焊丝中的锰含量;增加焊剂和焊药中的氧化锰和氧化钙含量;细化焊缝金属的晶粒。

(b)工艺措施。焊前预热,焊中伴热;调整焊接规范;限制母材的杂质进入焊缝。

②焊接冷裂纹:冷裂纹是焊接接头冷却到较低温度时产生的裂纹。它又可以分为延迟裂纹、淬硬脆化裂纹和低塑性脆化裂纹三种。由于绝大部分裂纹属于延迟裂纹,所以常常又将延迟裂纹称为冷裂纹。

a. 冷裂纹产生的机理:大量生产实践和理论研究表明,钢的淬硬倾向、焊接接头中的氢含量和焊接接头的拘束应力是形成冷裂纹的三大因素。这三大因素互相影响,当三者的作用达到一定程度时,在焊接接头便形成了冷裂纹。

b. 防止措施:母材和焊接接头形式一定的前提下,防止冷裂纹应从减少焊接接头淬硬组织、减少氢原子的来源和增加氢原子从焊缝表面溢出三个方面采取有效措施。

(a)最大限度减少氢的侵入,氢原子主要来源于焊丝、焊剂、焊条和金属表面的水、油和纤维质在电弧电离作用下的分解。

(b)合理选择焊接参数。

(c)合理控制焊接循环热。

3.4.1.2 焊缝的焊前检验

焊缝的焊前检验主要检查技术文件(图纸、工艺规程等)是否齐全、焊接材料的质量检验、构件的装配质量和焊接边缘的质量检验。本节主要介绍后者的检验,主要是指结构经过加工后,经过定位焊后对焊接边缘质量的检验(装配间隙、坡口、焊接边缘的清理、装配的错边及定位焊质量)。

在船厂,一般在工件装配完成、焊接工作开始之前,必须进行一些中间过程的验收,以确保产品的最终质量。船体建造过程中一般有以下工序必须检验:

(1)部件装配定位焊后;

(2)组件装配定位焊后;

(3)胎架上拼扳定位焊后;

(4)胎架上构件安装定位焊后;

(5)分段制造定位焊后;

(6)分段安装定位焊后;

(7)船台(船坞)总装定位焊后。

以上第(1)~(4)工序一般采用操作人员自检、专职检验员抽检形式,第(4)(5)工序应由工厂检验员检验,第(6)(7)工序通常应提交验船师、船东检验,检验合格后焊接。若大接缝的对接形式并非衬垫焊,则反面用碳刨加工坡口后通常不再检验,待封底焊完工再交验。

焊缝的焊前检验目的是为焊接提供符合质量要求的焊接坡口,为焊接做好准备。焊前检验是确保焊接质量的必要措施。

1. 检验前的准备工作

检验员要熟悉部件、平面与曲面分段、立体分段的接缝装配精度及定位焊要求。下面主要介绍船台(船坞)总装后大接缝的焊前检验。检验员首先应从外板展开图、分段结构或船台焊接工艺文件中了解所验船体不同部位的大接缝采用何种焊接方法及相应的焊接坡口形状，以便在分段预修整时或在船台画余量线后气割焊接坡口时，检验员能掌握处于不同部位的大接缝坡口形状的准确性。

船级社的《船舶建造检验规程》规定："船台安装分段对接焊缝的装配间隙、坡口、错边及内部构架的连接等，均应经验船师检查合格后才允许进行施焊。"对此，检验员应在交验前先预检。外观检验时，检验员检验时要带好焊缝量规与短钢尺。

各种焊缝的焊接坡口形状用焊缝符号标注在图样上，主要焊缝符号见表3－25。

表3－25　焊缝符号表示

焊缝名称	示意图	图形符号	符号名称	示意图	补充符号	标注符号
V形焊缝	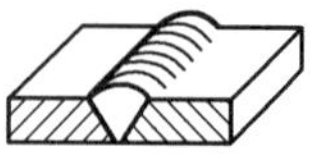		周转焊缝符号	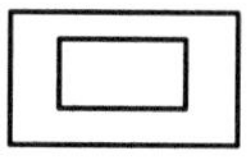		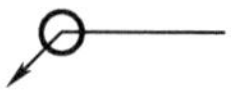
单边V形焊缝	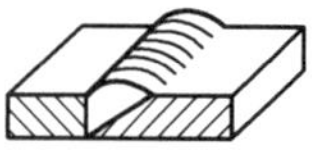		三面焊缝符号	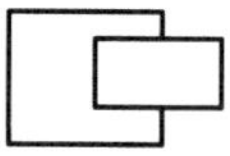	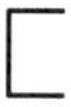	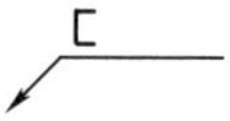
角焊缝	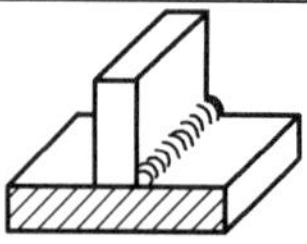		带垫板符号	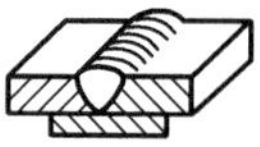	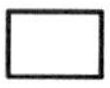	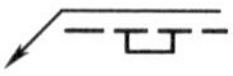
I形焊缝	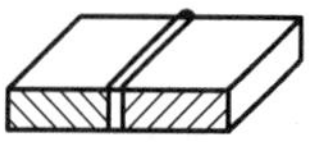		现场焊接符号			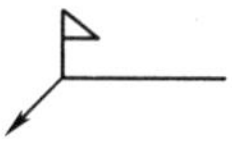

2. 检验内容、精度标准与检验方法

精度标准与检验方法，见分段安装精度标准。检查内容主要是板对接、角接装配的间隙与错位的公差要求。

在进行焊接检验时还应注意以下要点：

(1) 焊缝坡口区域的铁锈、氧化皮、油污、杂物及车间底漆应予以清除，并保持清洁和干燥。

(2) 一般强度船体结构钢如施焊环境温度低于或等于－5 ℃时，应采取焊前预热措施。结构刚性过大、构件板厚较厚或焊段较短时，当碳当量大于0.45%时，应进行预热，并考虑进行焊后热处理。

(3) 焊接高强度钢材时，应采用与母材相适应的并经船级社认可的低氢型高强度焊接材料。高强度钢、铸钢和锻钢船体结构件的焊接应查阅所验船舶的有关工艺文件，严格执行焊接引弧、定位焊要求、焊前预热及焊后保温或热处理等措施，并满足船级社规范要求。

(4) 船体分段大接缝的间隙与坡口形状应符合船舶检验部门认可的焊接工艺规程规定，以确保焊缝能完全焊透。

(5) 船体分段大接缝的焊缝间隙若有超差，可参阅《船体建造精度标准和偏差许可》中的方法进行修复。

(6) 对于两块板材以夹角小于50°相交而形成的角焊缝(图3－32)，若小于50°狭窄处的角焊难以焊接，则另一面的角焊缝坡口必须大于45°，如坡口角度不足，应刨削之，且焊接时应用小直径焊条进行多道单面焊。

(7)海船或甲板边板厚度大于或等于 12 mm 的内河船,在船中 0.5 船长区域内,强力甲板与舷顶列板的角接缝应开坡口,一般应完全焊透。

(8)主机座的纵桁腹板厚度大于或等于 14 mm(内河船大于或等于 12 mm)时,纵桁腹板与水平面板的角接缝应开左右对称的 K 形坡口,以达到最大限度焊透。

(9)起重桅(柱)的本体焊缝均应完全焊透,本体贯穿甲板时,则与本体连接处应开双面坡口,本体根部与甲板焊接的边缘应开单面坡口,并确保焊透。

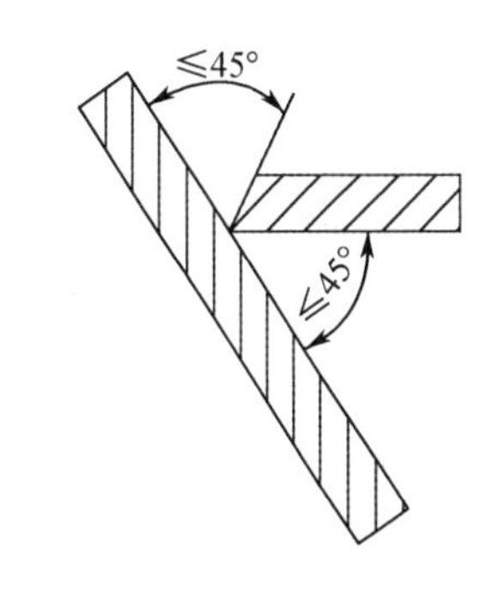

图 3-32 小夹角的单面焊坡口

(10)若全焊透对接焊缝因结构原因无法进行封底焊时,经验船师同意,允许加固定垫板进行对接焊,此种接头的坡口形式及装配间隙应保证其在衬垫上能完全焊透。

3.4.1.3 焊缝的焊接规格和表面质量检验

焊缝的焊接规格是指对焊缝的形式与尺寸的规定。焊缝的形式有对接焊缝、角接焊缝、搭接焊缝、锁底焊与塞焊。其中角接焊缝形式中还分别有双面填角焊、双面全焊透角焊、交错断续角焊、链式断续角焊与挖孔焊等。焊缝尺寸指对接焊缝的宽度、余高与侧面角。角接焊缝指焊脚尺寸或焊喉厚度、焊缝长度与焊缝间距等。搭接焊缝均为周边连续角焊。长孔塞焊通常不必在孔内填满焊肉。

焊缝表面质量检验是焊缝质量检验时首先应检查的项目,经检查合格后,按要求抽样检查其内部质量,最后进行焊缝的密性试验。

焊缝的焊接规格与表面质量,是验船师与船东必须检验的项目,但二者的侧重点有所不同。验船师侧重检查焊接规格,涉及船体强度、抗变形能力等。而船东侧重检查焊缝的表面质量与飞溅颗粒,涉及以后进行涂装的涂层质量与寿命。

1. 检验前的准备工作

检验员检验前应熟悉所验部分结构图与焊接工艺文件,了解各种焊缝所在钢材的牌号、应选用的焊条牌号及焊接规格。

检验员还应了解各种焊缝的形式、标注方法和中国船级社的《钢质海船入级与建造规范》规定。

对船体中一些重要部位要检验是否根据规范要求在施焊时采用了低氢焊条,检验部位如下:

(1)船体分段的环形对接缝;

(2)船体大接缝处的纵桁材对接缝;

(3)具有较大刚度的构件,如艏框架、艉框架、艉轴架等,及其与外板和船体骨架的接缝;

(4)桅杆、吊货杆、吊艇架、系缆桩、拖钩架等与其相连接的构件的焊缝;

(5)主机基座及其相连接的构件。

2. 检验内容、精度标准与检验方法

(1)对接焊缝余高下限不得低于钢板表面,上限不得超过下列值:

焊缝宽度的 0.2 倍,且不超过 6 mm,见表 3-26。

咬边值不超过 0.5 mm。

表 3-26 焊缝余高上限取值说明

项目	图示	标准范围	允许极限	说明
增高量 h/mm	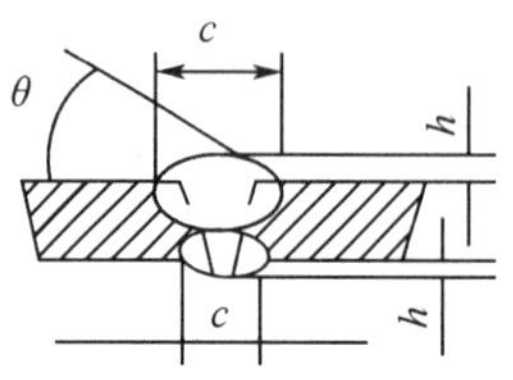 c—焊缝宽度	$h=0.2c$	$0<h\leqslant 6$	
焊缝侧面角 θ		$\theta\leqslant 60°$	$\theta<90°$	

（2）角焊缝的焊脚尺寸必须大于或等于 $0.9K$，K 为规定的焊脚尺寸，见表 3-27。

（3）间断焊缝的每段焊缝的有效长度不得小于图样规定的长度要求。

表 3-27 焊脚尺寸 K 取值说明

项目	图示	标准范围	允许极限	备注
角焊缝	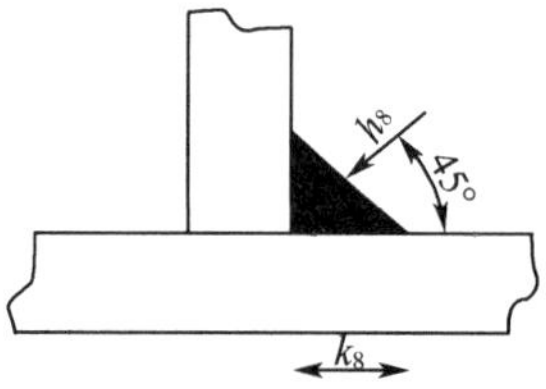 K_8—焊脚尺寸； h_8—焊喉尺寸； K_d—设计焊脚尺寸； h_d—设计焊喉尺寸		$K_8\geqslant 0.9K_d$ $h_8\geqslant 0.9h_d$ $K_8\geqslant 0.9K_d$ $h_8\geqslant 0.9h_d$	当焊脚尺寸未达到允许值时，应进行修补，且不应形成短焊缝
	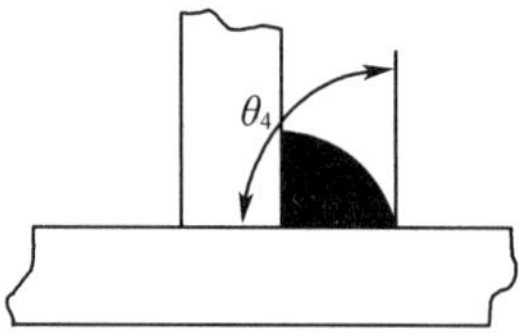	$\theta<90°$		$\theta\geqslant 90°$必须修正
间断焊缝的每段焊缝的有效长度/mm	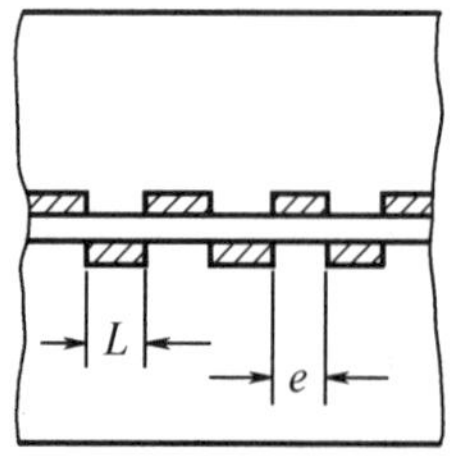 L、e——间断焊实际的焊段长度及间距尺寸 L_0、e_0——设计焊段长度及间距尺寸	1. $L_0<L<L_0+10$ 2. $e_0-5<e<e_0+5$	1. $L_0+5<L<L_0+10$ 2. $e_0-5<e<e_0+10$	1. 当 $L>L_0+10$ 或 $e<e_0-10$ 不必修正，但要加强管理。 2. 当 $L<L_0-5$ 或 $e>e_0+10$且各段总和超过该焊缝全长20%时应修正，不超过20%可不修正但应加强管理

表 3－27(续)

项目	图示	范围	允许极限	说明
包角焊长度 l/mm	l	1. 包角焊的长度应符合设计要求或 $l \geqslant 75$ mm。 2. 焊脚高度应符合设计要求		双面间断焊或单面连续焊的立板端部应作包角焊，包角焊各边的长度 $l \geqslant 75$ mm

(4)包角焊焊缝检验

①凡构件的角焊缝在遇到构件切口处及构件的末端，均应有良好的包角焊。

②包角焊缝的双面连续角焊缝长度参见图纸要求，焊脚尺寸不得小于设计焊脚尺寸。

③包角焊缝不应有脱焊、未填满的弧坑等焊接缺陷。

(5)焊缝外形检验

外观质量检验应在把焊缝表面和两侧附近的焊渣、飞溅物及污物清除干净的前提下进行。焊缝在外观检验合格之前不得涂漆。

①焊缝外形应均匀，焊道与焊道、焊道与基体金属之间应平缓地过渡，不得有截面的突然变化。

②焊缝的侧面角口必须小于 90°，见图 3－33。

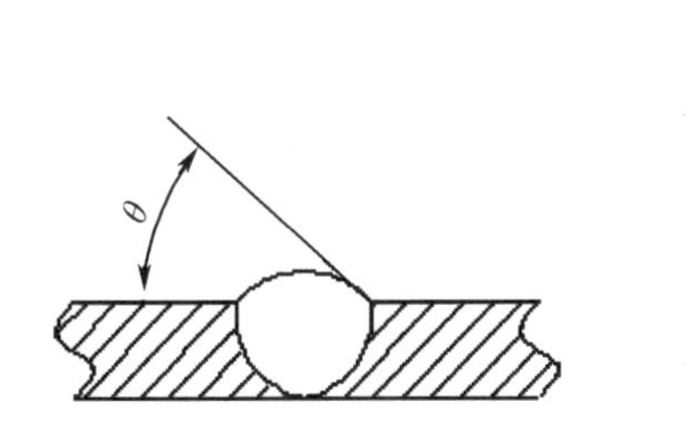

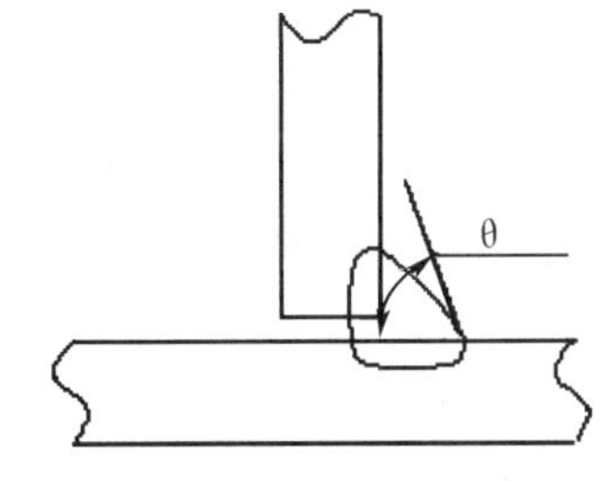

图 3－33　焊缝的侧面角口

③焊道表面凹凸，在焊道长度 25 mm 范围内，高低差不得大于 2 mm。

④多道多层焊表面重叠焊缝相交处下凹深度不得大于 1.5 mm。

⑤对接焊缝焊道宽度差，在 100 mm 范围内不得大于 5 mm，见图 3－34。

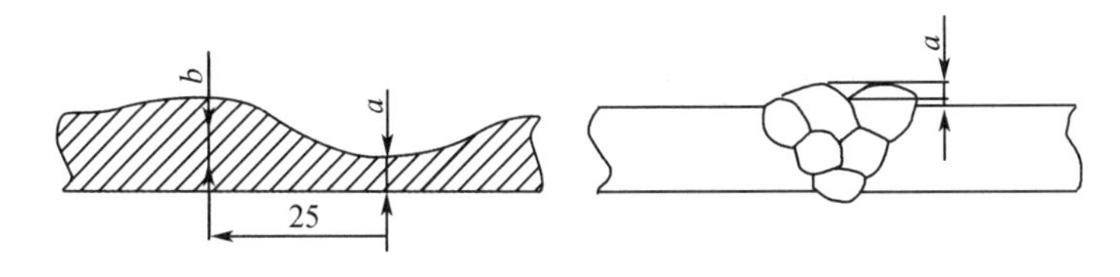

图 3－34　角焊缝对接焊缝焊道宽度差

(6)焊缝表面质量检验(图 3-35)

①焊缝不得存在表面裂纹、烧穿、未熔合、夹渣和未填满的弧坑等。

②焊缝表面不允许有高于 2 mm 的淌挂的焊瘤。

③焊缝表面不允许存在由于熔化金属淌到焊缝以外未熔化的基体金属上的满溢。

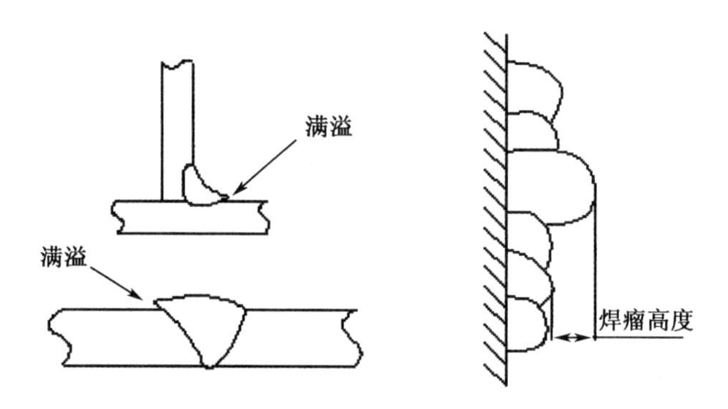

图 3-35　焊缝表面质量检验

④船体外板、强力甲板和舱口围板等重要部位及要求水密的焊缝不允许有表面气孔。

⑤其他部位的焊缝,100 mm 长范围内允许存在 2 只气孔,气孔的最大允许直径:

当构件的板厚 $t \leqslant 10$ mm 时,为 1 mm;

当构件的板厚 $t > 10$ mm 时,为 1.5 mm。

⑥在船体的外板、强力甲板正面、上层建筑外板、甲板室外围壁等暴露的焊缝及周围,飞溅颗粒应全部去除干净。

⑦其他内部焊缝在 100 mm 长度两侧,飞溅应不多于 5 个,飞溅颗粒直径不得大于 1.5 mm。

(7)CO_2气体保护电弧焊角焊缝表面质量标准

CO_2气体保护电弧焊角焊缝在焊脚尺寸、焊缝的侧面角、多道焊表面重叠焊缝相交处的下凹深度、淌挂的焊瘤、满溢、咬边深度及表面气孔等方面的表面质量标准与上述相同,其他不同处有下述三条:

①焊缝凸度 $\Delta Z \leqslant 1 + 0.15a$,单位为 mm;

②焊缝凹度 $\Delta Z \leqslant 0.3 + 0.05a$,且不大于 2 mm;

③焊脚尺寸不对称偏差 $\Delta Z \leqslant 1 + 0.15a$,且不大于 2 mm。其中,$a$ 为焊喉。见图 3-36。

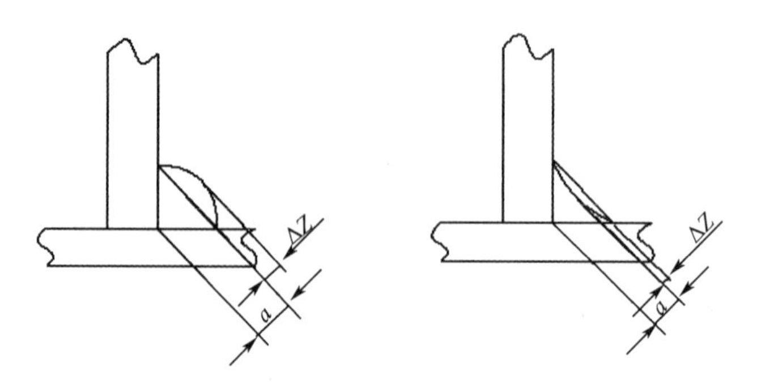

图 3-36　CO_2气体保护电弧焊角焊缝检验

(8)检验方法应先将焊缝表面的熔渣、两侧的飞溅和其他污物清除，然后用目视和焊缝量具检验，必要时借助放大镜检测。

3. 检验注意事项

(1)必须注意在中国船级社《钢质海船入级与建造规范》规定的船体结构中，下列部位应采用双面连续角焊缝。

①风雨密甲板和上层建筑外围壁边界的角焊缝，包括舱口围板、升降口和其他开口处；

②液体舱、水密舱室的周界；

③机座和机器支承结构的连接处；

④艉尖舱内所有结构(包括舱壁扶强材)的角焊缝；

⑤装载化学品和食用液体货舱的所有角焊缝；

⑥液舱内所有搭接焊缝；

⑦船首 0.25L 区域内，主要、次要构件与船底板连接处的所有角焊缝；

⑧中桁材与平板龙骨的连接角焊缝；

⑨厨房、冷冻库、配膳室、盥洗室、浴室、厕所和蓄电池室等处的周界角焊缝；

⑩船体所有主要、次要构件端部与板材连接的角焊缝和肘板端部与板材连接的搭接焊缝；

⑪其他特殊结构、在高强度钢板上安装附件和连接件时的角焊缝应特殊考虑；

⑫散装货船的货舱肋骨及其上下肘板与舷侧外板、下边舱的底板之间的所有角焊缝。

(2)当船体构件采用断续角焊缝时，对下列部位的规定长度应采用双面连续角焊缝。

①凡焊缝长度在 300 mm 以内者。

②肘板趾端应不小于连接骨材的高度，且不小于 75 mm。

③桁材、肋板、强横梁、强肋骨的端部不小于腹板高度。

④纵骨切断处端部削斜时，不小于 1 个肋距。

⑤骨材端部削斜时，应不小于削斜长度，骨材端部以焊接固定时，不小于骨材高度。

⑥各种构件的切口、切角、开孔(如流水孔、透气孔等)的两端，应按下述规定。

当板厚 $t \geq 12$ mm 时，长度≤75 mm。

当板厚 $t < 12$ mm 时，长度≤50 mm。

⑦各种构件对接缝的两侧，长度不小于 75 mm。

⑧构件上堵漏孔至密性舱壁的角焊缝。

⑨甲板机械下构件的角焊缝。

(3)检验员应了解焊脚尺寸与焊脚的含义不同，检验员应检测的焊脚尺寸是指角焊缝横截面中最大等腰直角三角形中直角边的长度，并非检测至焊趾的长度，见图 3－37。

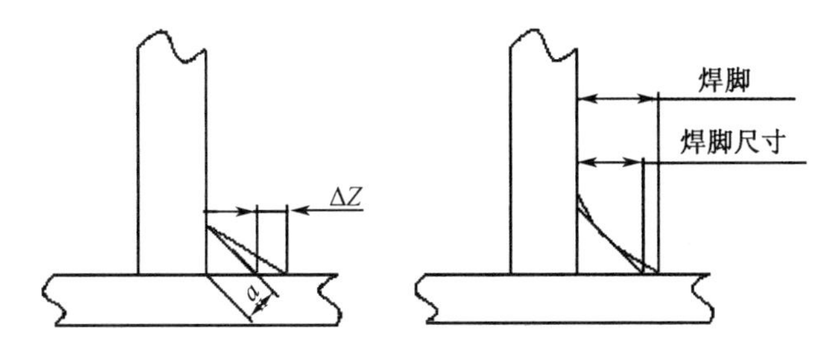

图 3－37 焊脚尺寸

(4)应重视船体水密构件的焊缝堵漏工艺措施，常用方法列举如下：

①双层底分段内的海底阀箱、污水井、测深仪舱、计程仪舱等要求水密的舱室，其周围贯通构件应开堵漏孔；

②双层底分段内的水密肋板，除了焊接双面连续角焊缝外，在内底板边缘的水密肋板处应开堵漏孔，以便焊接时在孔内将内底板厚度堆焊堵漏。

③外板纵焊缝为衬垫焊时，如果纵缝内设有水密舱壁，则水密舱壁两侧的衬垫不得垫至舱壁，应留一层板厚的空隙，以便水密舱壁两侧能通焊堵漏。

④艉轴支架等船体附件若支脚伸入船体又装焊在水密舱壁上，则外板上的覆板应在水密舱壁位置处间断，以便在间断处堆焊堵漏。

(5)在巡查中监督焊工的焊接质量：

①焊工必须持证上岗，并从事与焊工证书相应等级的焊接工作；

②焊工必须有必备工作，遵守焊接操作规程，执行焊接工艺，对于手工焊接及时清理焊渣。

(6)焊缝表面缺陷及其修正可参见表3－28。

①所有完工的焊缝表面，若存在上述缺陷时，应在焊缝内部质量检验和密性试验之前修补完毕。

②焊缝修正后必须进行再次检验，再次检验仍须符合本标准要求。

表3－28　焊缝表面缺陷及其修正表

项目		图示	范围	允许极限	说明
严重咬边深度 d/mm	母材厚度≤6时		$d<0.3$	$d<0.5$ 连续长度不大于100 mm	1. 超过允许极限应修正； 2. 咬边深度 d 在标准范围和允许极限之间，且各段总和不超过该焊缝全长的25%可不修正，超过25%则应修正
	母材厚度>6时		$d<0.5$	$d<0.8$ 连续长度不大于100 mm	
裂纹			不允许存在		1. 碳弧气刨将裂缝全部清除后补焊； 2. 在同一位置焊补次数不得超过2次

表 3－28(续)

<table>
<tr><th colspan="3">项目</th><th>图示</th><th>范围</th><th>允许极限</th><th>说明</th></tr>
<tr><td colspan="3">表面夹渣</td><td> 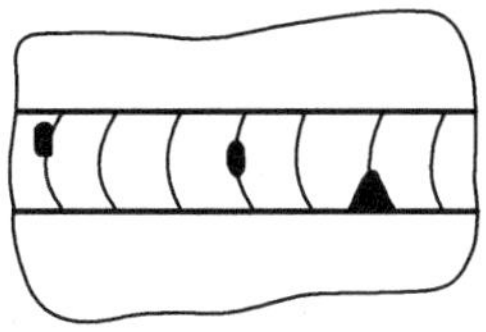</td><td>不允许存在</td><td>不允许存在</td><td>碳弧气刨后补焊</td></tr>
<tr><td rowspan="3">表面气孔只数 P</td><td colspan="2">对接焊缝</td><td rowspan="3"> 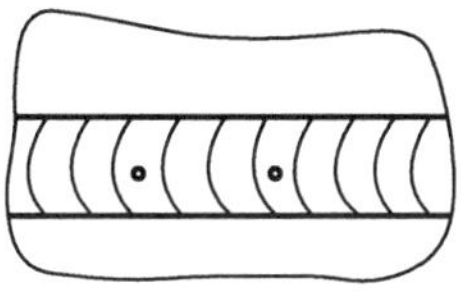</td><td>$P=0$</td><td>$P=0$</td><td rowspan="2">超过允许极限应碳弧气刨后补焊</td></tr>
<tr><td rowspan="2">角焊缝</td><td>水密部分</td><td>$P=0$</td><td>$P=0$</td></tr>
<tr><td>非水密部分</td><td></td><td>$P=1$ 只/0.5 m</td><td>气孔直径 $\phi\leqslant$ 1.5 mm，深度 $\leqslant$1.0 mm</td></tr>
<tr><td colspan="3">弧坑长度 l 及深度 S/mm</td><td> 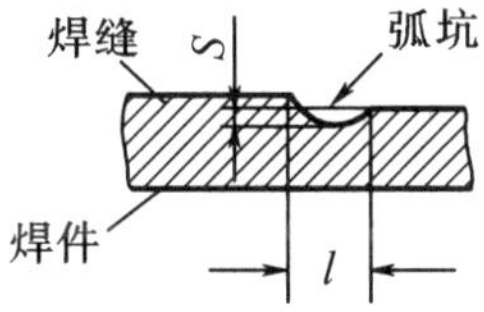焊缝 S 弧坑 焊件 l</td><td>$\leqslant 3$
$S\leqslant 1$</td><td>$l\leqslant 5$
$S\leqslant 2$</td><td>超过允许极限应用碳弧气刨刨后补焊</td></tr>
<tr><td rowspan="2">飞溅</td><td colspan="2">船壳外表及上层建筑暴露处</td><td rowspan="2"> 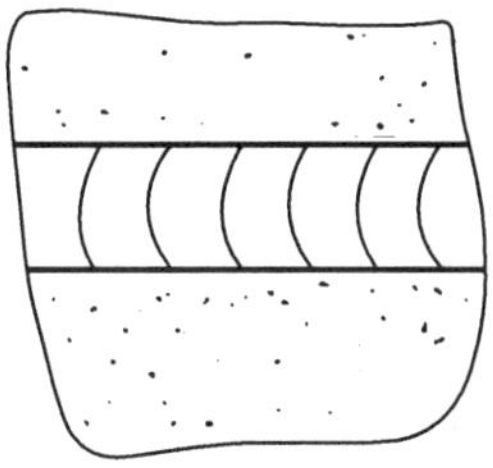</td><td colspan="2">不允许有飞溅</td><td>飞溅物应全部清除</td></tr>
<tr><td colspan="2">其他部位</td><td></td><td>在 100 mm 长度范围内每侧不得多于 5 个</td><td>超过允许极限应修正磨平</td></tr>
<tr><td rowspan="2">焊瘤只数 P</td><td colspan="2">船体焊缝</td><td rowspan="2"> 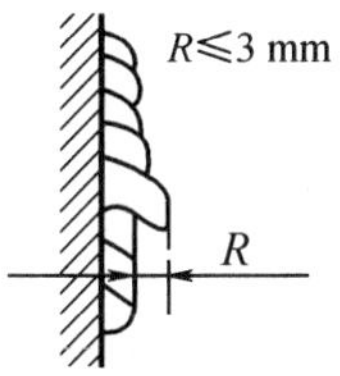$R\leqslant 3$ mm
R
$R\leqslant 3$ mm</td><td></td><td>$P=0$</td><td rowspan="2">超过允许极限应修正磨平</td></tr>
<tr><td colspan="2">其他焊缝</td><td></td><td>$P=1$ 只/m</td></tr>
<tr><td colspan="3">多层焊焊波间沟深 S/mm</td><td> 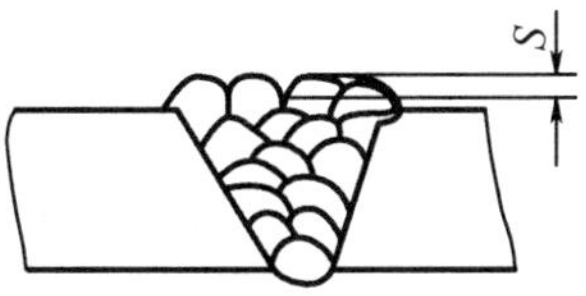S</td><td></td><td>$S\leqslant 1.5$</td><td>超过允许极限要修正</td></tr>
</table>

3.4.1.4 焊缝内部质量检验

焊缝内部质量检验在焊缝焊接尺寸与表面质量所发现的缺陷修补完成,复检合格后进行。

焊缝的内部质量可采用射线、超声波或其他适当的方法(如对焊缝表面或接近表面的内部缺陷,可采用渗透探伤或磁粉探伤的方法)进行无损检测。

射线照相探伤旨在发现物体内部缺陷,消除隐患,保证产品质量。它是通过射线的衰减、电离、荧光、照相等主要特点来观察照相底片上所呈现的缺陷影像,判断焊缝的内部缺陷的性质、位置及大小,再根据有关评定标准判定焊缝质量的等级。

超声波探伤是利用探头在焊缝两侧向焊缝发出超声波光束,当遇到缺陷时,会产生反射,再根据反射波形来判别缺陷的性质、位置及大小,按照有关标准评定焊缝的质量等级。

焊缝射线探伤直观,底片便于保存备查,因此是焊缝检查的主要方法,主要用于外板对接焊缝及纵向构件的对接焊缝,但射线探伤成本高、效率低。超声波探伤对裂纹、未焊透等缺陷敏感,主要用于角焊缝,而且超声波探伤效率高、成本低,可以对船体板的对接焊缝进行百分之百的检验。船厂通常是将射线照相与超声波探伤配合使用,当焊缝用超声波探伤发现有质疑的部位时,再进行射线照相最后确定缺陷的性质。这样既可提高检验效率,保证检验准确度,又能降低成本。

从事无损检验的人员应持有船级社认可的《无损检测人员资格证书》才可从事与证书相应种类和等级的无损检测工作。

1. 检验前的准备工作

检验人员应在船体建造时将《船体焊缝无损探伤布置图》交给验船师,图中有船体外板板缝的平面图,包括环缝及纵向主要构件位置。

根据船体焊缝无损检测的数量参考规范及标准和焊接工艺文件,探伤位置由检验员标注在探伤布置图上,由验船师审核。

船中 $0.6L$ 范围内强力甲板和外板的射线拍片数量 N,一般可按下式计算:

$$N = 0.25(i + 0.1W_r + 0.1W_l) \quad \text{张}$$

式中 i——船中 $0.6L$ 范围内纵、横向对接焊缝交叉处的总数;

W_r——船中 $0.6L$ 范围内横向对接焊缝的总长;

W_l——船中 $0.6L$ 范围内分段合龙的纵向对接焊缝的总长。

重点部位:

(1)船中 0.6 船长区域内的强力甲板、舷顶列板、舷侧外板、船底板等纵横焊缝交叉处和船体分段的环形焊缝;

(2)船中 0.6 船长区域内的平板龙骨对接焊缝和圆弧舷板的对接焊缝;

(3)强力甲板舱口角隅板的对接焊缝;

(4)船中 0.6 船长区域内的纵向骨架和纵舱壁扶强材的对接焊缝;

(5)机舱内底板与主机基座面板对接焊缝;

(6)起重桅(柱)的环形对接焊缝。

经验船师认可的《船体焊缝无损探伤布置图》,在船体建造过程中,验船师根据需要可对无损探伤数量和位置做局部更改。此图检验员应妥善保管。

焊缝内部质量检验必须在焊缝焊接规格尺寸与表面质量检验合格后进行。

2. 检验内容与评级标准

船体焊缝无损探伤的数量和位置根据不同船舶的入级要求,按相应的船级社建造规范由船厂技术部门编制在有关船体焊接工艺的文件中。有关规范与专业标准目录提供如下:

CB/T 3177—1994《船舶钢焊缝射线照相和超声波检查规则》

CB/T 3558—1994《船舶钢焊缝射线照相工艺和质量分级》

CB/T 3559—2011《船舶钢焊缝超声波检测工艺和质量分级》

CB/T 3802—1997《船体焊接表面质量检验要求》

CB/T 3907—1999《船用锻钢件超声波探伤》

CB/T 3958—2004《船舶钢焊缝磁粉检测、渗透检测工艺和质量分级》

中国船级社(CCS)《材料与焊接规范》2012

3. 检验注意事项

(1)对无损探伤评片的等级,由具有2级或2级以上资格证书的人员进行复评审核,然后出具报告。

(2)被评定为不合格的焊缝,应及时进行返修,返修工艺可参阅任务3.1。

(3)如返修后经探伤复查仍不合格,对该段焊缝中认为缺陷有可能延伸的一端或两端延伸增加检查段,直至达到邻近合格的焊缝为止。

(4)当所有被检焊缝的一次合格率低于80%时,应对重要部位焊缝追加检查,其数量为总检查段数的10% ~20%,并应对全部焊接工艺引起注意。

(5)焊缝经修补后应对该处进行外观检查和相应的无损检测。焊缝质量应符合验收标准的要求。

3.4.2 工作任务训练

图3-38(a)~(e)是焊缝的X射线片和所含缺陷的示意图,根据图中所示,写出焊接缺陷的名称、焊接缺陷的形成原因及消除措施。

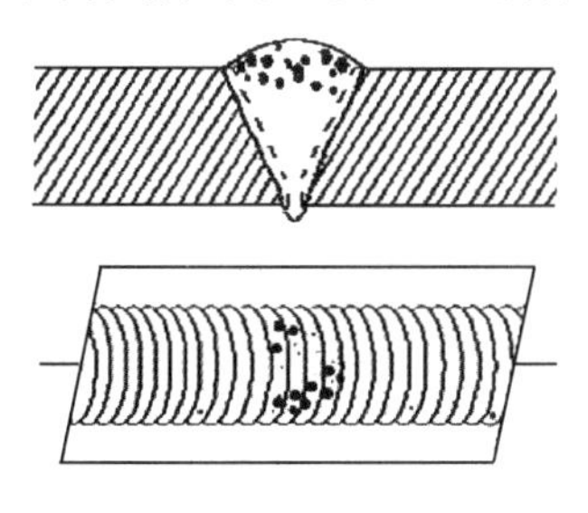
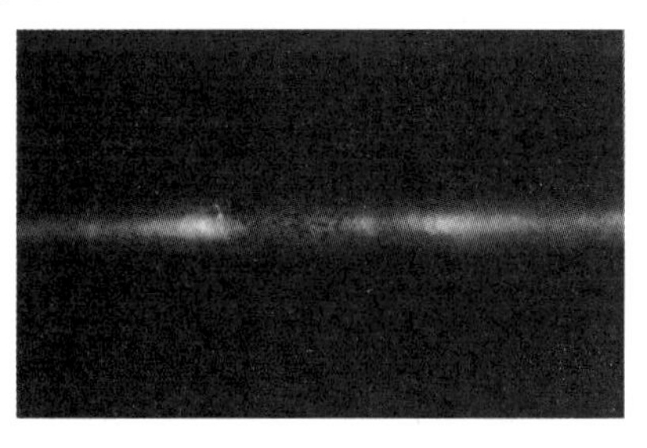

(a)

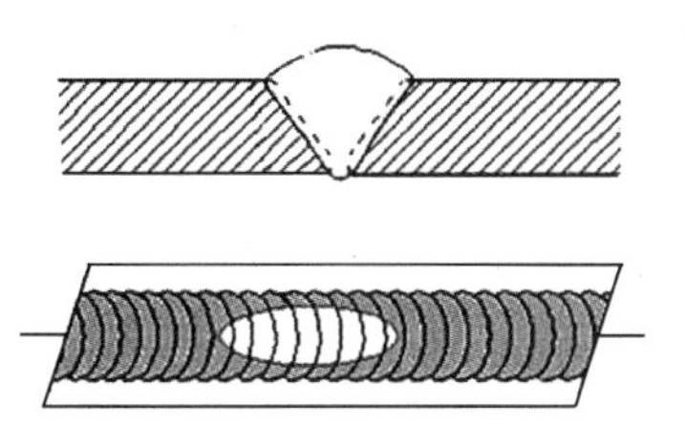
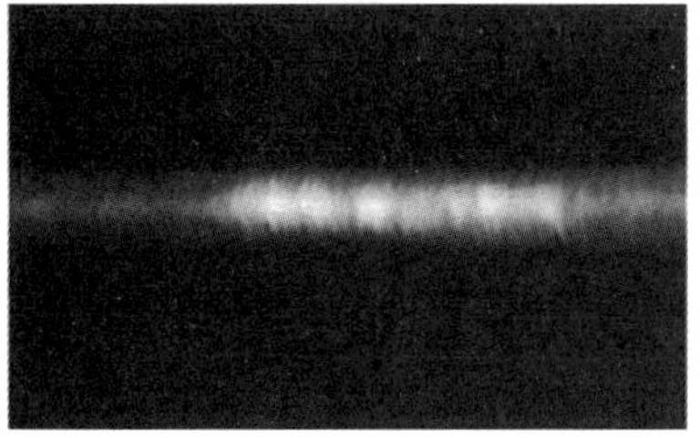

(b)

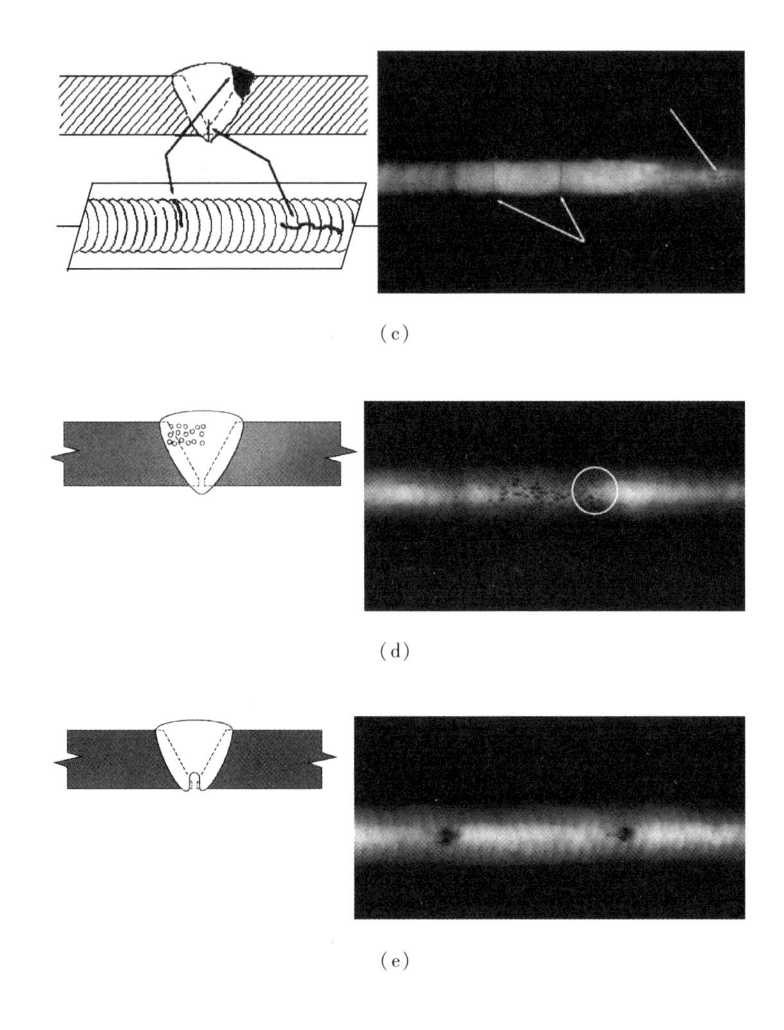

(c)

(d)

(e)

图3-38　焊缝的X射线片和所含缺陷示意图

任务3.5　船体密性试验

3.5.1　相关知识

在船体建造完毕或船体某一区域内的装配、焊接及火工矫正等工作全部结束后，即可进行相应船体部位的密性试验。密性试验的目的是检查外板、舱壁等的焊缝有无渗漏现象，以保证船舶的航行安全；通过密性试验，还可分析焊接缺陷产生的原因，为某些工序提供改进意见。

中国船级社的《钢质海船入级与建造规范》规定船体密性试验采用冲水试验、水压、充气或其他等效的方法。中国船检局的《内河钢船建造规范》规定船体密性试验采用灌水、冲水、淋水、涂煤油、充气或相应等效的方法。造船厂在进行船体密性试验时，是按技术部门提交验船师认可的《船体密性试验图》进行试验的，所采用的密性试验方法就是相关规范规定的密性试验方法。因此,船体密性试验前,应具备《船体密性试验图》,图中应明确表达各舱室或部位的名称、所采用的密性试验方法及应达到的技术要求等。检验员应熟读《船体密性试验图》,应重视甲板有开口或工艺开口的非液舱所采用的密性试验方法的适用性与可信性。

3.5.1.1　常用的船体密性试验方法

1. 水压试验

水压试验是各国船级社认可的密性试验方法之一,即逐舱灌水并在舱外观察焊缝处有无渗漏现象。灌水法是密性试验的传统方法。根据不同的部位,造船规范要求将水灌至规定的高度,使船体结构和焊缝处于一定的受压状态,然后检查有关结构和焊缝是否有变形和渗漏现象,钢质海船试验压头高度参见表3-29。水压试验的优点是水压试验属于实效性试验,且检查渗漏效应一目了然,在对舱室做密性试验的同时,又起到了强度试验的效果,因此历来为船检部门所接受。水压试验的缺点是水压试验虽然可靠,验收也方便,但船厂在执行中困难不少,第一,舱室注水后,船体负荷增加,需要增加墩木的数量,尤其是油轮,舱容大,更难实施;第二,相邻舱室要交叉注水,而每次注满舱与排水要花很长的时间,增加船台建造周期;第三,江湖或海水排水后,清扫积存淤泥的人工多,而改用自来水成本又太高,舱室骨架经注水后,在死角与间隙中留有难以揩干的积水,会增加锈蚀;第四,舱室注水后若发现严重的渗漏缺陷,按补焊要求必须排水修补,重复注水致使试验时间更长。为此,造船规范允许水压试验用充气试验代替,但由于充气试验无法兼作强度试验,故规范规定:“对于全部液舱均采用充气试验的船舶,在完成充气试验后,至少应对每种结构形式的液舱中的一个做水压试验。但对干货船中标准高度的双层底舱和液货船中远离货舱区域的液舱,如验船师对充气试验结果感到满意,可免做水压试验”。水压试验最适宜于新设计的新型船舶需要做强度试验的舱室,此时密性试验和强度试验共同完成,一举两得。水压试验作为单纯的密性试验,船厂用得愈来愈少了。多年来的造船实践表明,对于按规范进行结构设计的船体强度是足够的,技术部门征得验船师同意,可减少液舱水压试验的数量。

水压试验的技术要求:

(1)水压试验应按间隔或交叉顺序进行,相邻舱室不得同时进行水压实验,以便检验;

(2)试验舱室下面应适当增加墩木或支撑,且避开受检部位;

(3)灌水高度见表3-29,水温通常不低于5 ℃;

表3-29　船体密性试验部位与试验压头要求(钢质海船)

序号	试验部位	试验压头要求	
1	艏、艉尖舱、双层底舱、底边舱(作水舱时)	至空气管顶高度	
2	作空舱的尖舱	至满载水线高度	
3	深油舱、燃油舱、顶边舱	至舱顶以上2.5 m或溢流管顶高度,取大者	
4	液货舱	至舱顶以上2.5 m高度	
5	隔离空舱	至舱顶以上2.5 m高度	
6	泵舱	至满载水线高度	
7	海底阀箱	无吹洗设备者	至干舷甲板以上1 m高度
		有吹洗设备者	至干舷甲板以上2.5 m高度

注:①水压试验可用充气试验代替;

②海底阀箱箱体可用充气试验。

(4)若灌水高度要求至舱顶以上,舱顶上应设置直径不小于50 mm的加压管,加压管内的压水高度在试验持续时间内无明显下降。

灌水至规定高度后保持15 min,即可检查受试舱室外面的焊缝处,无水滴、水珠、水迹等渗漏现象即为合格。

2. 充气试验

充气试验同样是各国船级社认可的密性试验方法之一,即密封试验舱并充以一定压力的压缩空气,保持规定的压力和时间,在焊缝另一面涂肥皂液,观察有无渗漏、起泡现象。

充气试验技术要求:

(1)相邻舱室不得同时进行充气实验,以便检验;

(2)若周围气温在0 ℃以下,在检查面的焊缝上涂肥皂液时,应将肥皂液加热后使用;

(3)每个实验舱室应装置经检验合格的压力表2个,安全阀1个,气体应通过压力调节器或减压阀引入,充气试验的压力取0.02 MPa~0.03 MPa。

钢质海船应在充气压力0.02 MPa~0.03 MPa保持15 min,检查压力无明显下降后再将舱内气压降至0.01 MPa,然后在检查面除自动焊焊缝外的所有焊缝上涂肥皂液,不产生气泡即为合格。

3. 煤油试验

煤油试验是各国船级社认可的密性试验方法,即在焊缝的一侧先涂上白垩粉,然后在另一侧涂上煤油,过一定时间后观察白垩粉上有无油渍,利用煤油的渗透作用检查是否渗漏。

煤油试验技术要求:

(1)在检查面的焊缝上先涂白垩粉水溶液,其宽度小于40 mm,干燥后进行试验,若周围气温在0 ℃以下时,可用盐溶液或酒精作溶剂配制;

(2)在检查面焊缝的反面涂上足够的煤油,在试验过程中焊缝表面应保持煤油薄层;

(3)当周围气温在0 ℃以上时,煤油试验持续时间按表3-30规定,当气温低于0 ℃时,用盐溶液或酒精作溶剂配制,并且持续时间应适当延长。

在达到规定持续时间后,检查除自动焊焊缝外的所有焊缝面上的白垩粉表面,无渗出的煤油斑迹,即为合格。煤油试验持续时间要求可参见表3-30。

表3-30 煤油试验持续时间

焊缝厚度/mm	试验持续时间/min			
	水平焊缝		垂直焊缝	
	水密	油密	水密	油密
≤6	20	40	30	60
7~12	30	60	45	80
13~25	45	80	60	100
>25	60	100	90	120

4. 冲水试验

冲水试验也是各国船级社认可的密性试验方法之一,即在板缝一侧冲水,在另一侧观察焊缝处有无渗漏现象。冲水试验主要用于水密门和窗、舱盖、舷侧板、甲板、轴隧、舱壁、甲板室顶的露天部分和外围壁等水密构件的密性试验。

冲水试验技术要求：

(1)冲水试验时，喷嘴口直径应不小于16 mm，水压力不小于1 MPa，喷嘴离被试验部位的距离应不大于3 m；

(2)通常用消防水枪向焊缝垂直冲水，可以在焊缝的任一面冲水，垂直焊缝应自下而上冲水；

(3)冲水试验时外界气温应大于0 ℃；

(4)冲水时检查面的焊缝必须保持干燥。

冲水时在检查面的检验员要配合舱室外的冲水人员检查对应部位，无水滴、水珠、水迹等渗漏现象即为合格。

5. 淋水试验

淋水试验是将水淋在被试焊缝或接缝上，在另一面检查是否泄漏的试验。

淋水试验技术要求：

(1)用水浇淋在焊缝或接缝上；

(2)露天甲板或外围壁可利用下雨天检查，雨量以中等以上为宜。

试验时，持续时间3 min后，在检查处看不到渗漏水珠即为合格。

6. 油雾试验

油雾试验是用煤油和压缩空气通过喷雾装置产生出具有一定压力的油雾，利用压力油雾的强渗透作用检查焊缝是否渗漏。试验时，将油雾喷射到被试验焊缝处，在焊缝反面检查是否有煤油渗出。

油雾试验技术要求：

(1)油雾试验用的煤油须经过滤处理，以清除杂质；

(2)喷雾器具的管路中的压缩空气压力不小于0.03 MPa；

(3)喷油嘴口径不大于16 mm，离焊缝距离50～100 mm，移动速度为5～10 m/min。

(4)在检查面的焊缝上先涂白垩粉水溶液，其宽度不小于40 mm，干燥后进行试验，若周围气温在0 ℃以下时，可用盐溶液或酒精作溶剂配制。

当外界气温大于20 ℃时，喷油雾后3～5 min。当气温小于20 ℃时，喷油雾后10～15 min，检查焊缝面上的白垩粉表面应无煤油斑迹即为合格。

7. 水压、充气混合试验

水压、充气混合试验是先用水灌入舱内至规定高度，然后以压缩空气充入舱内并保持规定的压力和时间，以检查密性舱室周围焊缝是否渗漏的试验。

水压、充气混合试验技术要求：

(1)相邻舱室不得同时进行水压、充气混合试验，以便检验；

(2)试验时被灌水的舱室隔舱处，视需要适当增加船底龙骨墩或支撑，预防船体变形；

(3)灌水水温通常不低于5 ℃；

(4)每个试验舱室上应装置经检验合格的压力表2个，安全阀1个，气体应通过压力调节器或减压阀引入；

(5)充气试验的压力取0.02 MPa～0.03 MPa；

(6)在检查面的焊缝上涂肥皂液时，若周围气温在0 ℃以下，则应将肥皂液加热后使用。

钢质海船应在充气压力 0.03 MPa(内河钢船充气压力 0.02 MPa ~ 0.025 MPa)保持 15 min后,检查受试舱室灌水水面高度以下的焊缝外面有无水滴、水珠、水迹等渗漏现象,在水面高度以上的所有焊缝涂肥皂液检查,不产生气泡即为合格。

3.5.1.2 常用舱室密性试验方法

不同的船级社对密性试验的要求有所不同,密性试验方法的选择首先应遵循相应的公约、规则和船级社的规范,并应得到船东和船级社的认可。各类民用船舶,如果船级社、船东无特殊要求,可参考表 3-31 对常见的舱室结构采用相应的密性试验方法。

表 3-31 常见的密性实验方法

<table>
<tr><th colspan="2">舱室结构</th><th>试验方法</th><th>备注</th></tr>
<tr><td colspan="2">边水舱压载水舱
双层底压载水舱
双层底燃油舱</td><td>充气试验</td><td>首制船可选择 1 ~ 2 舱作水压强度试验</td></tr>
<tr><td colspan="2">艏尖舱、艉尖舱</td><td>充气试验</td><td>首制船用水压强度试验</td></tr>
<tr><td colspan="2">可用作压载的货舱</td><td>水压强度试验</td><td>—</td></tr>
<tr><td colspan="2">艉部冷却水舱</td><td>水压试验</td><td>—</td></tr>
<tr><td colspan="2">淡水舱
饮水舱
清洁水舱</td><td>充气试验或水压试验</td><td>首制船用水压试验</td></tr>
<tr><td colspan="2">测深仪舱
计程仪舱</td><td>充气试验</td><td>—</td></tr>
<tr><td>机舱双层底</td><td>舱底水舱
柴油舱
滑油循环舱
隔离空舱
污油舱</td><td>充气试验或水压试验</td><td>优先采用充气试验</td></tr>
<tr><td colspan="2">机舱平台上的小油柜</td><td>充气试验或水压试验 + 充气试验</td><td>优先采用充气试验</td></tr>
<tr><td colspan="2">海底阀箱结构</td><td>充气试验</td><td>气压要求 0.2 MPa</td></tr>
<tr><td colspan="2">厨房、配餐间、更衣室、湿粮库、浴室、厕所、蓄电池室、冷藏室、空调室等</td><td>灌水试验</td><td>—</td></tr>
<tr><td colspan="2">露天甲板、主要水密隔舱、甲板四周围壁、水密门、舷窗、水密舱口盖、锚链筒、机舱顶棚、锚链管等</td><td>冲水试验</td><td>—</td></tr>
<tr><td colspan="2">液货舱
(化学品船、油轮等)</td><td>充气试验</td><td>试航时间隔作压水强度试验</td></tr>
</table>

3.5.1.3 船体密性试验的程序

1. 技术准备工作

检验员先详细阅读船体密性试验图,掌握各密性舱室应采用的密性试验方法、技术要求与合格标准。然后了解所验船舶的施工进度及舱室密性的试验顺序,严格遵守密性试验守则,以确保试验的安全。

2. 预查和预检工作

在对密性舱室做试验前,先预查舱室的完整性是否符合要求。依据现场密性舱室焊缝的外观质量、舱室完整性程度的优劣与所采用的密性试验方法的简繁等,督促密性试验作业者认真做好自检工作,做好采用先预检后再正式交验的舱室的检验计划。

3. 检验工作

在自检工作质量良好的情况下,检验员在接到自检完工报告后,既可通知验船师和船东,约定检验时间。施工部门要配备好返修人员陪同检漏,发现泄漏处,按有关修复要求立即返修,并取得验船师与船东的签字认可。

4. 标志

检验员在舱室密性试验认可后,及时在密性试验图上做好标志,以防漏检,并记录已完工舱室的试验日期、天气、气温、试验参数、参试人员和试验结论,并切实记录好让步放行的遗留项目。

5. 跟踪

检验员应经常查阅未完成密性试验的遗留项目,当具备补做密性试验条件时,督促抓紧补缺。试验方法可按该项目所处舱室的密性试验要求选用等效而又简便的方法,以减少对其他相关工序的影响。检验完工后做好记录备案。

3.5.2 工作任务训练

按中国船级社的《钢质海船入级与建造规范》规定制定船体密性试验方案,并将相关内容填入表3-32中。

表3-32 船体密性试验方案

序号	试验项目	试验方法	试验压力
1	艏尖舱		
2	压载水舱		
3	柴油溢油舱		
4	舱底水舱		
5	滑油储藏舱		
6	管弄		
7	艏部外板		
8	艉尖舱		
9	低位海底门		

任务3.6 船体完工检验

3.6.1 相关知识

3.6.1.1 船体主尺度和外形检验

1. 概述

船体主尺度是船体外形大小的基本量度,即船的长度、宽度和深度。在船体型线图和基本结构图上标注为总长、垂线间长、最大宽度、型宽和型深等数值均为船体主尺度,船体主尺度是船体性能设计的关键尺寸,也是签订合同、进行基本设计、详细设计和生产设计的主要依据。在船体建造各工序施工时,为确保船体主尺度精度要认真地制定工艺措施。如果主尺度精度超出允许极限,将直接影响船舶的排水量、舱容、稳性与快速性。船体艉部区域分段及艉柱的安装精度偏差也会影响轴系与舵系的效能及航向稳定性。型深的建造偏差将影响勘画载重线标志的位置与干舷尺寸,影响载重量、大倾角稳性与抗沉性,外形变形量超出允许极限将影响船体的总纵强度。因此,船体主尺度和外形检验至关重要,它的检验值列入交船完工质量报告,这也是评价船舶产品质量的主要项目之一。

2. 船体主尺度的定义

(1)船的长度

①船长 L(m)

沿夏季设计载重线,由艏柱前缘量至舵柱后缘的长度;对无舵柱的船舶,由艏柱前缘量至舵杆中心的长度,但均不得小于设计夏季载重线总长的96%,且不必大于97%。该船长主要用于船级社规范计算及有关国际公约。

②总长 L_{oa}(m)

包括两端上层建筑和外倾式舷墙在内的船体表面最前端与最后端之间的水平距离。

③最大船长 L_{max}(m)

船舶最前端至最后端之间包括外板和两端永久性固定突出物(如顶推装置、挖泥绞刀架等)在内的水平距离。

④垂线间长 L_{pp}(m)

艏柱前缘与夏季载重线交点处的垂线与舵柱后缘与夏季载重线交点处垂线或对无舵柱船舶为舵杆中心线之间的水平距离。

(2)船的宽度

①最大船宽 B_{max}(m)

包括外板和永久性固定突出物,如护舷材、水翼等在内,垂直于中线面的最大水平距离。

②船宽(型宽)B(m)

在船舶的最宽处,由一舷的肋骨外缘量至另一舷的肋骨外缘之间的水平距离称为船宽,即为船体型线图上的型宽。

③型深 D(m)

在船的中横剖面处,沿船舷由平板龙骨上缘至干舷甲板船侧处横梁上缘的垂直距离;对甲板转角为圆弧形的船舶,则由平板龙骨上缘量至横梁上缘延伸线与肋骨外缘延伸线的交点。检验员在主尺度检验中应认真检测型深的精度，它涉及船舶载重线标志与吃水标志位置的准确性。对此，检验员在交验时应了解验船师特别重视验收勘画载重线标志，载重线标志须经船东代表认可。

3. 船体主尺度的测量方法

(1)船长的测量

①船体总长 L_{oa} 的测量(图 3－39)

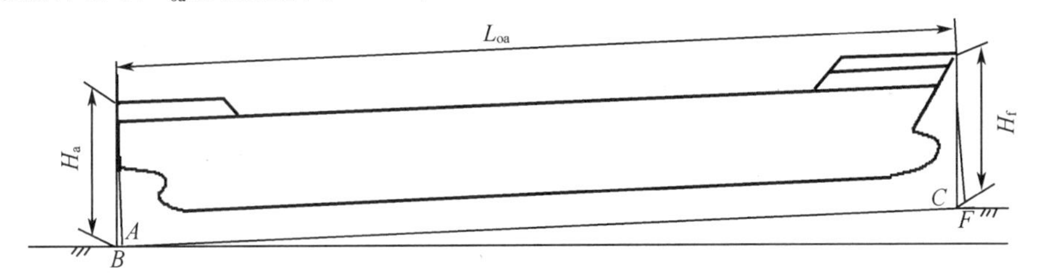

图 3－39 倾斜船台上船体总长 L_{oa} 的测量

图中，B、C 点是艏、艉部端点引铅垂线与船台基准面的交点，A、F 点是艏、艉部端点至船台基准面的垂足点。利用经纬仪将艏、艉端点垂直引至滑道面 B、C 点，测量 BC 长度，测量计算艏、艉端点至滑道面垂直距离 H_f、H_a，则 $BA = H_a/$龙骨斜度，$CF = H_f/$龙骨斜度，$L_{oa} = AF = BC + (CF - BA)$。

②水线长 L_{wl}、两柱间长 L_{pp} 的测量(图 3－40)

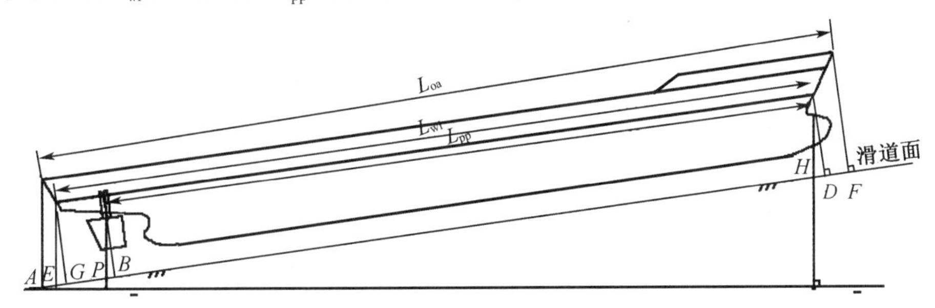

图 3－40 倾斜船台上水线长 L_{wl}、两柱间长 L_{pp} 的测量

图中 A 点是船体艉端点引铅垂线与船台基准面的交点，G、B、D、F 分别是水线尾端点、舵杆中心线与船体交点、水线前端点、船体艏端点至船台基准面的垂足点，则 $L_{wl} = L_{oa} - (AG + DF)$，$L_{pp} = L_{wl} - GB$。

(2)船体型宽的测量

船体型宽的测量不受船台倾斜度的影响，测量方法有以下三种。

①用卷尺直接测量

在船体中横剖面的甲板上，用卷尺由一舷的外板内缘量至另一舷的外板内缘的水平距离数值，即为船的型宽。

若甲板上有上层建筑或其他结构而不便测量时，可采用下面两种方法。

②用线锤及卷尺测量(图 3－41)

在船体中横剖面舷顶列板外侧的甲板边板位置线处焊一扁钢，扁钢上吊线锤至船台面上得 A 点，用卷尺测量 A 点至船台中心线(或船底中心线)的距离 AO。AO 中减去舷顶列板

厚度 δ 及扁钢上线锤线距外板表面的距离 b，即为船体半宽。用相同方法可测得另一舷的船体半宽，两半宽相加即为船体的型宽。

③用激光经纬仪测量

在船台面上作一根平行于船台中心线的平行线（图3－41）。平行线至船台中心线的距离应略大于船体的半宽。将激光经纬仪置于该平行线上对中、整平，使望远镜视准轴与平行线对准，并与船台上中横剖面肋位线相交得 A 点。在船体中横剖面舷顶列板外侧的甲板边板位置线处，焊一扁钢，且垂直于外板。发射激光束至扁钢上，量得光点至船舷的距离为 b。用卷尺测量船台上中横剖面肋位线自 A 点至船台中心线的垂直距离 AO，则船体半宽为 $AO-(b+\delta)$。用同样方法可测量另一舷船体半宽，两半宽相加即为船体的型宽。

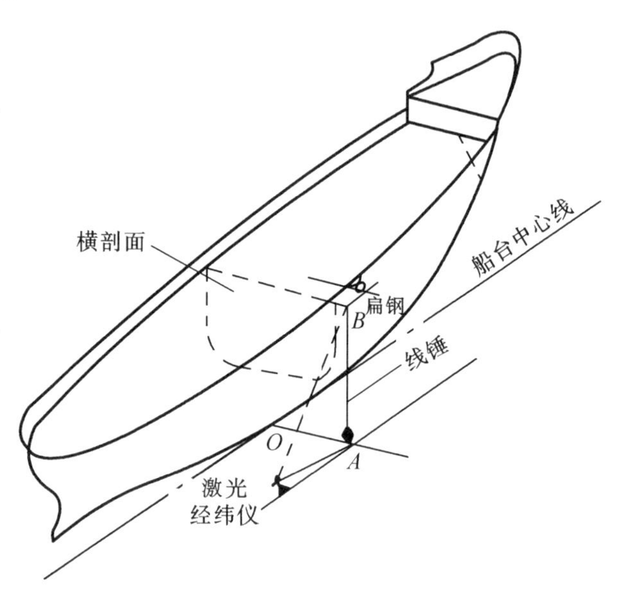

图3－41　船体型宽的测量

(3)船体型深的测量

船体型深的测量如图3－42所示，将船体中横剖面处甲板边板的理论线转画到舷侧顶列板外部；将经纬仪或水准仪置于低于船底的位置，使其构成平行水平面的光学平面；分别测量自舷侧顶列板上甲板边线理论线处和自位于同一垂直“横剖”平面内的船底龙骨到光学平面间的距离，两者之差且计及船底龙骨坡度和龙骨板厚，即可求得船体型深。

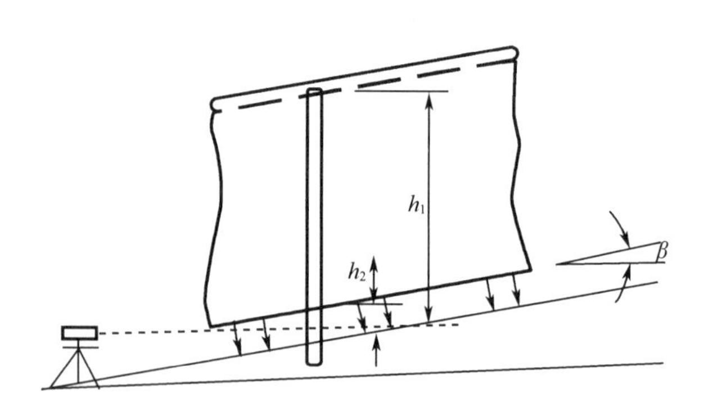

图3－42　船体型深的测量

$$H=[h_1-(h_2+\delta)]\cdot\cos\beta$$

式中　H——型深；

h_1——甲板边线理论线至光学平面间的距离；

h_2——船底龙骨至光学平面间的距离；

δ——船底龙骨板厚；

β——船底龙骨坡度。

(4)船底纵向挠曲度的测量

用激光经纬仪测量船底纵向挠曲度比较方便、准确，特别是应用在倾斜船台上。将激光经纬仪放在船尾端，使望远镜的视准轴与船底基线平行，然后用直尺直接测量船底各相应肋位处与激光束之间的垂直距离 h_1、h_2、h_3、h_4 等，见图3－43。将所测得的各点的值减去激光束与船体基线距离 h，并将其差值填入表3－33中，即可得出船底纵向的挠曲度。

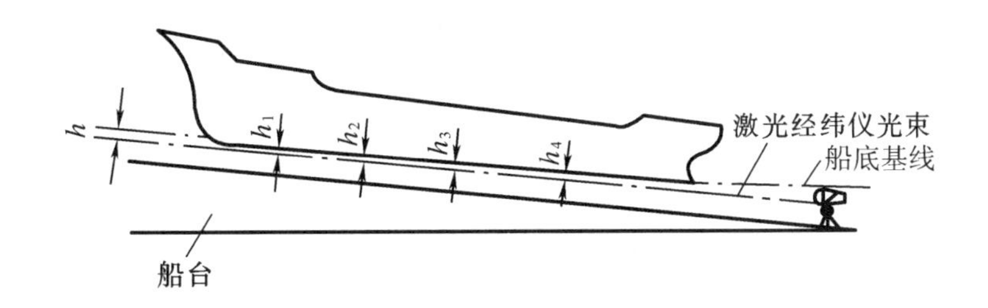

图 3-43 船底纵向挠曲度的测量

表 3-33 船底纵向挠曲度测量表

内容	肋骨位置												
	F	F	F	F	F	F	F	F	F	F	F	F	F
高度													
中心													

4. 主尺度和外形检验

主尺度和外形检验内容、精度标准与检验基准可参见表 3-34。

表 3-34 主尺度和外形检验内容 精度标准与检验基准 单位:mm

项目			标准范围	允许极限	备注
总长或两柱间长		$L<100\ 000$	$\pm(L/1\ 000)$	—	
		$L\geqslant 100\ 000$	$\pm\left(100+\frac{L-10\ 000}{1\ 500}\right)$	—	
型宽 B			$\pm(B/1\ 000)$	—	
型深 D			$\pm(D/1\ 000)$	—	
船体龙骨中心线挠度	艏艉尖舱之间的全长范围内挠度	BL 假定基线	±25	±50	每 100 m 以龙骨中心线为基准
	相邻横舱壁之间的挠度		±15	—	

表 3－34(续)

项目			标准范围	允许极限	备注
艏艉上翘	艏翘	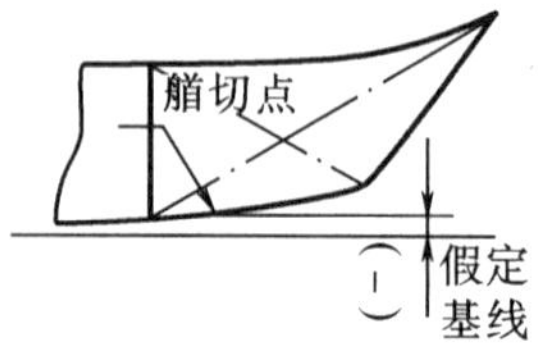 艏切点 假定基线	±30	—	
	艉翘	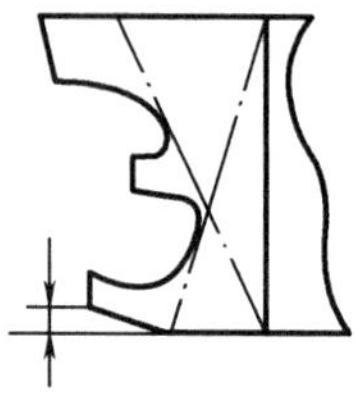	±20	—	
	横向上翘或下垂量	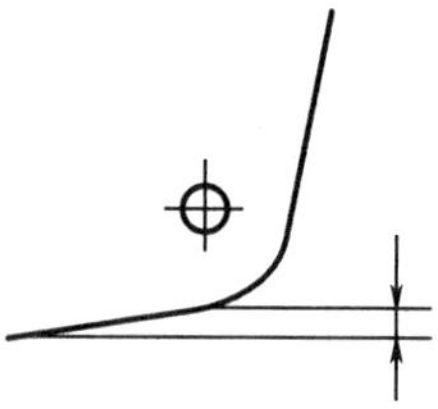	±15(以每 10 m 宽计)		

3.6.1.2　船舶载重线标志与吃水标志检验

1. 船舶载重线标志

船舶载重线标志是指为标明船舶载重线位置,用以检查装载状态使之不小于已核定的最小干舷,而按载重线公约或规范所规定的式样勘绘于船中两舷的标志。对艏、舯、艉吃水标志与载重线标志勘画准确性的检验称为船舶载重线标志与吃水标志检验。国际航行船舶载重线标志按 1966 年国际载重线公约和 1988 年议定书的要求及各船级社的规范勘画。中国籍船舶,入级船舶由中国船级社验船师进行检验,非入级的国内航行船舶,由中国船舶检验局验船师按《海船法定检验技术规则》(2011)及修改通报、《内河船舶法定检验技术规则》的要求检验。

载重线标志系由一圆环和一水平线相交组成,其圆环的中心位于船长中点处,水平线上边缘通过圆环中心,圆环中心至甲板线上边缘的垂直距离为夏季干舷。载重线诸线段指船舶按其航行的区带、区域和季节期而定的各载重线段。载重线标志的尺寸如图 3－44 所示。(图中,当不由中国船级社勘画载重线时,则用 *ZC* 代替 *CS*,字母高 115 mm、宽 75 mm)

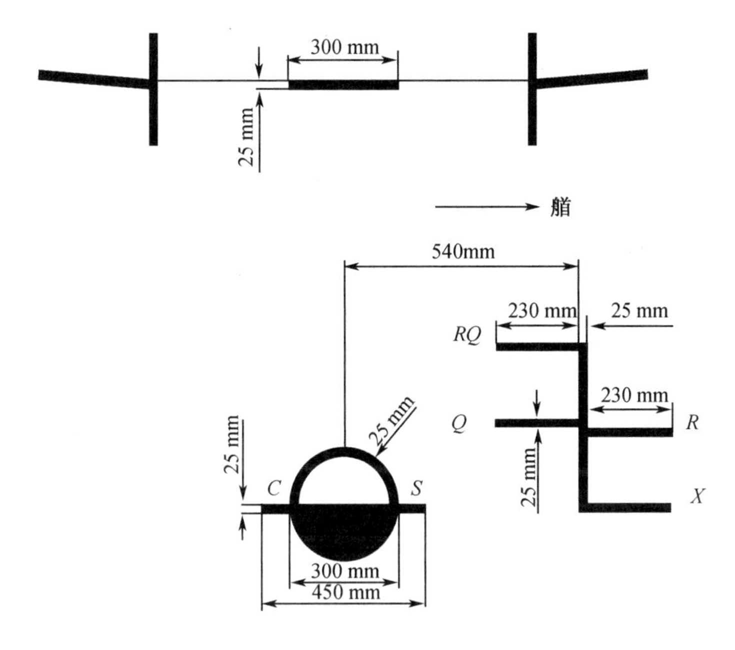

图 3－44　海船甲板线和载重线标志(右舷)

X—夏季载重线;*R*—热带载重线;*Q*—夏季淡水载重线;*RQ*—热带淡水载重线

水尺标志由水尺刻度线和水尺数字组成。3 000 总吨及以上海船水尺标志正投影的式样如图 3－45 所示。

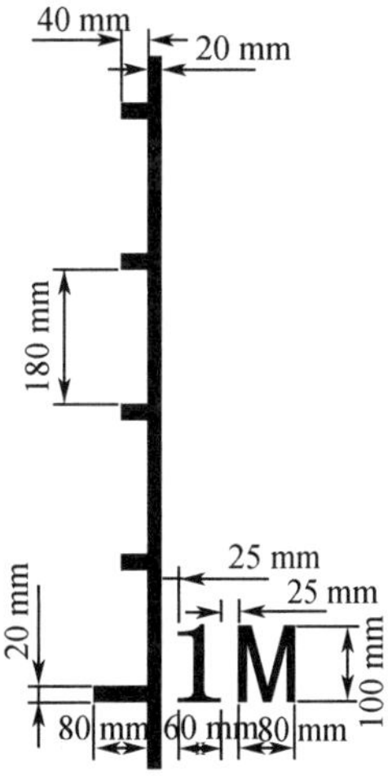

2. 检验内容、精度标准与检验方法

按载重线标志与吃水标志图中的尺寸,检测载重线标志圆环的直径及诸线段的宽度和长度、甲板线位置、诸线段与甲板线的相对位置、各字母符号的正确性。夏季干舷尺寸应符合图样上要求,其标准偏差为 ±0.5 mm,允许界限为 ±1.0 mm。检测吃水标志的字母高度与上下间隔均为 100 mm,且每个序数字的底缘装焊于该数字所指的水线位置。满载吃水高度应为平板龙骨下缘向上量取的垂直高度。载重线标志的圆环中心位置不得低于满载水线。

图 3－45　水尺标志

3.6.2　工作任务训练

某船船长 124 m、肋距为 800 mm,在船坞内龙骨中心线定位高度为 624 mm,表 3－35 是该船在部分肋位点测得的船体龙骨中心线挠度的测量值和偏差值,绘出该船的局部船体龙骨中心线挠度曲线,并根据《中国造船质量标准》判断该船船体龙骨中心线挠度值是否符合要求。

表 3-35　船体龙骨中心线挠度测量值　　单位:mm

肋位	15	18	21	24	26	30	33	39	43	47	51
测量值	622	616	616	615	617	617	618	609	613	617	626
偏差值	-2	-8	-8	-9	-7	-7	-6	-15	-11	-7	+2
肋位	54	57	60	63	66	69	73	76	79	82	85
测量值	625	645	641	641	646	646	644	652	648	629	625
偏差值	+1	+21	+17	+17	+22	+22	+20	+28	+24	+5	+1

【项目习题】

1. 什么是号料？什么是套料？号料检验的注意要点有哪些？
2. 常用的零件加工方法有哪些？各有哪些特点？
3. 什么是部件？部件检验的主要内容有哪些？
4. 胎架的作用是什么？胎架有哪些形式？
5. 船体理论线的确定原则是什么？画线检验的注意事项有哪些？
6. 分段制造过程中，如出现板对接缝间隙值超过标准时，应该如何处理？
7. 立体分段检验的主要内容和注意要点各是什么？
8. 船台安装方式主要有哪几种？基准分段是如何定位的？
9. 分段安装检验的注意要点有哪些？
10. 什么是船体建造精度管理？如何实施？
11. 船体船台焊接检验的内容是什么？
12. 船体船台焊接检验的标准是什么？
13. 焊接质量不合格，如何修补？
14. 常用的船体密性试验方法有哪几种？各有什么技术要求？
15. 船体主尺度如何测量？船体外形检验的主要内容及要求有哪些？
16. 船舶载重线标志由哪些内容组成？载重线标志勘画误差是多少？

项目4　造船精度管理

【项目描述】

造船精度管理是当代造船的重大技术之一,也是船厂科学管理的重要内容。它主要是在船体建造过程中加放尺寸补偿量取代余量,通过合理的工艺技术和管理技术,对船体零件、部件和主尺度进行精度控制,以提高建造质量,最大限度地减少现场修整的工作量,缩短船舶建造周期,降低船体建造成本。本节内容主要以各类造船精度管理标准为依据,介绍船体建造各阶段精度管理的内容与要求。通过本项目的学习,并经过船体建造精度控制专项实训后,应达到以下要求:

(1)熟悉船舶建造各阶段精度控制的各项内容,熟悉相关造船精度标准。

(2)掌握船体建造尺寸精度控制的技能。

(3)熟悉造船精度管理的内容与实施方案。

1. 知识要求

(1)掌握船体建造尺寸公差与余量加放、补偿量加放的相关理论。

(2)掌握相关造船精控软件的使用方法。

(3)熟悉各类造船精度管理标准。

2. 能力要求

(1)理解船体精度控制与相关精度标准的关系。

(2)掌握船体建造精度控制的相关技能。

(3)掌握出具各类船体建造精度控制表的技能。

【项目实施】

任务4.1　造船精度管理的含义与实施

4.1.1　相关知识

4.1.1.1 造船精度管理的含义

1. 造船精度管理概述

造船精度管理就是以船体建造精度标准为基本准则,通过科学的管理方法与先进的工艺技术手段,对船体建造进行全过程的尺寸精度分析和控制,以达到最大限度减少现场修割工作量,提高工作效率,降低建造成本,保证产品质量。管理的对象为船体在建造过程中产生的收缩变形、扭曲变形和角变形。其内涵包括健全精度管理体系、建立精度管理制度、完善精度检测手段与方法、提出精度控制目标、确定精度计划、制定精度标准、制定预防尺寸偏差的工艺技术措施和精度超差后的处理措施等。

精度管理是系统工程,关键是全面、全过程推行精度控制,核心是实施造船精度设计。

目前造船精度管理的内容不仅限于船体建造方面，而是涵盖管系、舾装件、轮机等方面，船体是精度管理的基础，舾装、轮机等相关精度都是建立在船体精度上的，并且舾装精度是今后精度管理发展的一个方向。

2. 造船精度管理的作用

(1)保证船体建造质量

船体焊接对坡口间隙要求较高，船体精度控制差会造成间隙超差，影响船体焊接质量。通过精度管理控制焊缝间隙在合理范围内，保证船舶焊接质量。

(2)节省工时缩短周期

造船精度管理能最大限度地减少装焊作业现场修整工作量，提高劳动效率，降低人力成本。通过实践表明可以使装焊工效提高 1 ~ 2 倍，使船体建造总劳动量减少 10% 左右。造船精度管理还能提高船体总段下船坞(船台)的定位效率，缩短造船周期，减少消耗，降低成本。在造船生产中用补偿量代替余量，可减少钢材使用量，提高钢材利用率，降低材料成本，降低现场修割率，同时可以减少焊接材料、电力和可燃气体的使用，减少焊材、能源成本。

(3)提高生产技术的综合水平

推行船体建造精度管理有利于促进新工艺、新技术的应用，并能有效地推动造船生产技术综合水平的提高。如采用造船生产设计软件进行船体三维建模、数控放样技术；采用数控切割机、肋骨冷弯机和数控弯板机等数控机床与高效生产设备；采用分段流水线生产平直分段等。

(4)促进科学管理

造船科学管理的目标是保证质量和安全、最大限度地减少装焊作业现场修割量、提高生产技术的综合水平、降低制造成本，推行船体建造精度管理有利于开展科学管理，对提高船体建造的管理技术起有力的促进作用。

3. 造船精度管理的两种模式

目前国内造船企业造船精度管理模式有两种，一种是“事前控制”模式，另一种是“事后控制”模式。采用“事前控制”模式，企业注重分段制造误差数据的积累，通过加放补偿量来控制由焊接收缩引起的分段尺度变化，通过反变形措施控制分段变形量，取消分段的“二次画线”，实现了无余量造船。“事后控制”模式主要依靠造船精度控制软件来实现，通过全站仪测量在建分段，将所测数据导入到造船精度控制软件中，获得准确的分段变形数值，在此基础上对分段进行修整，使分段建造尺寸误差和变形量满足精度控制要求。同时“事后控制”过程也是一个船体分段建造误差数值不断积累的过程，通过大量分段建造误差数据的积累，使船体建造精度控制逐步由“事后控制”模式向“事前控制”模式转变。

4. 造船精度管理机构与职责

(1)机构的组成

为推进造船精度管理的实施，很多船厂成立了专门的机构，配备专职人员从事精度管理工作，下面以某船厂为例介绍精度管理机构的组成和职责划分。

机构组成分为四个层次。

①公司领导小组：由公司领导组成。

②精度管理组：由生产管理部和质检部组成。

③精度检测班：由专业精度员组成。

④作业区精度自测小组:由各作业区生产负责人、班长、施工骨干兼任。

(2)机构职责划分

①精度管理组职责:制定公司的精度标准、作业指导书、相应工艺文件;提出设计部设计分段施工图纸时的精度管理任务书;归纳分析原始测量数据,并建立数据库。对相应精度工艺要求做动态修改,分析精度控制管理中的规律;管理和指导精度检测班和作业区精度自测小组的工作,并对其进行考核;负责对企业员工进行精度管理理念的培训工作;定期召开精度讨论会,指定下一步精度计划;对施工中出现的重大精度问题进行处理。

②精度检测实施班职责:接受培训,参加精度会议,提高自己的精度控制素养和精度管理水平;认真学习和研究精度管理小组下发的图纸和工艺文件,为检测和实施做好准备,对项目中的产品建造全过程进行精度检测和指导实施工作;监察精度自检小组工作并对其进行考核;对原始测量数据进行收集、归纳并及时送交精度管理组;对产品通常的精度问题给出修整方案。

③精度自检小组职责:接受培训和指导,提高自己的精度素养,并向下传播精度理念;对自己生产的产品精度负责(自检);对自己负责生产的产品,随出随测量,并记录数据,送交精度检测实施班;对不合格产品有修整和监督修整的职责。

4.1.1.2 造船精度管理工作流程

精度管理组根据数理统计和尺寸链理论制定精度标准、计划、作业指导书和相应的工艺文件,并下发给精度检测实施班和精度自检小组。自检小组对生产的产品进行精度自检,不合格的产品修整到合格后填写“精度卡”送交给精度检测实施班,精度检测实施班对产品检测合格后,在“精度卡”上签字,该产品才可以流入到下一道工序。如果不合格,下发修改通知,责成施工者修整,直到合格为止。下道工序在接收上道工序产品时如果产品“精度卡”上没有精度检测实施班的签字,不允许接收,否则由其带来的一切精度、质量责任均由自己承担。精度检测实施班把产品的自检数据和检测数据归纳、整理后交到精度管理组,自己留有备份。精度管理组根据精度检测实施班提交的数据分析精度规律,动态调整精度作业,由此形成循环。分段建造完工后,没有以前全过程精度检测实施班签字的精度卡,不能向质检员提交报检下胎。

工作流程如图4-1所示。

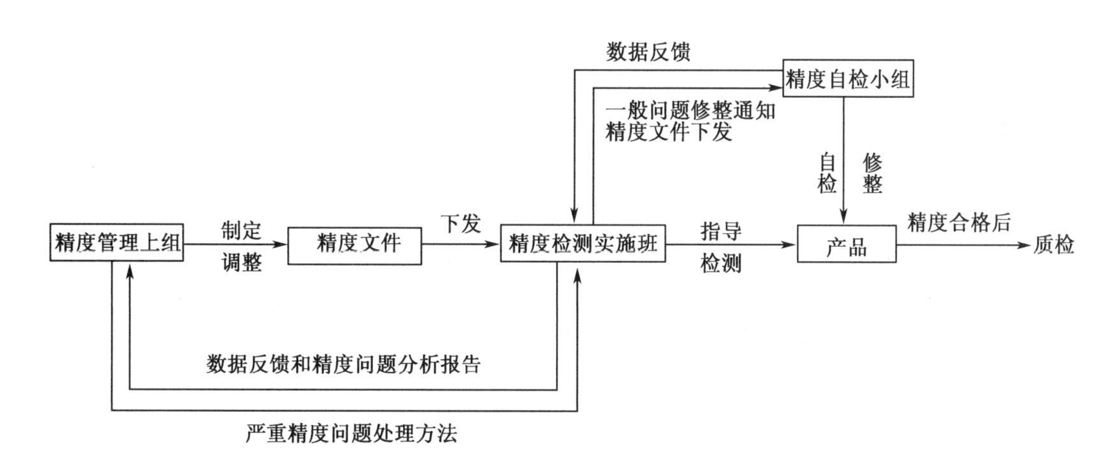

图4-1 精度管理工作流程

1. 造船精度管理工作的相关规定

(1)产品精度“自检、互检”规定

①生产部门精度管理人员,做生产技术准备时,根据产品各阶段施工要求和验收项目确定“自检、互检”的内容,并制定相应的施工质量标准,并做好自主检验记录。

②施工人员必须严格按图纸、工艺操作规程和精度标准施工。施工结束后,按标准和测量项目进行自检测量,凡不符合图纸和技术要求的,主动予以修正,直到合格,并将测量结果填写于“测量表格”,签名后送生产部门精度管理人员认可。

③生产部门接到“测量表格”后,对表中的数据视情况予以全数复测或抽查。如发现不符之处,应立即反馈,分析原因,及时处理,超差严重应返修处理,并在“测量表格”上签名,送交各中心负责人复验和考核。

④检验员执行巡检和抽检,督促各生产中心执行好自检和互检制度。对“自检和互检”的产品进行抽查,如发现有质量问题,视情况以口头或书面给予反馈,也可以在实物上标出。

(2)生产过程精度控制规定

①精度测量设备应符合计量要求,具有合格标志。

②生产部门在产品制造过程中,对零件切割、加工,组件、部件装焊,应按图纸和工艺要求施工,对每道工序、每个过程均实行测量和跟踪,使产品尺寸符合精度控制的要求。

③生产部门的加工设备精度应与产品精度相适应。当设备精度不能满足产品精度时,应对设备进行检测并按技术协议要求调整到符合设备的技术状态。

④生产部门在船体分段制造完工后应对产品的精度尺寸进行测量并标记,对测量数据予以记录、反馈;在申请产品交验时应同时附上测量表。

(3)造船精度管理过程中文件的输入与输出

①输入文件:产品余量、补偿量分布图;产品图纸、工艺技术文件;产品零件、部件测量数据表;产品完工测量数据表;产品抽检数据表;产品数据阶段性汇总表;分段问题汇总。

②输出文件:在精度分析报告中提出建议或提出整改意见。

(4)精度控制的测量表格种类与填写

①精度控制的测量表格分类:技术设计部门制定的测量表(如分段、总段、全船主尺寸测量表);生产部门制定的测量表(如零件、部件、焊缝收缩等测量表);生产管理部制定的测量表(如抽查、复查等测量表);

②精度控制的测量表格的填写要求:所有测量表格必须有测量者签名、日期,作业长签名、日期;分段中心线、肋检线、水线、对合线等必须在测量时同时用洋冲予以标志,标志应在测量表提交前完成。

(5)精控信息反馈程序

生产部门对产品测量或产品问题和处理等各类数据应及时上传至精度管理小组备案;精度管理小组对各类数据进行汇总、分析,提出建议,供设计或生产部门参考;精度管理小组定期或不定期将总结情况和各类数据汇总、分析等情况向领导小组汇报,供领导决策。信息反馈程序如图 4-2 所示。

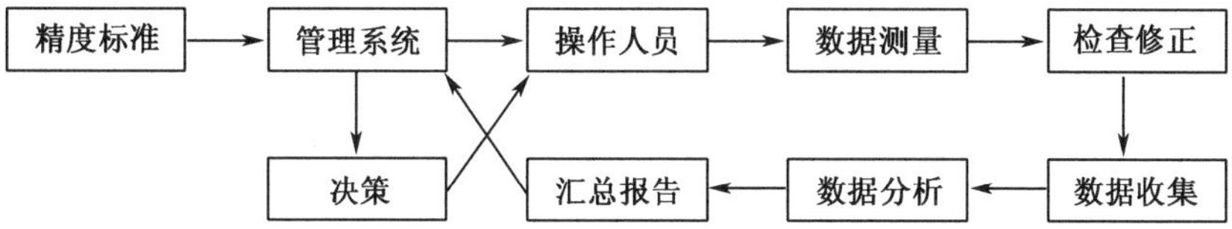

图4-2 精控信息反馈程序

(6)超差分段处理

分段大组立完工后由施工单位依据完工数据表进行自测、精度检测实施班复测、检查员抽测完工数据。在任何阶段发现分段数据超差后按以下程序处理:

①由各项目小组检验员协同度控制小组共同判定分段超差的严重程度。

②各项目小组根据分段超差等级(超差等级分为一般、较重和严重超差三个等级),结合分段具体情况并统筹考虑分段在主船体结构中的位置对分段做出维持现状、切修、调整、在合龙过程中长肉、换板等处理措施。

③分段超差的责任由精度员进行判定,由精度检测实施班将处理方案报主管领导批准后,检验员与施工员才能将分段转到下道工序。对于不能在分段阶段消除的超差情况,由精度员将数据表与实际情况向精度管理组主管人员进行沟通,同意后,可进行遗留待总组、合龙等最佳处理时机切修。

2. 船舶建造过程中各阶段的精度控制

(1)零件加工的尺寸精度控制

利用数控切割机进行零件加工时,切割过程中的热变形对零件的尺寸精度有较大影响,为有效地控制切割热变形,切割时须注意以下要求:

①小于6 mm的板应采用机械剪切或等离子切割,如采用氧-乙炔焰切割可能造成较大的热变形。

②选择合理的割嘴走向以减少热变形,最后一条切割边使零件与板材整体分离时,割嘴走向应使余料均匀受热,以求零件实际变形较小。

③诸如长板条等其热变形不易控制的部件,可采用加“过桥”或用水冷却的方法以减少热变形。

(2)部件装配的尺寸精度控制

①拼焊板列的尺寸精度控制:待拼焊的板材在号料时要在其上画出对合线或检查线,如肋位线与板材边缘平行的检查线(如距边缘100 mm),板材加工后被送至拼板工位,在此根据板材间检查线的距离,即可逐块将钢板定位拼焊。

②T形梁的尺寸精度控制:T形梁的面板在同腹板的焊接过程中,其焊接沿T形梁纵向将产生收缩变形。在T形梁的装焊过程中,还须控制面板的歪斜及因焊接而产生的角变。不合理的焊接程序会使焊接结构的变形和应力增大,在制定焊接程序时,请注意以下几点一般性原则:

a. 首先焊接不致对其他焊缝形成刚性约束的焊缝;

b. 每条焊缝焊接时,应保持其一端能自由收缩;

c. 手工焊时,对较长的焊缝应采用逐步退焊法或分中逐步退焊法;

d. 尽量采用“线能量”低的焊接方式或方法。

(3)分段装配的尺寸精度控制

①胎架精度控制:胎架自身的刚性和尺寸精度对分段精度的影响很大,胎架中心线、各肋位线(含肋骨检验线)、板缝线、构架线及某些定位检查线等是分段画线及检验的基准。采用经纬仪辅助绘制上述各线及分段型线,可获得较好的精度。采用全站仪配合专用造船精控软件能更精准地检查胎架精度。另外,为补偿系统误差对胎架采用反变形措施,为此,各肋位线、板缝线、与型线有关的模板高度线等均涉及有关反变形量。

②铺板与画线精度控制:铺板和画线担负着建立分段基面和将胎架上的基准过渡到板列上的重要作用,对分段的尺寸精度控制有较大的影响。板列在胎架上的定位应以各自端缝线(对合线)和胎架格子线为准,由分段中间向两舷展开。尤其应注意胎架中心线与相应位置板材的中心线对齐。为了防止板列在装焊过程中移位及保证分段线型,铺上胎架的板材应及时用"马板"将其与胎架拉紧,以减少分段的焊后变形。在分段板列上画线时要加放补偿量,一方面按尺寸误差如分段的长度(也可按每挡肋位)及宽度加放,另一方面还要注意按形位误差如分段的"中拱"等进行加放。

③分段中构件的安装精度要求:分段接合处的构件位置和尺寸应能满足船台装配要求;构件首、尾端相对分段基面的垂直度应符合要求;间断构件的安装应注意板两端边缘与理论线对准的要求;安装各类纵桁、纵骨等纵向构件,其两端肋位线应对准相应检查线(如已安装构件上的肋位线);肋板、横梁等横向构件,应以最外缘的纵向构件理论线作为定位检查线。总之,构件安装时,必须以上述对合线(如肋位线、构件理论线)作为检验依据,误差必须符合技术要求。

④分段焊接变形控制:船体结构要素及装焊程序是分段焊接变形计算的主要依据,因此,在船体结构一定的条件下,优化焊接程序及方法将能有效减小焊接变形。对于铺板及拼焊,其焊接程序与板列拼焊的要求是一致的,即先焊接不致对其他焊缝造成刚性约束的焊缝,每条焊缝至少有一端为自由端等。其中,对各平直部位的外板、内底板、甲板或平台等,可预先装焊成板列。

其他部位焊接的基本要求如下:

a. 对于构件,由分段中间逐步向艏、艉,向左、右舷对称进行焊接,以便其在施焊过程中均匀自由地收缩。

b. 先焊构架间对接缝,再焊构架间立角焊缝,最后焊构架与板列的平角焊缝。立角焊时,先焊上端的一半,后焊下端的一半。

c. 焊接人员应为双数,中型分段一般以 4 ~6 人为宜,双数焊工于左右对称施焊。

d. 对于长度超过 6 m 的手工焊缝,应采用逐步退焊法或分中逐步退焊法。

(4)船台装配的尺寸精度控制

①船台搭载反变形要求:船台船底反变形的数值,一般而言以底部基准分段为准,分别向艏、艉逐段放低,以补偿因船体首、尾上翘而产生的船形误差。由于船底反变形的存在,在船台上装配的分段就应注意由分段组成的几何形状应与反变形后的船体相吻合。这反映在分段定位时,分段首、尾有船底反变形曲线要求的高度差;双层底分段首、尾端部接缝处不应与基面垂直,即内、外底板应有长度的不同。

②分段搭载定位要求:基准分段定位后,要复查中心线、十字大接缝线。相邻分段吊装后,按对合线量取安装值并复查十字板缝线,每个分段前后用钢支撑固定。按船台吊装网络图的要求,依此完成船体分段吊装、焊接工作。分段定位时,对正中心线,调好高度,以横

向接缝为定位的主要依据,如发现中线偏差超过工艺要求,可适当平衡移动分段,以十字线板缝线为准,适当调整中心线。大接缝间隙控制在 5 ~8 mm,局部不得超过 12 mm。吊装半立体分段及主壁板前,按龙骨高度重新测量,在内底板定出新的龙骨基线。(距内底约 1 500 mm 高度)竖标杆,在内底定出新基线。旁板分段、主壁、半立体分段按新的龙骨标杆定位,并修正舭部板缝线,开出坡口后吊装旁板、壁板。在吊装半立体段、旁板分段时应用激光经纬仪开出垂直中心线的对合检查线,并检查半立体段、旁板分段的大接缝及对合线的十字同截面是否在一个垂直中心线的切面上,并拉正前后位置,调整水平并确定位置,固定安装,参照图 4 –3。

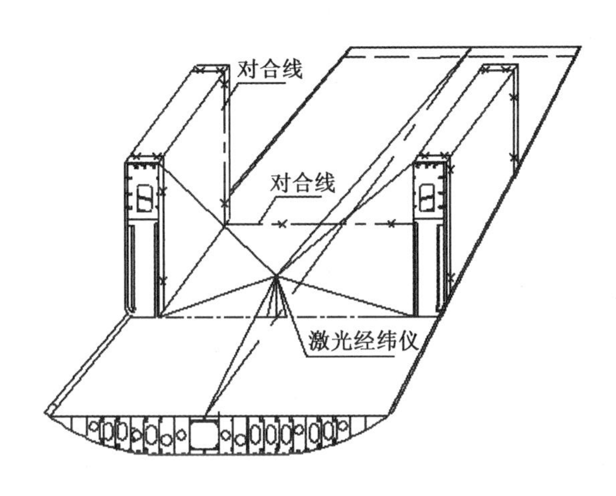

图 4 –3 分段搭载定位要求

4.1.1.3 船体精度设计

1. 船体建造余量与补偿量

(1)余量

余量是指对零件、工件和中间产品由于加工、装焊和火工校正等多道工序,所产生的变形和收缩进行定性分析后,加放的比实际变形和收缩值略大的工艺量值。

(2)补偿量

补偿量是指对零件、工件和中间产品由于加工、装焊和火工校正等多道工序,所产生的变形及收缩进行定量分析后,加放的工艺量值。

余量在施工阶段需要切割,补偿量在施工过程中会被逐步消耗掉,因此不需要切割;余量可以任意加放,补偿量则不可任意加放,必须有大量数据支持。

2. 船体精度常用符号

余量和补偿量的符号及其标注方法目前尚无统一标准,某船厂的船体精度常用符号如表 4 –1 所示。

表 4-1　船体精度常用符号

序号	精度符号	内容
1	X〉	在构件上加放 X mm 补偿量。主要用于补偿总组或搭载阶段焊接收缩,无须切割
2	X→	在构件上加放 X mm 余量。弯曲作业完成,检查后切割
3	X▶	在构件上加放 20 mm 余量。小组立、中组立完成,检查后保留 X mm 补偿量,切割
4	X▷	在构件上加放 20 mm 余量。分段完成,检查后保留 X mm 补偿量,切割
5	X⊳	在构件上加放 20 mm 余量。总组完成,检查后保留 X mm 补偿量,切割
6	X▶	在构件上加放 20 mm 余量。搭载检查后保留 X mm 补偿量,切割

精度符号应用示例:

示例 1:序号 1,如果 $X=5$,表示设计建模和放样时,在理论尺寸基础上,已经加放了 5 mm,用来补偿总组或搭载阶段焊接引起的收缩。切割作业时无须额外加放,而且切割作业完成后,不得切除该补偿量。

示例 2:序号 4,直线下方无数值时,表示建模和放样时,加放了 20 mm 余量,直线下方添加数值时,如:30▷,则表示加放值为 30 mm。如果 $X=5$,表示设计建模和放样时,在理论尺寸基础上,已经加放了 20 mm 余量,用来修正分段建造过程中的偏差,分段完工检查后,保留 5 mm,主要补偿总组或搭载阶段焊接引起的收缩。

3. 船体精度设计内容

(1)定位设计

定位设计内容包含结构理论线、构件定位尺寸和安装角度、构件拼接对合线、构件装焊 100 MARK 线、纵骨安装角度转换表、段装配型值表、主船体定位基准线、船坞搭载格子线。

(2)余量和补偿量设计

余量和补偿量设计内容包含构件边缘余量和补偿量、构件边缘三角形补偿量、构件边缘变坡口补偿量、构件边缘装配负余量、构件内部收缩补偿量。

(3)变形控制设计

变形控制设计内容包含构件切割精度检验数据、构件加工逆直线、样板与样箱、曲面胎架、反变形设计、二次画线。

(4)完工测量设计

完工测量设计内容包含分段完工测量表、产品完工测量表。

4.1.1.4　造船精度管理标准

标准的定义是用作衡量或依据的原则或规范。我国国家标准 GB/T 20000.1—2014《标准化工作指南 第一部分:标准化和相关活动的通用术语》对标准有明确的定义:为了在一定的范围内获得最佳秩序,经协商一致制定并由公认机构批准,共同使用的和重复使用的一种规范性文件(注:它应以科学、技术和经验的综合成果为基础,以促进最佳社会效益为目的)。由此可见,标准是一种特殊文件,是现代化科学技术成果和生产实践经验相结合的产物,它来自生产实践,反过来又为发展生产服务,标准随着科学技术和生产的发展不断完善提高。

我国的标准体制主要包括标准分级和标准性质两方面内容。

1.标准分级

所谓标准分级就是根据标准适用范围的不同,将其划分为若干不同的层次。对标准进行分级可以使标准更好地贯彻实施,也有利于加强对标准的管理和维护。按《中华人民共和国标准化法》规定,我国标准分为四级:国家标准、行业标准、地方标准和企业标准。另外,为了适应高新技术标准化发展快和变化快等特点,国家标准化行政主管部门于1998年通过《国家标准化指导性技术文件管理规定》出台了标准化体制改革的一项新举措,即在四级标准之外,又增设了一种“国家标准化指导性文件”作为对四级标准的补充。

(1)国家标准

国家标准是指由国家的官方标准化机构或国家政府授权的有关机构批准、发布,在全国范围内统一和适用的标准。

中华人民共和国国家标准是指对全国经济技术发展有重大意义,必须在全国范围内统一的标准。对需要在全国范围内统一的技术要求,应当制定国家标准。我国国家标准由国务院标准化行政主管部门编制计划和组织草拟,并统一审批、编号和发布。我国国家标准的代号,用“国标 GB”表示。强制性国家标准的代号为“GB”,推荐性国家标准的代号为“GB/T”。国家标准的编号由国家标准代号、标准发布顺序号和发布年号三部分构成。

(2)行业标准

行业标准指中国全国性的各行业范围内统一的标准。按《中华人民共和国标准化法》规定:“对没有国家标准而又需要在全国某个行业范围内统一的技术要求,可以制定行业标准。”行业标准由国务院有关行政主管部门编制计划,组织草拟,统一审批、编号、发布,并报国务院标准化行政主管部门备案。行业标准是对国家标准的补充,行业标准在相应国家标准实施后,自行废止。目前,国务院标准化行政主管部门已批准发布了58个行业标准代号。

(3)地方标准

地方标准是指在某个省、自治区、直辖市范围内需要统一的标准。对没有国家标准和行业标准而又需要在省、自治区、直辖市范围内统一的工业产品的安全和卫生要求,可以制定地方标准。地方标准由省、自治区、直辖市人民政府标准化行政主管部门和国务院有关行政主管部门备案。地方标准不得与国家标准、行业标准相抵触,在相应的国家标准或行业标准实施后,地方标准自行废止。地方标准代号,由“DB”加上省、自治区、直辖市行政区划代码前两位数、再加斜线、顺序号和年号四部分组成。

(4)企业标准

企业标准是指企业所制定的产品标准和在企业内需要协调、统一的技术要求和管理、工作要求所制定的标准。企业生产的产品在没有国家标准、行业标准和地方标准时,应当制定企业标准,作为组织生产的依据。国家鼓励企业在不违反相应强制性标准的前提下,制定严于国家标准、行业标准和地方标准的企业标准,在企业内部适用。企业标准由企业法人代表或法人代表授权的主管领导批准、发布,由企业法人代表授权的部门统一管理。

企业的产品标准,应在发布后30日内办理备案。一般按企业隶属关系报当地标准化行政主管部门和有关行政主管部门备案。

(5)国家标准化指导性技术文件

该文件是为仍处于技术发展过程中(如变化快的技术领域)的标准化工作提供指南或信息,供科研、设计、生产、使用和管理等有关人员参考使用。

指导性技术文件不宜由标准引用使其具有强制性或行政约束力。

指导性技术文件由国务院标准化行政主管部门编制计划,组织草拟,统一审批、编号和发布,代号为“GB/Z”。国家标准化指导性技术文件的编号由其代号、顺序号和年号组成。

2. 标准性质

按标准的性质区分,标准可分为强制性和推荐性两种性质,对应称为强制性标准和推荐性标准。按《中华人民共和国标准化法》规定,国家标准、行业标准分为强制性标准和推荐性标准。保障人体健康,人身、财产安全的标准和法律、行政法规规定强制执行的标准是强制性标准,其他标准是推荐性标准。省、自治区、直辖市人民政府标准化行政主管部门制定的工业产品的安全、卫生要求的地方标准,在该行政区域内是强制性标准。

(1)强制性标准

具有法律属性,在一定范围内通过法律、行政法规等强制手段加以实施的标准。

(2)推荐性标准

除强制性标准以外的标准是推荐性标准,推荐性标准是非强制执行的标准,国家鼓励企业自愿采用推荐性标准。

3. 造船精度标准

(1)造船精度标准组成

目前,许多国家都颁布了有关船体建造的精度标准,如我国的CB/T 3136—1995《船体建造精度标准》、CB/T 4000—2016《中国造船质量标准》,国内的各大、中型船舶企业也各自制定了造船精度企业标准。各船厂的企业标准不尽相同,而且项目和内容一般比行业标准有所增加,作为公差等级的“标准范围”和“允许界限”的要求也有所提高。

(2)造船精度标准主要内容

造船精度标准包括补偿量标准、精度检验标准、精度控制基准、精度测量表、基准线设计基准等。精度补偿量包括切割补偿量、加工补偿量、装配补偿量和焊接补偿量等方面。一般通过现场多次测量或理论计算得出补偿量数值,通过生产设计反映在船体零件上,然后在主船体完工后测量主尺度来检验补偿量的正确性,通过测量值修正补偿量数值。精度检验标准是根据精度目标细化到船体建造各工序阶段的精度要求。

(3)造船精度标准的制定与修改

①造船精度标准的制定须遵循下列原则:

a. 满足船体结构强度与性能要求;

b. 符合有关规范、规则与国标、船标的规定;

c. 切合船厂的工艺技术水平;

d. 具有先进性和经济性。

②造船精度标准的修订依据:

a. 国内、外有关精度标准、规范和规则的情报资料;

b. 通过强度分析论证,取得精度对结构强度影响程度的科学结论;

c. 新设备、新材料、新技术、新工艺的应用，对精度标准提出新的要求；

d. 船体建造工艺技术的提高；

e. 精度管理中的数理统计数值。

4.1.2 工作任务训练

图4-4是某船的船体精度布置图的艏部区域部分，写出图中各精度符号的含义，根据图中各分段制造与搭载精度要求，制定艏部区域船体分段搭载方案。

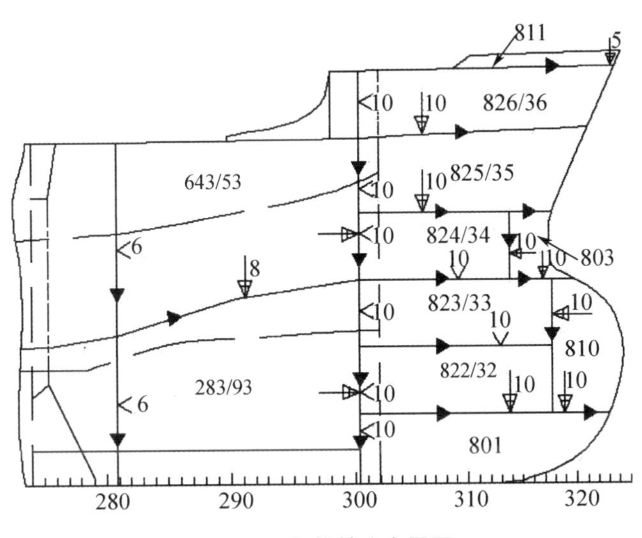

图4-4 船体精度布置图

任务4.2 造船精度控制软件的应用

4.2.1 相关知识

造船企业使用造船精度控制软件可使船体的装配精度得到明显改进，减少不必要的作业时间，提高作业效率，是造船业从余量造船到无余量造船过渡的一个重要手段。本节以青岛海徕天创科技有限公司开发的造船精控软件DACS的精度控制系统为例，介绍造船精度控制软件的具体使用情况。

4.2.1.1 利用DACS精度控制系统选择分段须测量的控制点

在进行分段尺寸的三维测量之前，首先要完成所测分段的控制点的选取，一般可根据分段的类型和大小选取一定数量的控制点进行测量，可根据精度控制的要求选取30～200个，控制点一般取在刚性结构上，要能覆盖进行分段外形尺寸计算和变形量分析的数量与位置要求。控制点的三维坐标设计值可通过DACS软件打开由船舶建造生产设计软件生成的船体三维模型，在此船体三维模型上一一获取控制点的三维坐标设计值，如图4-5所示。最后生成《分段精度测量策划表》，指导现场测量。

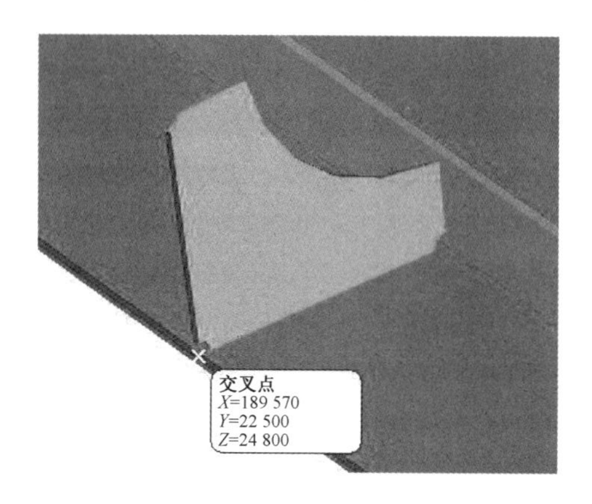

图 4-5　获取船体分段控制点设计坐标值

4.2.1.2　获取分段控制点的实际坐标值

将 PDA 与全站仪（全站仪须整平，无须对中）通过数据线连接，在 PDA 上点击[开始]、[程序]项，然后点击“DACS System”即可进入系统。点击[测量]菜单，选择[标准测量]，显示仪器类型和当前大气温度。点击[OK]后输入实测数据文件名称，测量过程中所有实测数据将自动记录到此文件。点击[确定]后出现部材温度设置选项（须根据部材实际温度输入）和测量类型。测量类型是指基准轴或基准面的设定，有 *X* 轴 12、*X* 轴 12 – *Y* 轴 3、*X* 轴 12 – *Z* 轴 3、直接测量、多点定面 *X* 轴 12 – *Y* 轴 3、*Y* 轴 12 – *X* 轴 3 六种方式，可根据现场测量需要选定，主要依据分段的类型及胎架的基准面。在测量界面下，将仪器照准须测量的控制点，点击[测量]按钮，则数据自动记录在 PDA 上的实测文件中，重复操作直至测完所有控制点。在测量过程中可随时计算诸如长度、平面度、直角度、角度、圆度、直线度等参数。如图 4-6 所示。

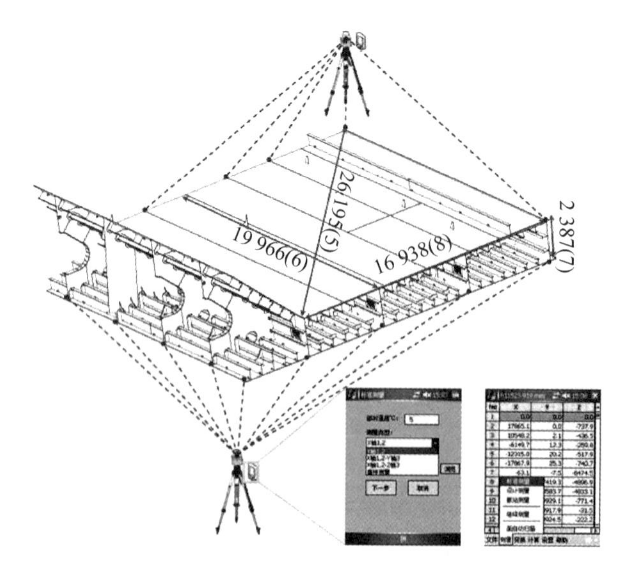

图 4-6　船体分段现场测量

4.2.1.3　分段的外形尺寸计算与分段的变形量分析

将由分段建造现场测量的分段所有控制点的三维坐标值导入 DACS 软件中，通过自动套合或三点、多点套合操作使船体分段模型的坐标系同分段现场测量坐标系重合，由控制点实际测量值拟合的分段三维模型与生产设计软件生成的三维模型进行比对，从而导出分段模型上控制点的设计值与实际测量值之间的差值，通过对该差值的分析可以得出分段的变形量，最后根据精度控制的要求，给出分段的修整值。如图 4 -7 所示。

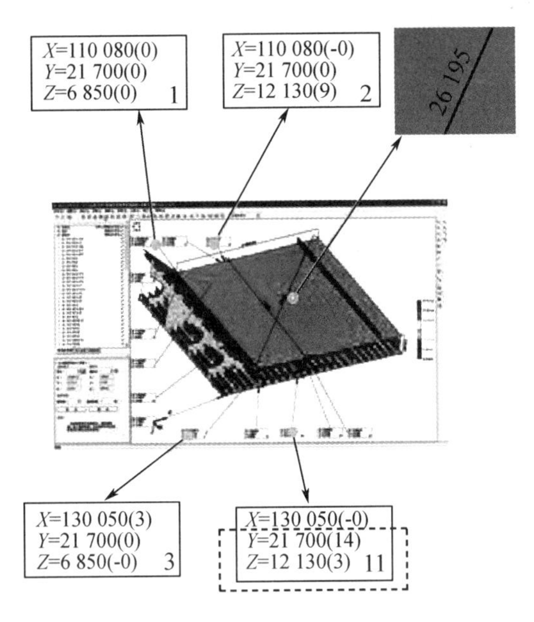

图 4 -7 分段建造误差与变形分析

4.2.1.4 船坞模拟搭载

模拟搭载分为两个步骤：一是多分段搭载电脑模拟，二是分段现场定位测量。

对要搭载的相邻分段进行测量、分析后，在 DACS 软件中同时打开要模拟搭载的分段分析文件，指定搭载基准点、基准面，通过旋转、移动等功能，软件将自动计算搭载高度差、半宽差以及长度修整值。最后可根据搭载关键点生成《搭载定位测量表》以指导现场定位测量。如图 4 -8 所示。

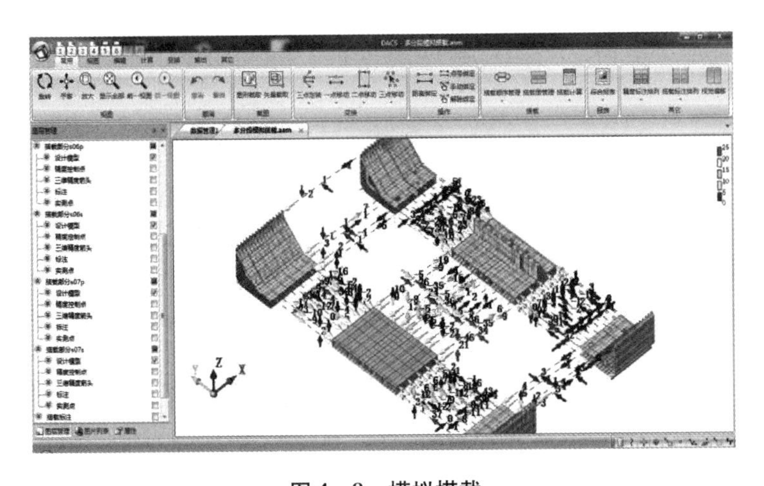

图 4 -8 模拟搭载

将模拟搭载生成的搭载关键点坐标数据输入 PDA,在搭载现场连接全站仪。现场统一测量坐标系与船台坐标系,在分段吊装过程中实时测量分段位置与理论位置的差值,指导吊机方向,直至分段到达理论位置。如图 4 - 9 所示。

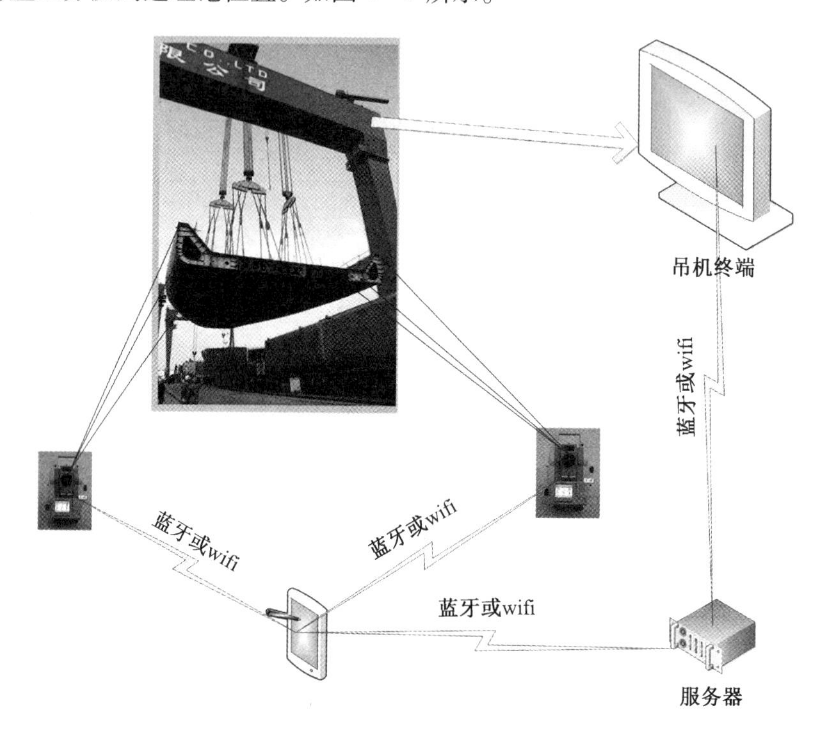

图 4 - 9　现场搭载定位测量

4.2.2　船体建造精度控制项目实例

1. 实例一:现场分段数据测量及计算

如实测点三维坐标、长、宽、高、对角线、直角度、平面度等的测量,分段可以任意状态摆放。

(1)在适当位置架设全站仪,使用 DACS - PDA(iPad)系统有线或蓝牙连接全站仪,统一通信设置后,即可通过 PDA(iPad)进行现场测量工作,如图 4 - 10 所示。

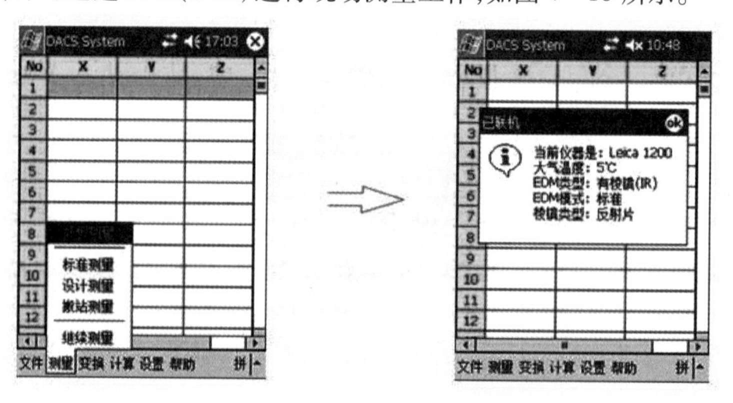

图 4 - 10　通过 PDA(iPad)进行现场测量

(2)键入实测数据文件名称,测量过程中所有实测数据将自动记录到此文件中。全站仪照准精度控制点,在PDA上点击[测量]按钮即可获取该点位三维坐标,如图4-11所示。

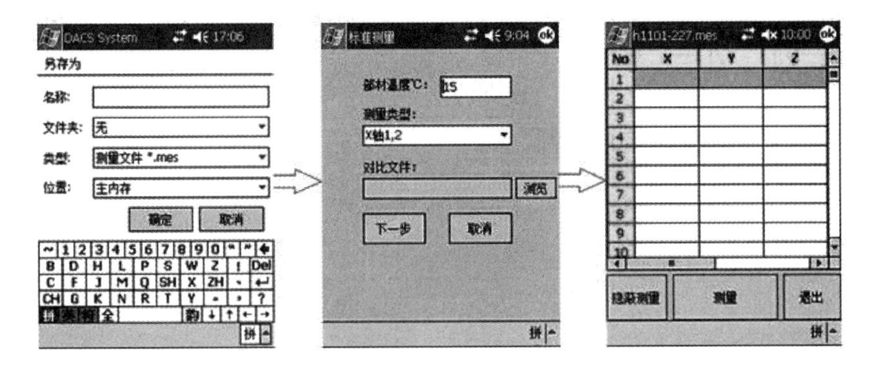

图4-11　获取点位三维坐标

(3)所测点的三维数据将自动记录在PDA上,直至视线范围内特征点测量完毕,数据自动记录如图4-12所示,无须任何人工记录操作。

(4)点击[计算]-[两点距离]按钮,选择点号,系统将自动计算两点间距离,如图4-12所示。

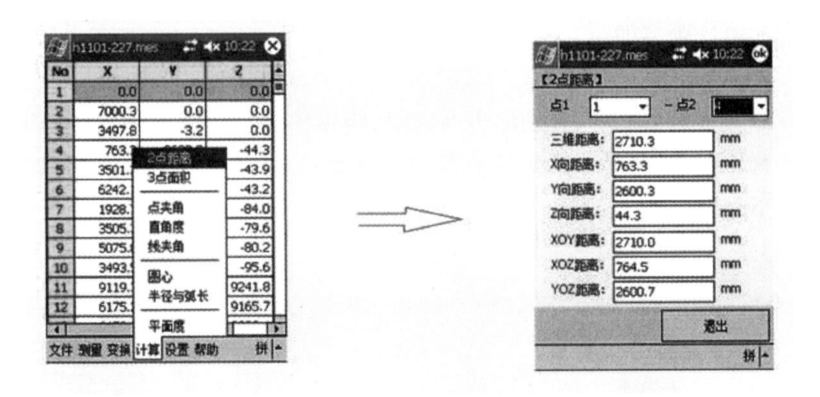

图4-12　现场计算两测量点距离

角度、平面度、半径与弧长等几何量同样可以在现场计算,如图4-13所示。

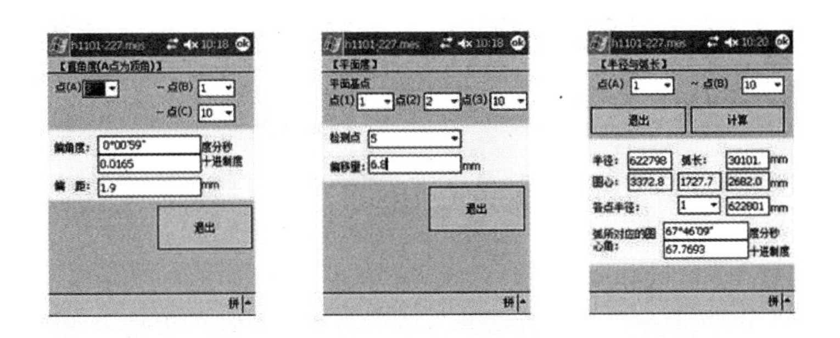

图4-13　角度、平面度、半径与弧长现场计算

以上 PDA 完成的所有工作也可使用 iPad 完成，并且可直观显示分段的三维模型与实测数据的实时比对，界面如图 4－14 所示。

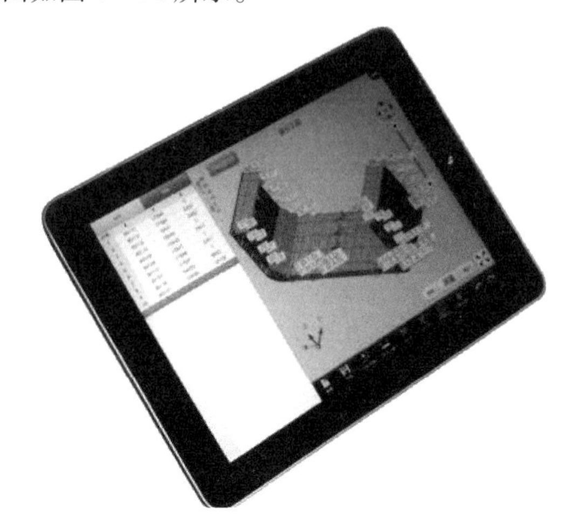

图 4－14　分段的三维模型与实测数据的实时比对

2. 实例二：现场余量线施画（分段处于任意状态下）

利用 DACS－PDA 画余量线的主要工作就是确定基准面（基准线），以分段的强结构、不易变形的块等作为基准（不同分段有不同的基准，可视现场情况而定），另外明确强结构所成面与余量端的设计距离即可。

（1）现场测量时可选择测量类型为 $X12-Y3$（X 方向选 2 点、Y 方向选 1 点定坐标系），测量 1，2，3 号点确定坐标系后，分别测量其他点，根据中心线到左右两端的设计长度，与所测坐标的 Y 坐标进行比较，即可得出各点的余量及段差。（此分段以 1，2 点所成线为基准）如图 4－15 所示。

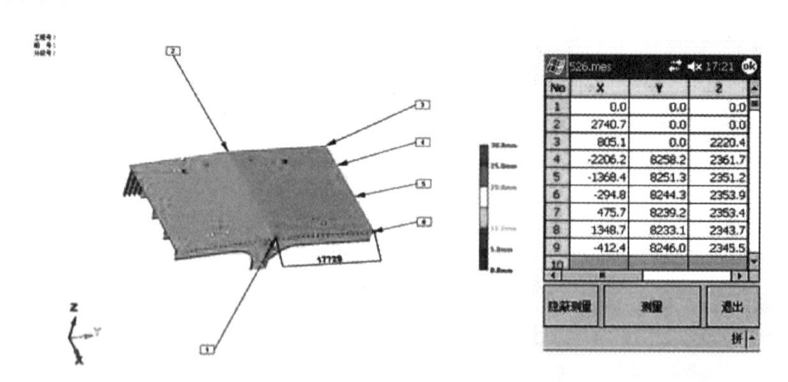

图 4－15　现场测量确定坐标系

（2）系统通过全站仪采集的数据都是三维数据，与传统的二维测量相比是具有较大优势的。其主要优势在于长、宽、高三个方向的误差都非常明确，对一些线形比较大的分段测量尤为实用。

如图 4－16 的分段，简单的进行曲线长度的测量很难发现外板是否变形，而采用三维测量并成图，即可清晰地看出某部位变形量。

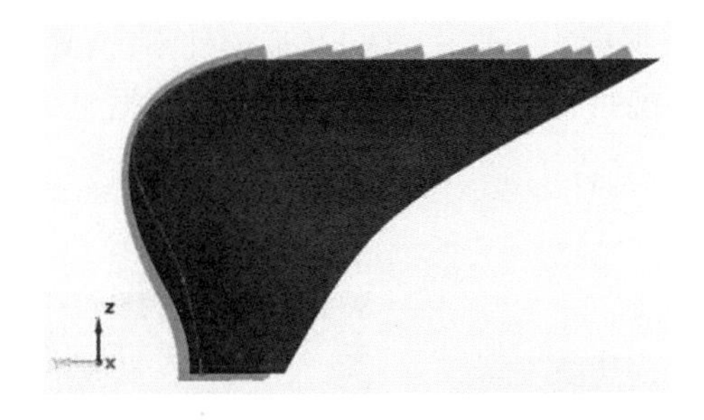

图 4-16 分段变形分析

3. 实例3:分段精度分析

(1)首先需要通过设计软件(tribon、cadds5、catia 等)制作分段的三维设计模型,然后通过 DACS-OFFICE 打开。如打开 b15 分段,如图 4-17 所示。

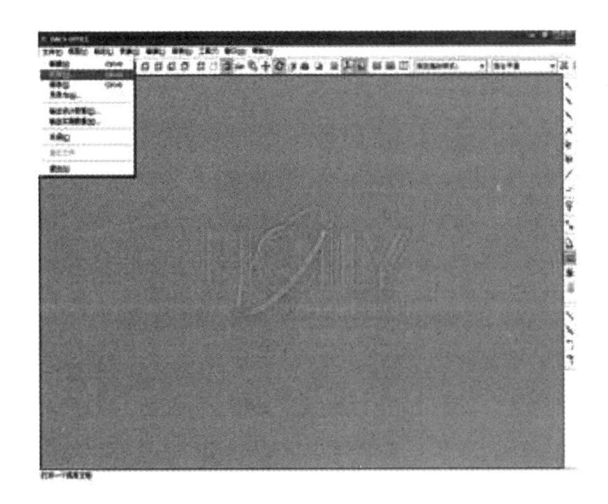

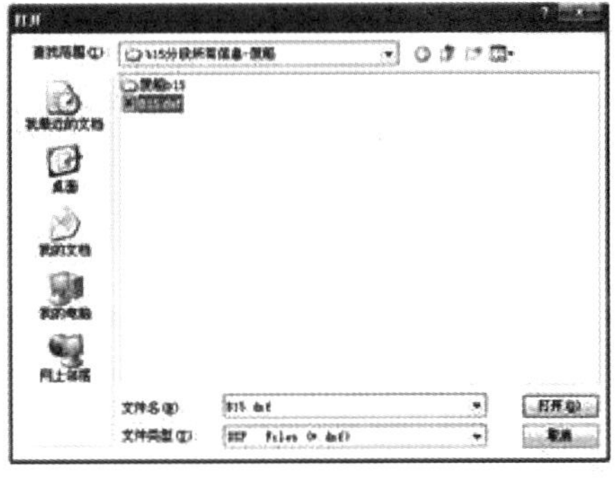

图 4-17 在 DACS-OFFICE 软件中打开三维设计模型

(2)导入 b15 分段三维设计模型后,根据分段特点提取精度控制点,系统拥有多种取点方式,满足各种取点需要。

(3)将精度控制点坐标标注后,即可到现场测量此类控制点,测量数据全部由 PDA 自动记录,如图 4-18 所示。

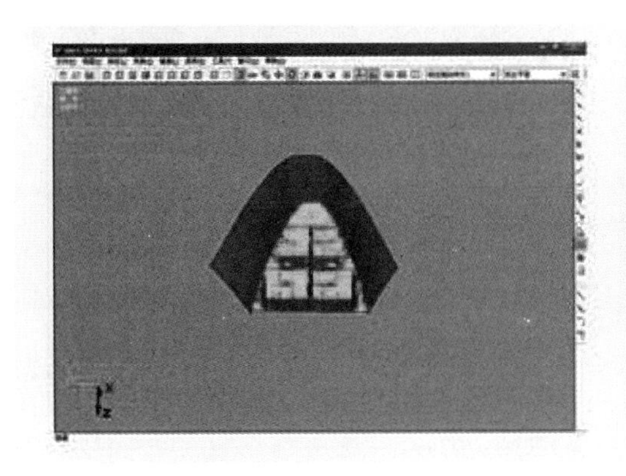

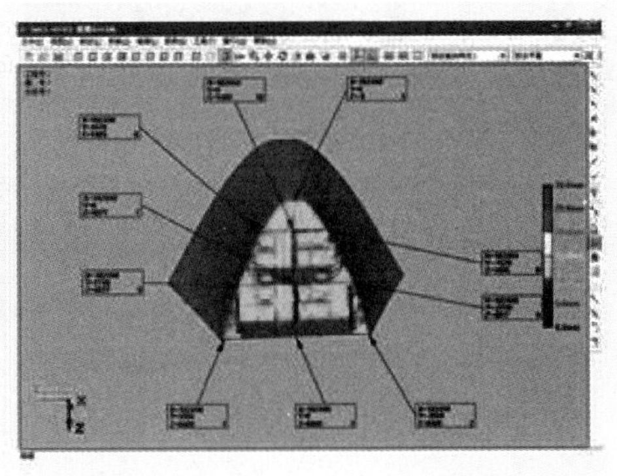

图 4-18 标注所需测量点的理论设计坐标

(4)测量完毕将实测数据导入 DACS－OFFICE 软件系统，导入后的实测数据坐标系与船体坐标系是不统一的，系统可以通过多种手段将实测数据坐标系转换为船体坐标系，如图 4－19 所示。

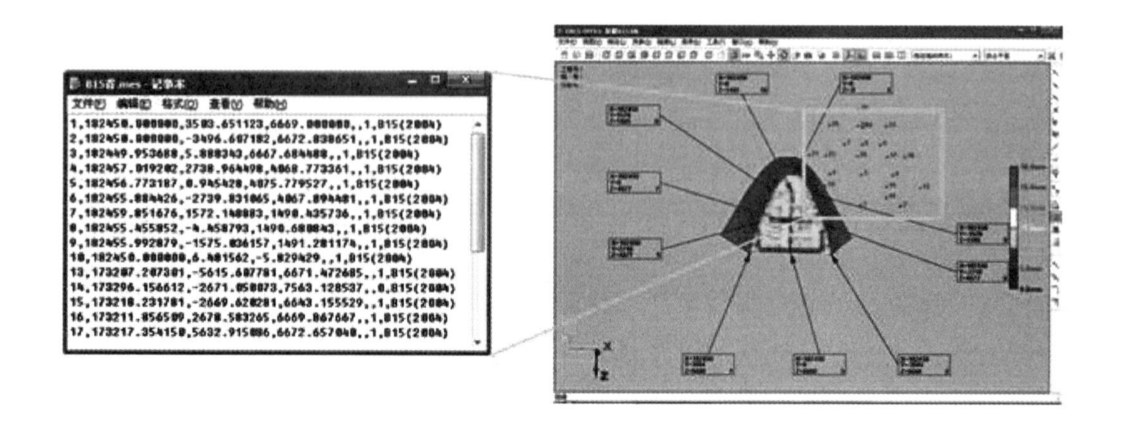

图 4－19　实测数据导入 DACS－OFFICE 软件系统

(5)利用三点移动功能将实测数据坐标系与船体坐标系统一，通过移动痕迹显示可以直观地看出点号对应情况。

(6)实测数据导入、统一坐标系后，系统将自动计算各个精度控制点的三维误差，并显示在设计坐标标注后的括号内。长、宽、高(X、Y、Z)三个方向的偏差一目了然，如图 4－20 所示。

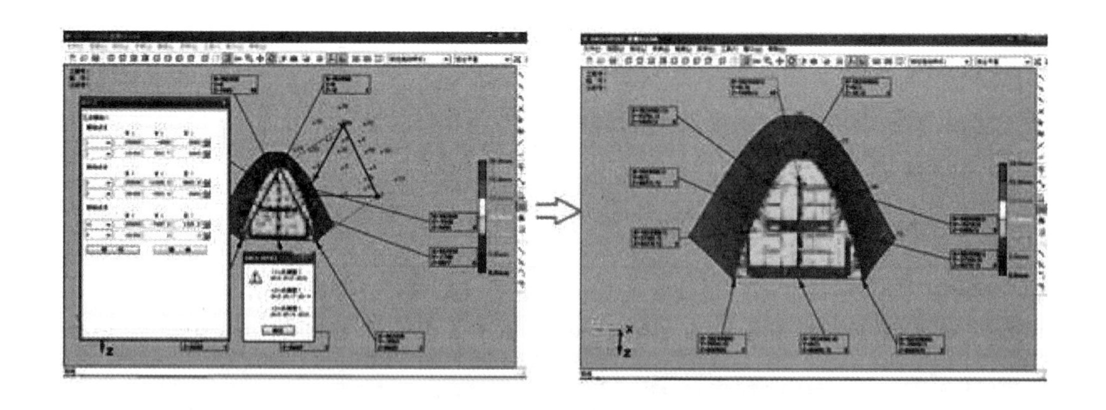

图 4－20　分析各控制点实测值与设计值的偏差

(7)在 DACS－OFFICE 中计算各种分段建造参数，并可以在数据报表中详细展现。

(8)最终可以生成数据报表、图形报表、综合报表等，便于存档或指导生产，见图 4－21。

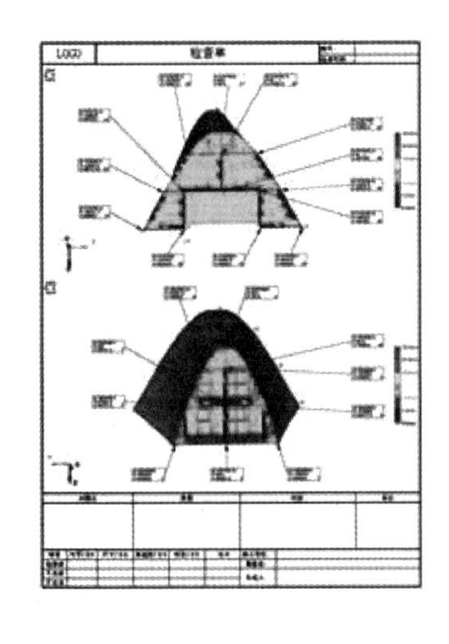

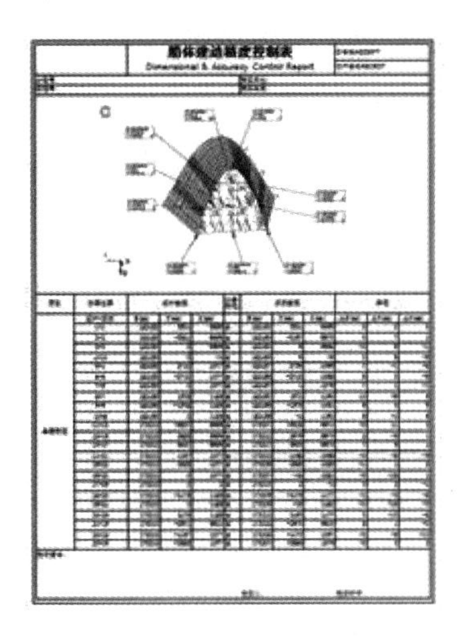

图 4－21 分段精度控制表

4. 实例 4:模拟搭载

利用 DACS－SIMULATION 软件室内进行两个或多个相邻分段模拟搭载(即在电脑上进行分段的模拟搭载过程),事先发现分段搭载过程中会出现的问题,进行分段修正,最终达到分段无余量上船台的目的。

如 b15、b16 分段,分段三维误差分析、余量修正重新测量后,即可在电脑上进行模拟搭载过程。

步骤如下:

(1)首先在 DACS－SIMULATION 中导入 b15、b16 分段;

(2)b16 为已上船台分段,作为基准分段不再修正,可指定搭载基准点或搭载基准面,通过调整 b15 分段的位置,最终成功完成搭载模拟;

(3)导入 b15、b16 分段后,对应位置的实测数据匹配由系统自动完成,选择搭载方向 X 方向,即可显示船长方向搭载误差,同样可选船宽、船高方向,如图 4－22 所示;

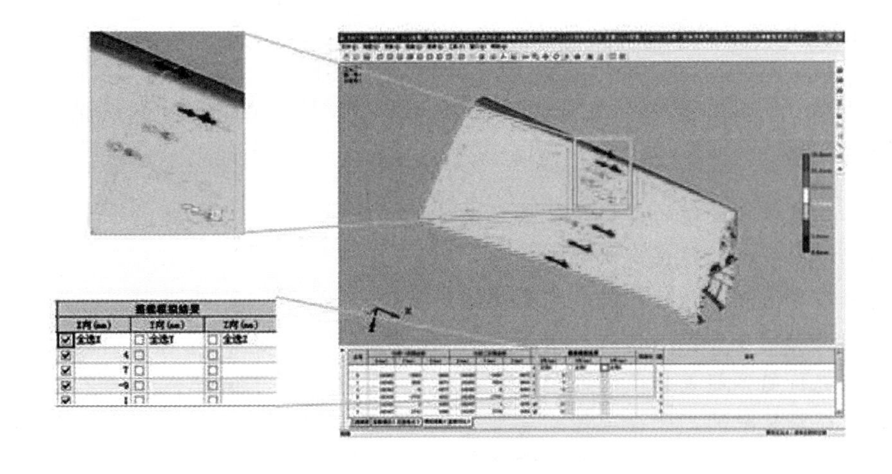

图 4－22 拟搭载分段对应位置的实测数据匹配

(4)为了观察更加方便，系统拥有人性化的视觉偏移功能，可以将搭载过程 b15 分段中每个点的修正量清晰显现，如图 4－23 所示；

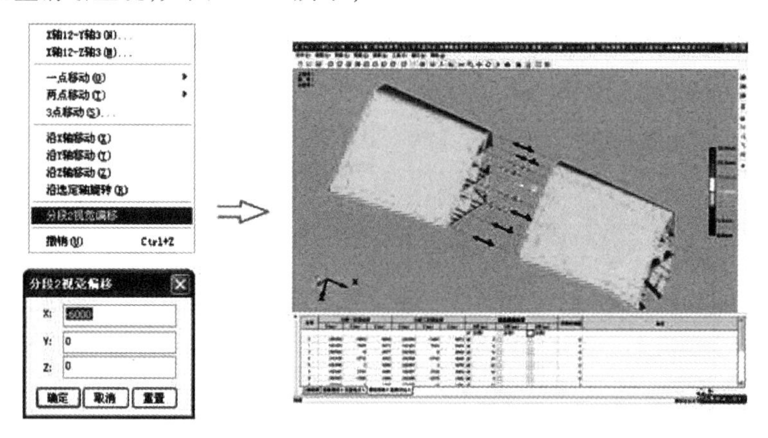

图 4－23　显现修正量

(5)最后同样可以生成数据报表及图形报表，以便存档或指导现场修正，如图 4－24 所示。

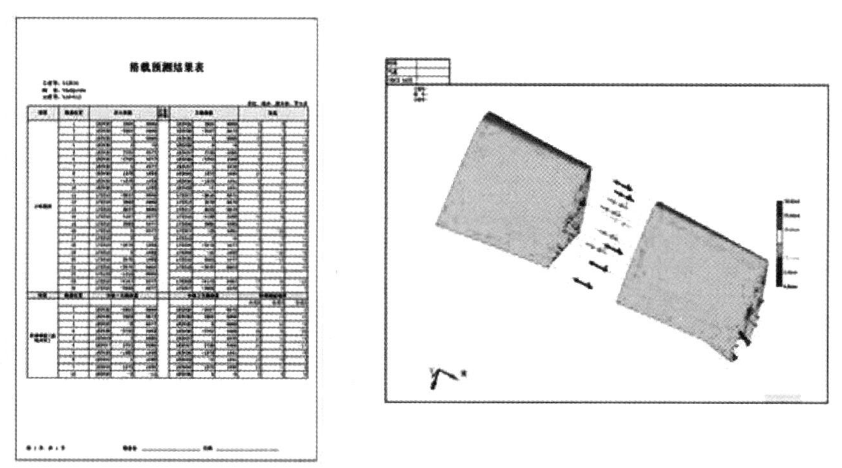

图 4－24　搭载预见结果表

【项目习题】

1. 船体建造精度管理的含义是什么？
2. 造船精度管理的作用有哪些？
3. 造船精度管理工作的相关规定有哪些？
4. 绘制造船精度管理工作流程图。
5. 如何进行船体超差分段的处理？
6. 船体分段装配的尺寸精度控制要求有哪些？
7. 船台装配的尺寸精度控制要求有哪些？
8. 船体建造余量与补偿量的区别是什么？

项目5　船舶舾装检验

【项目描述】

船舶舾装是船舶建造的重要工作,船体主要结构完工后,就开始船舶舾装工作。按照舾装部位,船舶舾装分为外舾装和内舾装两部分, 外舾装包括舵设备、锚设备、系泊设备、救生设备等设备的安装工作;内舾装,又称居住舱室设备安装。本项目内容主要以《中国造船质量标准》《钢质海船入级规范》《国内航行海船法定检验规则》为依据,介绍船舶舾装检验的内容与要求。通过本项目的学习,并经过船舶舾装实训后,应达到以下要求:

1. 知识要求

(1)掌握公差配合与机械测量技术。

(2)熟悉设备定位、安装检测的基本知识和主要方法。

(3)熟悉船舶主要设备舾装内容,熟悉相关检验标准。

(4)熟悉各类船企舾装标准。

2. 能力要求

(1)能理解船舶舾装检验与相关检验标准的关系。

(2)能掌握基本的设备定位、安装的相关检查技能。

(3)能掌握出具各类舾装检验报告的技能。

【项目实施】

任务5.1　舵系制造和安装检验

5.1.1　相关知识

船舶在航行中,舵用来保持或改变航向。舵系是舵及其支承部件总称,结构形式较多,按舵叶的支承方式,有双支承平衡舵、多支承普通舵、穿心舵、轴平衡舵、悬挂舵和半悬挂舵等,见图5-1。

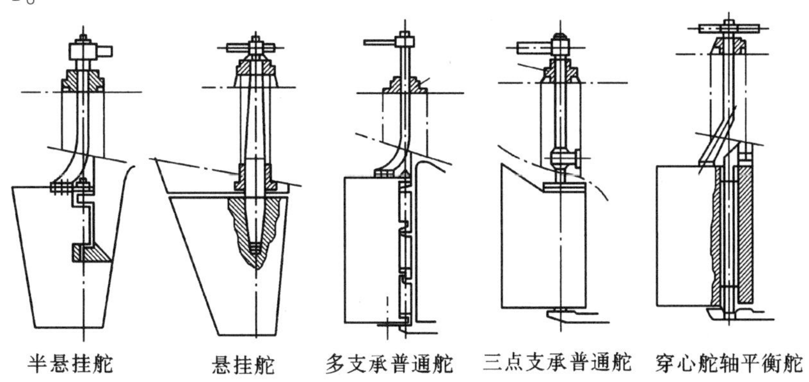

图5-1　常见舵

半悬挂舵使用较广，已基本成为新造船舶的典型舵系结构，见图5－2。为此，在舵系制造检验方面，本节以半悬挂舵为例进行讲解，其他类型舵系的检验方法与半悬挂舵的制造检验方法相类似，均可参照半悬挂舵检验方法与要求进行。

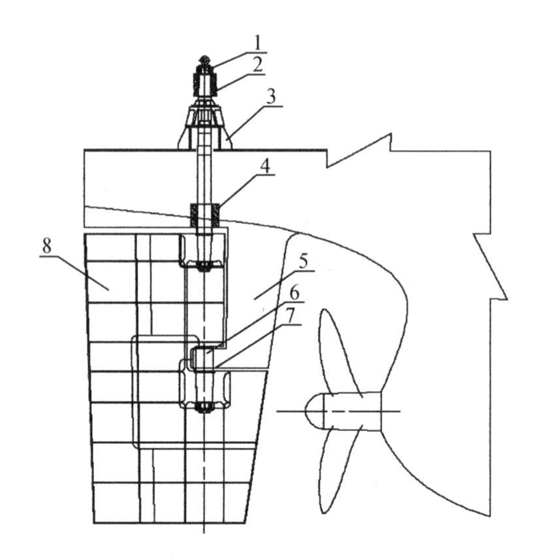

图5－2　半悬挂舵舵系图

1—舵杆；2—舵柄；3—上舵承；4—下舵承；5—挂舵臂；6—舵销；7—舵钮；8—舵叶

图中舵杆是连接舵叶和舵机或舵柄、传递转舵扭距的转动杆件；舵柄是舵机的一个部件，用于与舵杆连接；上舵承是位于舵头处用来支撑舵的质量，及其所受到的径向和轴向力的舵承；挂舵臂是支撑半悬挂舵臂状构件；舵叶是舵上产生舵压力的主体部分；舵销是用以将舵连接在挂舵臂上的销轴或螺栓；舵钮是挂舵臂等后缘供装舵销用的突出部分。

5.1.1.1　舵叶检验

1. 舵叶结构

舵叶由内部构架、旁板、封板及铸钢件等构成，见图5－3。

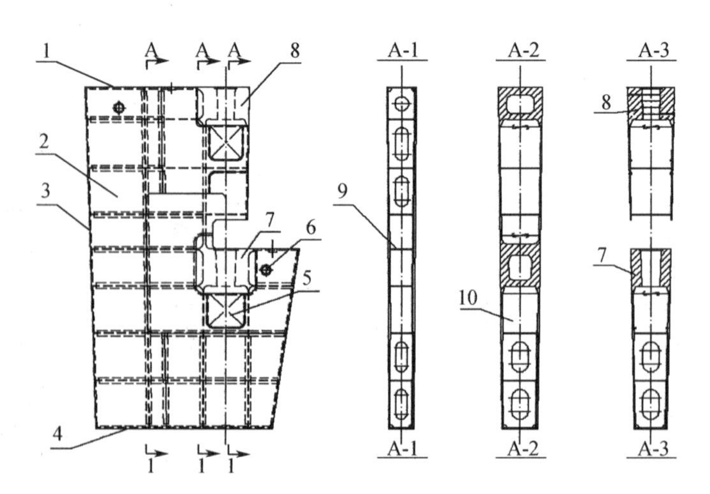

图5－3　舵叶结构图

1—舵顶板；2—舵板；3—舵尾材；4—舵底板；5—可拆板；6—穿绳管；7—舵销承座；8—舵杆承座；9—水平隔板；10—垂直隔板

2. 舵叶制作工艺

舵叶制造采用侧造法，即舵的中心线剖面处于水平状态。舵叶胎架为卧式胎架，根据舵叶的形状和尺寸制作相应胎架，在胎架上铺舵叶旁板。旁板如需要对接，则对接焊。焊好后，在旁板上画内部加强筋纵横装配线；然后装内部加强筋，焊接；完成后，再装旁板，塞焊。

焊接顺序：上下舵旁板对接焊→上舵旁板与边板的填角焊→上舵旁板与顶板→封板→底板的角焊→上舵旁板与舵轴壳（上、下）或连接法兰及舵臼的焊接。

3. 舵叶胎架检验

（1）检查设置胎架的平台是否平整牢固。

（2）胎架制造前应先检验平台上的舵中心线、垂直线、长度和宽度等舵叶外形线的正确性，见图5-4。用钢卷尺测量平台上画线尺度，包括长、宽、舵中心线位置等，偏差均不得大于0.5 mm。

（3）检查胎架模板牢固性，按舵剖面样板1（包含舵壳扳厚度）检查胎架模板2线型的准确性，胎架中心线应用线锤挂至平台上与中心线相吻合，样板上的水平线（即舵中心线）与胎架横板上水平线相吻合。胎架模板上的水平线事先用水平软管、水平仪或激光经纬仪进行检查，应处于同一水平面内，见图5-5。

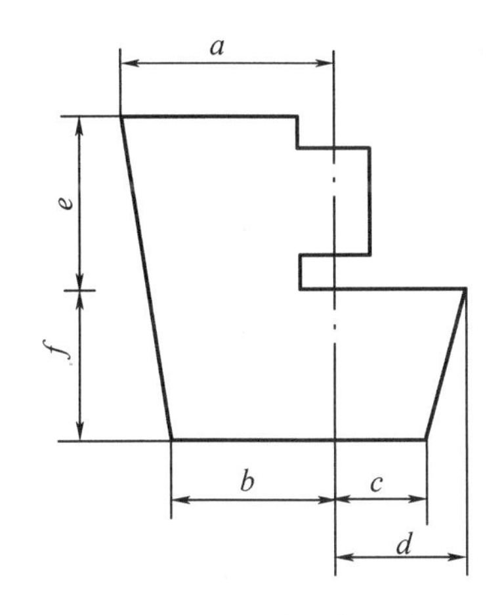

图5-4 舵叶平台画线

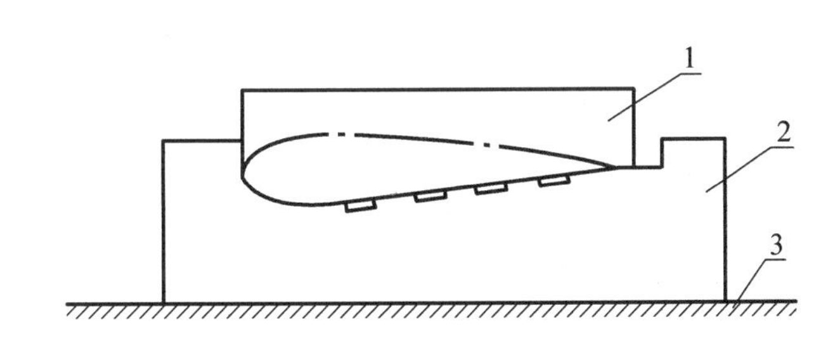

图5-5 舵叶胎架检查

1—样板；2—胎架模板；3—平台

4. 舵叶旁板、构架和铸钢件装配检验

（1）检查舵叶旁板与胎架横板的紧贴度，以及旁板定位焊接和旁板对接缝的装配质量。

（2）检查构架画线位置的正确性。

（3）铸钢件安装前，校对船检认可的钢印标记和材质证书。

（4）按画线检查构架和舵钮等装配位置的正确性。舵轴中心线位置应按拉紧的钢丝检查上舵销孔内侧四周距钢丝的距离，同时注意加工面的余量配置状况。

（5）检查构件间的装配连接形式和坡口等是否符合图样规定。

（6）最后舵叶旁板装配后，检查旁板与其他构件的装配紧密性，特别是塞焊孔处舵叶旁板与内部构件的装配紧密性。

5. 焊接检验

（1）检查舵叶旁板对接焊缝、构件和舵销等相互间的角焊缝质量。

(2)最后封装的旁板焊接后,检验舵叶外部各种焊缝的焊接质量。

(3)舵叶制造完工后若有挠曲变形,则焊缝检验应在变形矫正后进行。

6. 检验标准

舵叶制造质量检验标准见表 5-1。

表 5-1　舵叶质量标准

<table>
<tr><th colspan="3">项目</th><th>标准范围</th><th>极限范围</th><th></th></tr>
<tr><td colspan="3">舵叶旁板与胎架模板间隙</td><td>0</td><td>2</td><td></td></tr>
<tr><td colspan="3">构件安装位置偏差</td><td>±2</td><td>±3</td><td></td></tr>
<tr><td colspan="3">角接缝间隙</td><td>≤2</td><td>≤3</td><td></td></tr>
<tr><td colspan="3">构件上开孔及切角</td><td>符合图纸</td><td>符合图纸</td><td></td></tr>
<tr><td colspan="3">上下封板垂直度</td><td>≤1</td><td>≤2</td><td></td></tr>
<tr><td rowspan="8">完工测量</td><td colspan="2">平面度</td><td>±1</td><td>±3</td><td></td></tr>
<tr><td colspan="2">舵轴中心线偏差</td><td>±1</td><td>±2</td><td></td></tr>
<tr><td colspan="2">舵宽偏差</td><td>±4</td><td>±6</td><td></td></tr>
<tr><td colspan="2">舵高偏差</td><td>±4</td><td>±6</td><td>当舵高大于 8 m,允许标准为 0.5 h/1 000,极限为 h/1 000,h 为舵高</td></tr>
<tr><td colspan="2">上下封板与舵轴中心线的垂直度</td><td>≤2</td><td>≤3</td><td></td></tr>
<tr><td rowspan="2">舵尾边</td><td>直线度偏差</td><td>≤3</td><td>≤5</td><td></td></tr>
<tr><td>与中心线偏差</td><td>≤0.5</td><td>≤1</td><td></td></tr>
<tr><td colspan="2">上下封板左右对称度偏差</td><td>≤3</td><td>≤5</td><td></td></tr>
</table>

7. 完工检验

在所有装配、焊接和矫正工作结束后进行完工检验。首先根据图纸查对零件是否装焊齐全,然后对舵叶的外观质量进行检查,舵叶旁板外表不得有伤痕、焊疤等缺陷,最后对舵叶进行完工测量,舵叶应处于自由状态进行测量,测量记录如表 5-2 所示。

表 5-2　舵叶制造完工测量记录表

<table>
<tr><th colspan="2">项目</th><th>理论值</th><th>实测值</th><th>备注</th></tr>
<tr><td rowspan="4">平面度</td><td>A</td><td></td><td></td><td rowspan="6"></td></tr>
<tr><td>B</td><td></td><td></td></tr>
<tr><td>C</td><td></td><td></td></tr>
<tr><td>D</td><td></td><td></td></tr>
<tr><td rowspan="2">上下铸钢件中心偏差</td><td>r1</td><td></td><td></td></tr>
<tr><td>r2</td><td></td><td></td></tr>
</table>

表 5－2(续)

项目		理论值	实测值	备注
上下铸钢件中心偏差	r3			
	r4			
	r5			
	r6			
	r7			
	r8			
舵叶宽度	b1			
	b2			
	b3			
	b4			
舵叶高度	h1			
	h2			
上下封板与舵轴中心线的垂直度	h3			
	h4			
上下封板左右对称度	h1 － h3			
	h2 － h4			
	b1 － b2			
	b3 － b4			

8. 舵叶密性试验

按规范要求,舵叶焊成或修复后,每个密封部分都应进行密性试验。密性试验前应将舵表面清洁干净,焊缝应清除氧化皮及焊渣,不得对水密焊缝涂刷油漆、敷设隔热材料及水泥等。舵叶用水压试验检查密性,即将水灌至一定高度,至少到顶板以上 2.5 m(舵叶可横放),保持 15 min,不得变形和渗漏。试验水柱高度 H 为

$$H = 1.2d + V^2/60$$

式中 d——满载吃水,m;

v——船速,kn。

舵叶也可用充气试验检验其密性,一般用压缩空气充入舵叶内部,在外表涂以肥皂水进行密性试验。充气试验的气压应不小于 0.02 MPa,且不大于 0.03 MPa。充气试验时保持 15 min,无肥皂泡产生,即无泄漏,为合格。若发现泄漏必须补焊,直至无泄漏为止。密性试验合格后,通常在舵叶内灌沥青,以防舵叶内部锈蚀,为了灌放水舵叶上部和下部开有小孔,并配有不锈金属(黄铜)制成的栓塞。

5.1.1.2 舵系零部件检验

介绍常用的半悬挂舵舵系零部件的机械加工和装配检验。

1. 舵杆加工检验

舵杆按外形分有直舵杆、弯舵杆两种。直舵杆又有法兰连接和椎体连接两种。

舵杆是舵叶转动的轴，并用以承受和传递作用在舵叶上的力及舵给予转舵装置的力。舵杆形式较多，下面介绍带有偏心连接平面的弯舵杆加工检验。如图 5－6 所示，此种舵杆的加工难度较大，其他形式舵杆的加工检验均可参照此方法和有关要求进行检验。

（1）舵杆的粗加工检验

①加工前应具备的条件：舵杆毛坯件应具有船检证书及原材料材质报告。

舵杆上应有产品船检钢印标记，加工前应在验船师在场时抄录钢印内容或拓印钢印，以及上轴套材料的报告。加工前对舵杆进行画线，并具有图纸上的粗加工余量。

②舵杆粗加工内容：舵杆下端方体部位，包括连接平面的四个侧面柱图样尺寸要求加工；舵杆连接平面粗加工（须按图样尺寸留有约 10 mm 余量）；舵杆上端圆体部位，包括上轴套颈、锥体等处进行粗加工（按图样尺寸每边留有约 10 mm 的加工余量），加工前应在舵杆下端焊接桩时支架，便于车床切削时安装顶针，起到平衡作用，如图 5－6 所示。

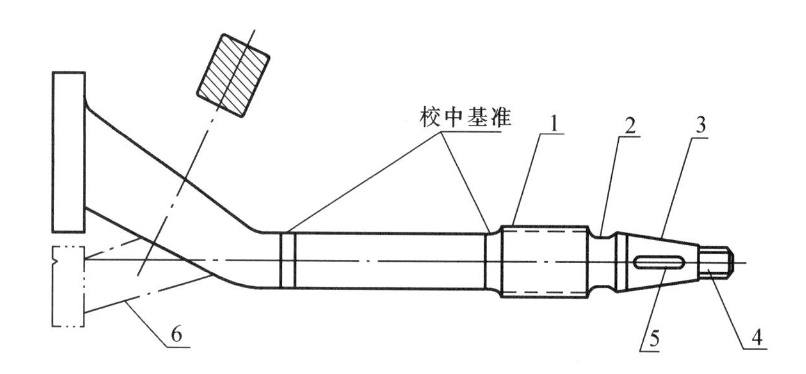

图 5－6　舵杆和临时支架图

1—上轴套；2—上舵承槽；3—锥体；4—螺纹；5—键槽；6—加工用临时支架

③舵杆粗加工的检验标准：舵杆下端方体部位包括连接平面的四个侧面，其加工后的尺寸和表面粗糙度应符合图样规定的要求；舵杆上端圆体部位加工尺寸复测，应有足够的加工余量。

④检验方法：舵杆方体部位尺寸用钢直尺测量，舵杆上端圆体部位用外卡钳及钢直尺测量，表面粗糙度用目测法进行检验（此表面粗糙度要满足超声波探伤要求）。

（2）舵杆的精加工检验

①精加工前的检验：舵杆粗加工后，其表面应进行超声波探伤检验。须符合要求并出具探伤报告；舵杆粗加工后应进行回火处理，以消除舵杆内应力，符合要求并具有热处理报告。

②舵杆精加工内容：舵杆的圆体部位，包括上轴套颈和上舵承槽按图样要求的尺寸加工，加工部位应达到表面粗糙度的要求；舵杆锥体部位按锥度样板加工，并达到表面粗糙度要求；舵杆螺纹按预先制作的螺母加工配置；舵杆法兰连接平面加工；舵杆锥体部位键槽及上舵承键槽加工。

③舵杆精加工检验标准：舵杆的圆体部位、上轴颈、上舵承槽符合图样尺寸及精度要求；舵杆锥体部位按锥度样板检验；舵杆轴向各档长度尺寸测量应符合图样要求；舵杆螺纹按螺母检验螺纹之间的间隙，应符合螺纹公差要求；舵杆法兰连接平面加工，要求平面与舵

杆中心线的垂直度不大于0.05(法兰平面范围内);舵杆键槽宽度、深度应符合图样要求的尺寸公差;舵杆法兰连接平面螺孔粗加工按图样尺寸检查,并应留足够加工余量。

④舵杆精加工检验方法:

A. 用外径千分尺测量舵杆圆体部位、上轴颈、上舵承槽加工尺寸,轴颈同一断面处相互成90°的两个直径之差即为圆度,轴颈同一方向两端处直径之差即为圆柱度,其测得的结果应符合图样规定的要求;

B. 舵杆轴向各档长度尺寸用钢直尺测量,应符合图样要求;

C. 舵杆锥体部位用锥度样板检验,舵杆锥体部位大小端尺寸及距离与锥度样板相一致时,可认为锥度合格;

D. 舵杆螺纹间隙测量,将检验合格的螺母旋入舵杆,在螺母上部放一只百分表,下部用千斤顶顶高,然后松掉千斤顶,观察百分表读数值变化,此值即为螺纹总间隙,应符合图样要求;

E. 舵杆法兰平面与舵杆中心线垂直度检查,由于舵杆工件较大,加工时一般采取现场检验。其方法是在舵杆本体机加工时,在舵杆本体两端预先加工两道粗糙度要求较高的校中基准,如图5-6所示。检验时舵杆应水平放置,在机床头上装一只百分表,测量两基准圆水平,使舵杆与机床平面、导轨平行。当确认已校中时,即可用机床动力头加工舵杆下端连接平面,各厂在加工时,可根据机床条件制定检验方法;

F. 在上述舵杆与机床平行的状态下进行上舵承的键槽加工。键槽宽度用内径千分尺测量,键槽深度用游标深度尺测量,测量结果应符合图样尺寸与公差要求;

G. 舵杆机加工后,按中国船级社的《船用产品检验规则》的规定进行舵杆船检钢印标记移植。钢印标记移植的内容包括产品证书编号、船检标志、检验港口、验船师姓名、日期。钢印的位置一般在舵杆顶端,如舵杆安装后顶端不能显露在外时,则打在舵杆与舵扇或舵柄接触部位的下方。

⑤不锈钢轴套加工检验:舵杆轴套内孔与外圆按图样(或工艺尺寸)加工。轴套在加热套至舵杆之前,应用内、外径千分尺分别复测轴套内孔与舵杆轴径尺寸,其过盈量应符合要求。

⑥测量记录:测量并记录舵杆加工数据,见表5-3。

表5-3 舵杆加工测量记录表

测量位置		规定尺寸	垂向	水平
轴颈	A			
	B			
	C			
	D			
	E			
轴向长度	F			
	G			
	H			
	I			
	J			

2. 舵叶加工检验

(1)舵叶销孔加工检验

半悬挂舵的上、下销孔的加工难度较大,主要是上、下销孔间有舵叶结构件使上、下销孔隔开,加工销孔时只能分别加工,并要保证上、下舵销中心在一条直线上。图5-7为悬挂舵的销孔结构图。

①加工前应具备的条件:舵叶制造尺寸符合要求;舵叶密性试验合格,并具有试验报告;画线确定舵叶中心及上下销孔镗孔线。

②舵叶销孔加工检验标准:上、下销孔锥度符合图样尺寸公差及表面粗糙度要求;上、下销孔中心应在一条直线上,同轴度偏差不大于0.12 mm;锥孔端面环槽加工尺寸符合图样尺寸公差。

③舵叶销孔检验方法:一般使用锥型铣刀加工,可用游标卡尺复测锥形铣刀锥度或测量锥孔锥度,表面粗糙度应符合要求;上、下锥孔直线性主要靠机床保证,其方法是在上下销孔镗孔前,调整舵叶销孔中心线与机床中心线的平行度,即在进行第一只销孔镗孔时,用内径分尺测量机床镗杆离机床平面的距离与镗杆伸出机床距离,当移到另一只锥孔加工时,再复测机床镗杆离机床平面的距离与镗杆伸出机床距离,其复测数据应与加工第一只锥孔时的数据相同。用此方法加工的上、下锥形销孔中心线可认为是一条直线的。如有高精度机床,也可利用机床的上、下升降及进刀刻度来保证。用游标深度尺测量锥孔端面凹形槽的深度,用内径千分尺测量其孔径,所测得的尺寸应符合图样要求。

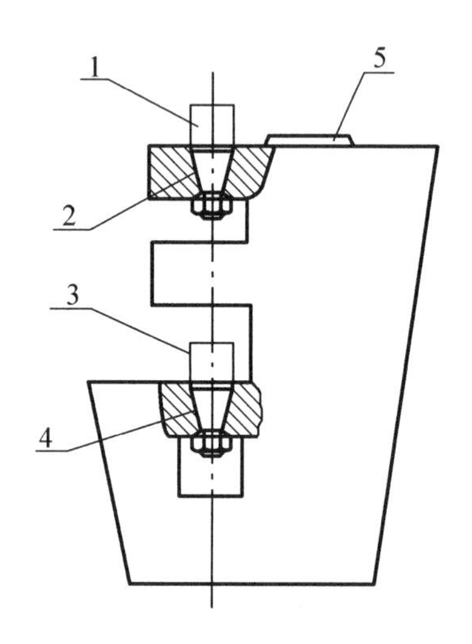

图5-7 舵叶销孔结构图

1—上舵销;2—上销孔;3—下舵销
4—下销孔;5—舵叶连接平面

④检验记录:舵叶销孔加工后,应测量上、下锥孔的各项尺寸,以及锥孔端面凹槽宽度及直径,做好记录。

(2)舵叶连接平面加工检验

连接平面加工内容包括平面机加工、连接平面螺孔粗加工和平面手工修刮。

①检验标准:连接平面与上、下舵销孔中心线要求互相垂直,垂直度应不大于0.05 mm(指法兰平面范围);螺孔粗加工应留有足够的加工余量,孔的直径一般应比图样尺寸小5 mm以上;连接平面手工修刮的要求是色油接触均匀,在每$(25\times25)\ mm^2$面积上不少于2~3点,接触面积大于60%;用0.03 mm塞尺检查应不能插入,如能插入,则深度不大于20 mm。

②检验方法:舵叶连接平面与上、下舵销孔的垂直度主要靠机床加工来保证,其方法是机床在加工上、下销孔后,在工件不移动的情况下,由该机床加工连接平面;螺孔粗加工后用钢直尺测量孔距及螺孔尺寸;舵叶连接平面机加工完工后,用平板对连接平面进行接触检验。

③检验记录:测量螺孔中心距及螺孔尺寸,并做好原始记录。

3. 舵销加工检验

(1) 加工前应具备的条件

①舵销毛坯件的原材料报告、船舶检验部门合格证书及产品检验钢印标记。

②舵销的原材料报告,不锈钢销套的原材料报告。

③毛坯件的船检钢印抄件或拓印件。

(2) 加工及安装检验标准

①按图样尺寸公差及表面粗糙度要求加工。舵销锥体部位按舵叶锥孔锥度配制,舵销螺纹杆螺母配车,螺纹间隙应符合螺纹标准要求。

②舵销机加工后进行无损探伤,应无裂纹。

③舵销孔锥体部位用手工修正,要求有良好接触,每$(25\times25)\ mm^2$面积上应有2~3个接触点,接触面应大于60%。

④舵销衬套与销配合的过盈量应符合图样或工艺文件要求。

⑤衬套热套入销后,外圆加工尺寸应符合图样尺寸公差及表面粗糙度要求。

⑥舵销在舵叶上安装有两种方法:一种是用锤敲紧螺母,凭经验检验螺母敲紧的程度;另一种是采用专用液压螺母或油泵压入(以技术部门提供的轴向压入力及压入量作为压入依据)。

(3) 检验方法

①用外径千分尺分别测量舵销圆柱体两端的垂直与水平尺寸,计算出圆柱度、圆度,所测结果均应符合图样要求,用样板对比。目测检验表面粗糙度:舵销锥体应按舵叶锥孔配制,舵销螺纹检验方法,将螺母旋入下部用千斤顶顶住,上面放百分表,观察百分表数值变化,所测得的间隙应符合螺纹间隙要求。

②舵销机加工结束后,其表面应进行无损探伤,一般采用磁粉探伤,应无裂纹。

③用内径千分尺分别测量不锈钢套内孔两端的垂直与水平两组尺寸,计算出圆锥度、圆度,所测结果应与舵销外圆有足够的过盈量,用粗糙度样板对比,目测检验内表面粗糙度。

④舵销孔锥体部位手工修正后,用色油涂于舵销锥体部位,检查舵销孔锥体部位的色油接触情况,要求均匀,其单位面积上的接触点及接触面积应符合要求。

⑤不锈钢套热套入销后,用外径千分尺测量舵销外圆尺寸、圆柱度与圆度,所测结果应符合要求,用粗糙度样板对比,目测检验表面粗糙度。

⑥舵销在舵叶上装配后,为了保证锥体部位水密,要求修刮后的锥孔大小端处应保证图5-8中所示的A、B两处尺寸,以便安装橡胶密封环。锥孔修刮好后,再机加工,锥体大端不锈钢套端面尺寸A和锥体小端面尺寸B,满足装配要求。

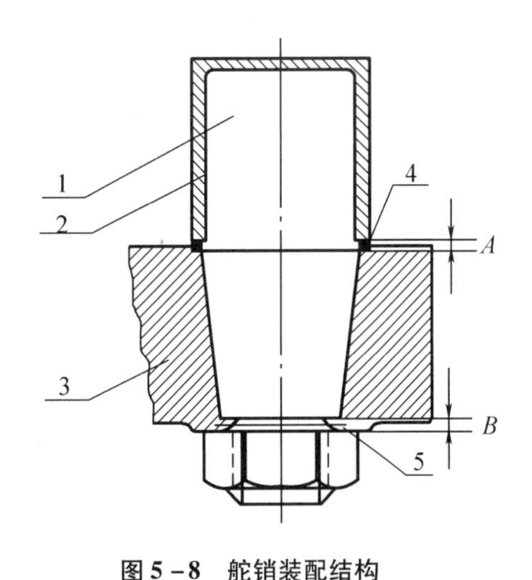

图5-8 舵销装配结构

1—下舵销;2—不锈钢套;3—下部铸件;4—大端密封圈;5—小端密封圈

⑦舵销加工后应进行船检产品钢印标记

移植。

⑧舵销安装时螺母须敲紧。

(4)测量记录

①舵销外圆尺寸、套内孔尺寸及热套后不锈钢套外圆的加工尺寸应做好测量记录，表5－4为记录表的样式。

②舵销在舵叶上安装时，应测量液压压入力及压进量，并做好原始记录。

表5－4　舵销测量记录

测量名称		上舵销	下舵销
舵销外圆	A1		
	A2		
	B1		
	B2		
舵销衬套内孔直径	C1		
	C2		
	D1		
	D2		
舵销不锈钢钢套外圆	E1		
	E2		
	F1		
	F2		

4.舵杆与舵叶连接检查

舵杆与舵叶连接时，要求舵杆中心与舵销中心在同一中心线上。

(1)连接前应具备的条件

①舵叶应呈水平状态(或垂直)放置，使舵销呈水平(或垂直)状态。

②准备照光仪一台，照光靶及架两套。

③若舵销轴径小于舵杆轴径时，应在舵销上临时镶套使之与轴径相同，以便光靶安放时不受轴径不同的影响。

④准备好连接舵杆与舵叶的临时螺栓。

⑤连接螺栓应具有材料报告并经验船部门确认。

(2)检验要求

①舵杆与舵叶连接时(图5－9)，要求舵销与舵杆同轴度不大于0.30 mm，对中采用手工修正舵杆平面的方法来满足要求。舵杆平面手工修正后，要求用平板检验色油接触，应均匀，其每$(25\times25)\ mm^2$面积上不少于2～3点，接触面积大于60%；用0.03 mm塞尺检查，应不能插入，如能插入，则深度不大于20 mm，且在90%以上周长的范围内应插不进。

②舵杆与舵叶连接螺孔加工，要求铰孔圆度小于0.01 mm，圆柱度小于0.02 mm，且无倒锥度；孔表面粗糙度应符合要求；螺栓中心距法兰边缘的距离应不小于螺栓直径的1.2

倍;垂直法兰的厚度应等于螺栓直径的90%。

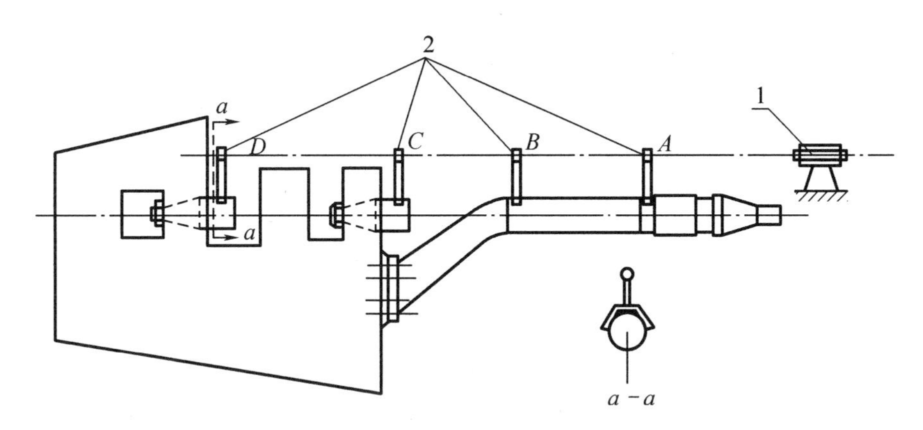

图5-9 舵杆与舵销对中检验

③精制螺栓加工直径按绞孔尺寸加放0.005~0.015 mm过盈量。其螺栓圆度小于0.01 mm、圆柱度小于0.02 mm,螺栓只能是顺锥,不允许倒锥,螺栓表面粗糙度应符合图样要求。

(3)检验方法

按图5-9所示,将舵叶放置成水平状态,水平仪置于舵销上,要求舵销水平偏差不大于0.06 mm/m。舵销 C、D 位置上放置光靶架及光靶,靶架上平面用水平仪校准水平,然后在舵杆顶部处放一台光学准直仪,按 C、D 光靶中心调整光学准直仪中心,使其在 C、D 中心延长线上,在此基础上,将舵杆与舵叶用临时螺栓连接。连接后在舵杆 A、B 位置上放置光靶架及光靶(此靶从 C、D 处移过来),调整舵杆中心。然后用光学准直仪检查 A、B 两点处中心,要求同轴度不大于0.30 mm。如超过要求时,应用手工修刮舵杆连接平面,修正时用平板为依据,舵杆平面色油接触应均匀,接触面积大于60%。用平板检查,0.03 mm塞尺应插不进;舵杆与舵叶的接合面用0.05 mm塞尺检查,在90%的周长范围内应插不进,个别处塞入的深度也不应超过法兰边缘到螺孔距离的1/2。螺孔和螺栓加工完后,用内、外径千分尺测量其尺寸,要求不允许有倒锥度,圆度、圆柱度应符合要求,螺栓与螺孔配合应有足够的过盈量。表面粗糙度用目测检查,应符合要求。螺栓加工完成后进行磁粉探伤检查,表面应无裂纹。

(4)测量记录

①照光时应记录对中同轴度,以及垂直与水平两个方向的数据。

②螺孔与螺栓直径测量记录。

③螺栓无损探伤报告(该报告要提交给验船师,作为产品检验报告之一)。

5. 舵柄及上舵承加工

(1)加工前应具备的条件

①舵柄应具有原材料报告、验船部门的合格证书及钢印标志。

②舵杆和舵柄连接键的材料报告。

(2)检验标准

①舵柄与舵杆为圆锥形配合,其锥度一般为1∶100,舵柄锥孔以舵杆锥体为基准加工。锥孔修刮后,要求色油接触均匀,在每$(25\times25)\ mm^2$面积上接触点大于3点,接触面大于

70%。锥体小端面应与平面有 6 ~9 mm 间隙,作为旋紧螺母及以后修理用的余量。

②舵柄与舵杆另一种结构为圆柱形过盈配合,公差参考表 5 -5。

表 5 -5　舵柄与舵杆过盈配合

单位:mm

舵杆直径	<80	80 ~120	120 ~180	180 ~260	260 ~360	360 ~500
配合过盈量	0.04 ~0.06	0.05 ~0.08	0.06 ~0.09	0.08 ~0.11	0.10 ~0.14	0.12 ~0.16

③舵柄键:平键安装后,用 0.05 mm 塞尺检查键的两侧,应插不进;如插进,则深度应不大于 20 mm,键顶部间隙为 0.5 ~0.8 mm 或取键高的 2%。

斜键安装后,用 0.05 mm 塞尺检查键两侧,应插不进;如插进,则深度应不大于 20 mm,键上、下面应接触,此时应留有部分斜键没有敲入,以备必要时再可敲紧。

④上舵承本体内孔在舵杆上安装滚动轴承的部位,与滚动轴承内外径的配合公差应符合规定,见表 5 -6。

表 5 -6　滚动轴承内外径配合

单位:mm

内外圆直径	<80	80 ~120	120 ~180	180 ~260	260 ~360	360 ~500
舵杆配合内孔	0 ~ -0.02	-0.01 ~ -0.03	-0.02 ~ -0.04	-0.03 ~0.05	-0.04 ~ -0.06	-0.05 ~ -0.08
舵承座孔配合外圆	+0.015 ~ -0.01	+0.01 ~ -0.02	0 ~ -0.03	-0.01 ~ -0.04	-0.02 ~ -0.05	-0.025 ~ -0.06

⑤上舵承摩擦面修刮后,要求用色油检查接触情况,在每(25 ×25) mm^2 面积上应大于 3 点,接触均匀,接触面应大于 70%。

(3)检验方法

①舵柄锥孔手工修刮后,色油接触用目测检查,锥体小端离平面的尺寸用游标深度尺测量。

②舵柄圆柱孔用内径千分尺测量,其过盈量应符合要求。

③键两侧及顶部用塞尺检查。

④上舵承筒体轴承内孔用内径千分尺测量,按图样要求测量直径、圆度、圆柱度,孔表面粗糙度用目测,并用粗糙度样板对照。

舵承筒体采用滚动轴承时,本体内孔用内径千分尺测量,舵杆轴承处用外径千分尺测量,其与滚动轴承配合公差应符合要求。

⑤上舵承摩擦平面修刮检查方法:在上舵承平面涂以薄薄一层色油,然后放下,使之与摩擦面相接触,转动舵杆,平面色油接触应符合要求。

(4)检验记录

上舵承筒体轴承内孔直径、上舵杆轴颈外圆直径、舵柄内孔与舵杆外径应做好测量记录。

6. 舵叶与舵杆制造要求

按《中国造船质量标准》要求,舵叶与舵杆制造要求按表 5 -7 所示。

表5－7 舵叶与舵杆制造要求

单位：mm

项目			标准范围	允许极限	备注
舵叶 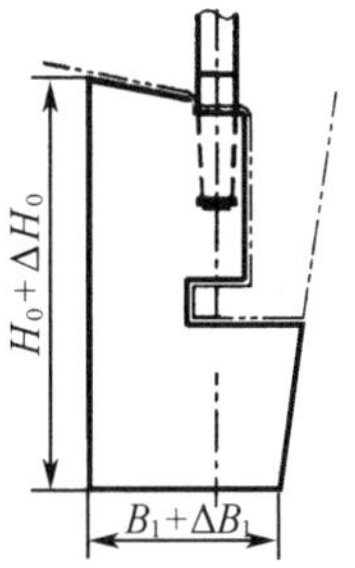 $H_0+\Delta H_0$ $B_1+\Delta B_1$ H_0—舵叶高度；B_1—舵叶宽度	舵叶高度偏差 ΔH_0	$H_0 \leqslant 5$ m	±4	±6	
		$H_0 > 5$ m	$\pm 0.8H_0/1\ 000$	$\pm 1.2H_0/1\ 000$	
	舵叶宽度偏差 ΔB_1	$B_1 \leqslant 4$ m	±4	±6	
		$B_1 > 4$ m	$\pm 1.0B_1/1\ 000$	$\pm 1.5B_1/1\ 000$	
铰制孔和铰制孔用螺栓 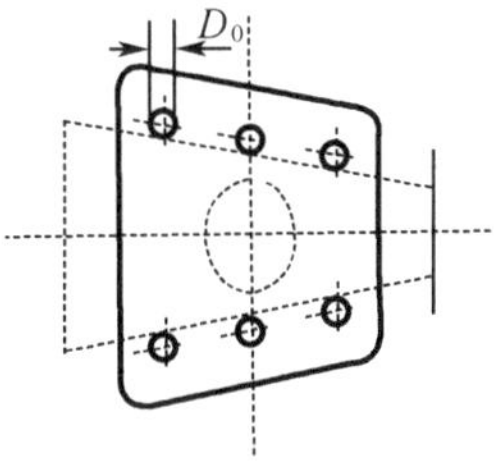 D_0 d—铰制孔用螺栓直径； D_0—铰制孔直径	铰制孔圆度		≤0.01	—	
	铰制孔圆柱度		≤0.02	—	
	铰制孔用螺栓圆度		≤0.01	—	
	铰制孔螺栓圆柱度		≤0.02	—	
	粗糙度	螺栓	0.001 6	—	
		铰制孔	0.003 2	—	
	螺栓过盈量$(d-D_0)$		0.005～0.015		
舵叶与舵杆连接 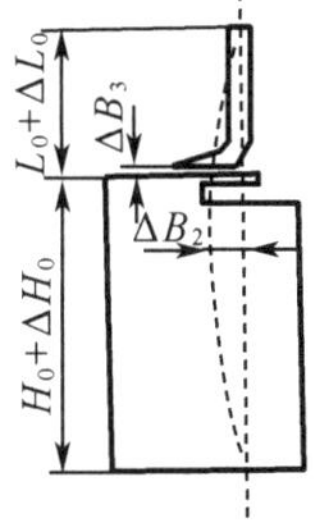 $L_0+\Delta L_0$ ΔB_3 ΔB_2 $H_0+\Delta H_0$ H_0—舵叶高度； L_0—舵杆长度	舵杆长度偏差 ΔL_1		±3	—	
	连接后总高偏差 $\Delta H_0+\Delta L_0$		±5	—	
	舵叶与舵杆安装后中心线偏差 ΔB_2		≤0.30	≤0.50	
	舵杆与舵叶法兰连接后间隙 ΔB_3		≤0.03	≤0.05	对应塞尺插入深度不大于15 mm
	法兰接触面		>70%		
舵销 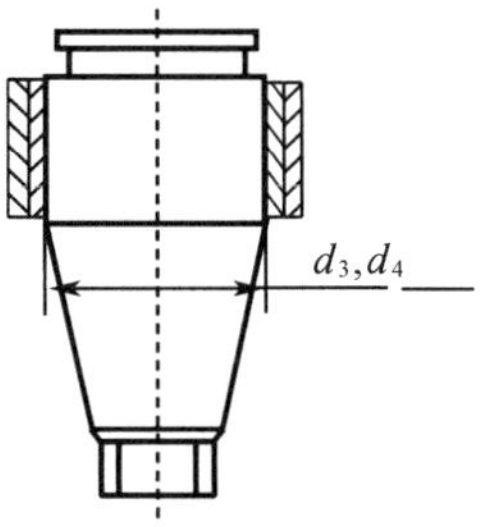 d_3,d_4 d_3—轴套内径； d_4—舵杆或舵销外径	锥体部分与舵叶接触面		—	>60%	
	与不锈钢衬套过盈量(d_3-d_4)		$[(5\sim10)d_4]1/10\ 000$		
	舵销与青铜衬套过盈量(d_3-d_4)		$[(10\sim20)d_4]1/10\ 000$		
	舵杆、舵销与轴承的间隙	金属	$\geqslant D/1000+1$		
		合成材料	≥1.5		按产品说明书或供货方计算书

5.1.1.3　舵系安装检验

1. 舵系中心线、照光检验

(1)拉线

①检验前应具备的条件:舵系统安装应在艉部结构装焊工作、火工工作、密性试验完毕后进行;舵系中心线拉线应与轴系中心线拉线同时进行,应在船体不受阳光曝晒的情况下施工,一般以清晨、傍晚为宜;拉线时应停止一切会产生振动的作业;拉线时,舵系的基准点应经检验认可。

②初拉线目的是检查轴舵系中心线偏差及上、下舵钮前、后、左、右中心偏差。

初拉线步骤:

A. 在舵系上下基准点延伸处安装拉线支架并拉出钢丝线(图5-10)。

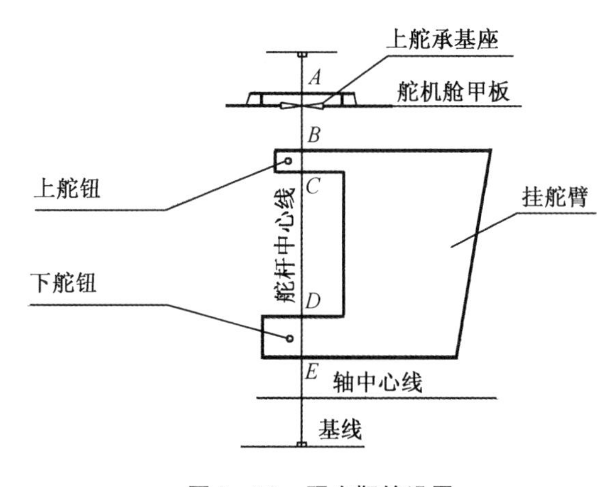

图5-10　照光靶的设置

B. 调整拉线架上的螺栓,使之与船舯线#0肋骨线重合。

C. 检查轴系中心线与上述步骤所确定的舵系中心线的偏差值应不大于3 mm,允许极限不大于8 mm,垂直度误差不大于1/1 000。

③复拉线目的是确定照光靶中心,并确定上舵承基座及舵机基座高度。

复拉线步骤:

A. 根据初拉线确定的舵系中心,钢丝线调整上舵承及下舵销两端的照光基准靶,使光靶筒中心与钢丝线同心。

B. 根据所拉钢丝线用测量方法读取数据,并确定上舵承座和舵基座高度及上、下舵钮上、下端面的刮削余量。

C. 割除上舵承座及舵机座的下口余量,并烧焊完毕。

④检验要求:钢丝线的拉力,一般取钢丝拉断力的70%~80%;舵系中心线与轴系中心线的相交度应不大于3 mm,垂直度为1:1 000;通过拉舵系钢丝,确定上舵承、下舵销照光靶中心,将其作为舵系照光的两个基准点。

⑤检验方法:钢丝拉力可由拉线架弹簧产生或用重锤法达到;舵系中心线与轴系中心线相交度可用钢直尺测量或塞尺测量;舵系与轴系中心线垂直度可用预先制作的十字形样板检查;按照舵钢丝线中心,调整上舵承及下舵销两端的照光基准靶,其方法是用内径千分尺测量钢丝线至照光靶管孔前、后、左、右四个方向的尺寸,这些尺寸应相同,如有偏差,应

调整光靶管孔中心,使之达到与钢丝线同心。

(2)照光

舵系照光目的是确定舵系中心线、舵系镗孔圆、检查圆。

①照光前应具备的条件:在舵各道轴承销孔的两端预先放入照光架;准备好准直照光仪及照光仪架,并固定;准备好两只经认可的计量部门校准合格的光靶;照光应在不受阳光曝晒的情况下进行,一般以清晨、傍晚或阴天为宜;复验拉线所确定的上舵承、下舵销两个基准点中心。

②舵系照光步骤:在上舵承上方安装照光仪架,装入准直照光仪,调整照光仪位置,使照光仪中心与上舵承座、下舵销两个基准光靶(如图5-10所示A、E处)所确定的中心一致;按上述已调整好的照光仪中心,将光投到各道舵轴承两端的光靶上(如图5-10所示B、C、D处),并调整各道光靶中心,直到目测无明显偏差为止,上述各道光靶中心即已确定了舵系中心线;上述过程确认合格后,根据各道舵轴承中心,使用画线圆规,按图样尺寸在轴承表面画切削圆,同时画一个比切割图直径大20 mm的检验圆,并打出样冲眼标记,作为镗孔和检验镗孔中心的依据。舵系照光结束后,拆除光靶,以检验圆定出镗杆中心并对上舵承基座和上、下舵钮进行镗孔加工。

③照光检验要求:准直照光仪应按上舵承及下舵销两个基准点中心调整,应无明显偏差;按准直照光仪十字线中心,调整舵各道轴承与销孔两端的照光靶,应无明显偏差;按照光靶中心画出各道轴承端面的切削圆及检查圆。

④检验方法:在上舵承上方安装照光仪架,装入准直照光仪,调整准直照光仪位置,使照光仪中心与上舵承、下舵销两个基准光靶所确定的中心一致;按已调整好的准直照光仪中心,将光投入各道舵轴承两端的光靶上,并调整各道光靶中心,直到目测无明显偏差为止;对已调整好的各道舵轴承,使用专门画线圆规,按图样尺寸在轴承平面画切削圆,同时画一个直径略大一些的检验圆,并敲上圆冲标记,作为镗孔和检验镗孔中心的依据。

2. 舵承镗孔检验

(1)镗孔前的准备工作

镗孔所使用的镗排圆度不大于0.03 mm,圆柱度不大于0.03 mm,挠度不大于0.04 mm。

(2)镗孔要求

①精镗前,按各道轴承端面检查圆线,使镗排中心与其同心,其偏差应在0.03~0.1 mm范围内。

②镗孔后检查各轴承孔、孔径、圆度、圆柱度及表面粗糙度,应符合图样要求。若有锥度,要与压入衬套同方向,即顺锥度,不允许倒锥度。内孔镗削经检验认可后方允许切削端部平面,其外形按施工图样,所镗平面必须垂直中心线,垂直度公差不大于0.01 mm/m。

③镗孔后,舵的各道轴承的同轴度应不大于0.3 mm。

(3)检验方法

①精镗前应检查镗排中心,一般采用V形画针工具环绕镗排轴线一周进行检查,如图5-11所示,要求镗排中心与检验圆同心,中心偏差应在规定范

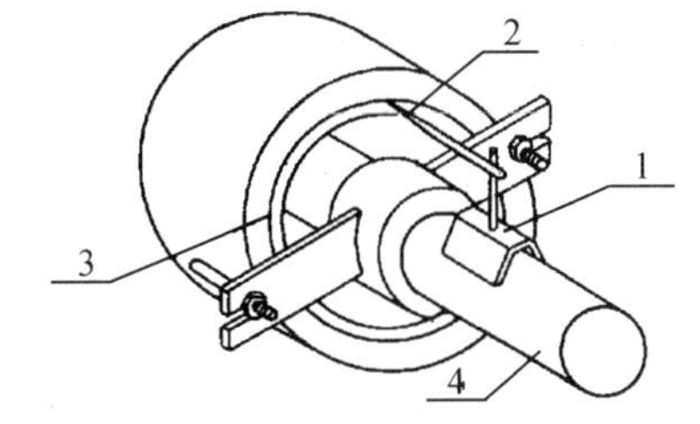

图5-11 V形画针工具

1—V形画针座;2—画针;3—检验圆线;4—镗排

围内。

②在内孔镗削验收合格后，进行轴承端面切削，所镗平面必须垂直于中心线，各道轴承端面切削量符合样棒的要求。

③镗孔后，用内径千分尺测量孔的直径、圆度、圆柱度，并目测表面粗糙度。

④镗孔后，用准直照光仪检验所镗削的各道轴承中心，方法是在每道轴承孔两端安装照光靶架，并用百分表校准照光靶中心，使之与轴承孔同心。根据上舵承及下舵销两端的光靶中心，调整准直照光仪中心，然后检查各道轴承端面光靶十字线的偏差是否符合要求，检验时应记录左、右、前、后方向的偏差。

3. 舵承衬套加工与安装检验

(1)舵承衬套加工检验

①检验要求：上、下舵销衬套外圆按镗孔尺寸配制。过盈量、圆度及圆柱度按图样要求，不允许有倒锥度，表面粗糙度应符合要求；衬套内孔加工尺寸按舵叶上、下舵销外圆配制，按图样及工艺要求加放轴承间隙。

②检验方法：用外径千分尺测量舵承衬套外圆直径（测量上、下部位），计算出圆度及圆柱度，不允许倒锥度，其尺寸应符合过盈配合要求；表面粗糙度用视觉检查；用内径千分尺测量舵承衬套内孔（测量上、下部位），其圆度及圆柱度应符合要求。

(2)舵承衬套安装检验

①检验要求：舵销轴承安装前，复测轴承衬套外径与舵钮孔的配合过盈量。轴承衬套安装一般采用液压压入方法，压入力应符合技术部门提供的压入力要求。

②检验方法：舵上、下轴承衬套安装前，须用内径千分尺复测舵钮镗孔直径，用外径千分尺复测衬套外圆，其测得的实际配合过盈量应符合图样要求。测量前，内、外径千分尺应进行核对；舵上、下衬套安装一般采用油泵压入，压入时应根据油泵的活塞面积及油泵压力计算出压入力，压入力应符合技术要求。一般实际压入力应大于规定的压入力。

4. 舵系安装检验

(1)舵系安装程序

舵叶、舵杆部件制造完毕→舵叶、舵杆运送到船坞→用冷冻法安装上、下舵钮处衬套上舵承，预先吊入舵机舱内→舵杆从围井处吊入→在船坞内装好舵叶用的液压小车→把舵叶放在液压小车上→利用轨道把液压小车移到所需位置→升高液压小车，使舵叶及舵销插入舵钮内→把舵杆放下，利用临时固定螺丝和定位销，使舵杆法兰上的螺孔与舵叶上相应的螺孔对准→用冷冻法安装舵杆与舵叶间连接螺栓→舵杆与上舵承装配好→安装舵叶可拆部分→测量舵叶与舵钮间间隙，并加工止跳块→安装止跳块→舵叶与舵杆连接处用水泥封好→安装舵柄→提交舵系检验→进行舵叶效能实验→在舵柄上做出“0”位标志→涂装→检验。

(2)舵系安装检验内容

①上舵承本体安装；

②舵杆与舵叶安装；

③舵柄安装；

④舵机安装。

(3)检验标准与要求

①上舵承本体基座绞孔及螺栓加工：螺栓表面粗糙度、圆柱度、圆度及螺栓与绞孔的配合过盈量见表 5-8。螺栓与螺孔不允许有倒锥度，上舵承摩擦接触面应大于 60%，用

0.03 mm塞尺检验，在90%上周长的范围内应插不进。

表5-8 螺孔及螺栓加工及配合要求

单位：mm

直径		<30	30～50	50～70
配合值		0～0.01	-0.005～+0.005	-0.01～0
螺孔	圆柱度	0.02	0.02	0.03
	圆度	0.01	0.01	0.02
螺栓	圆柱度	0.015	0.015	0.02
	圆度	0.01	0.01	0.015

②舵杆与舵叶安装要求：舵杆与舵叶连接螺栓安装可采用锤击法安装，也可采用二氧化碳干冰冷冻法安装。若采用冷冻法安装，螺母应在螺栓安装后，待温度恢复到外界温度时再安装，一般为隔天敲紧，并装上防松装置。舵杆与舵叶连接后，检查舵各道轴承的间隙，要求舵中心偏差不大于0.5 mm或1/2的装配间隙，并测量舵间隙，测量记录如图5-12所示；舵销平面的装配间隙，如图5-12所示，其标准参照表5-9所示规定。舵组装后应进行转动轻便性、灵活性检查。

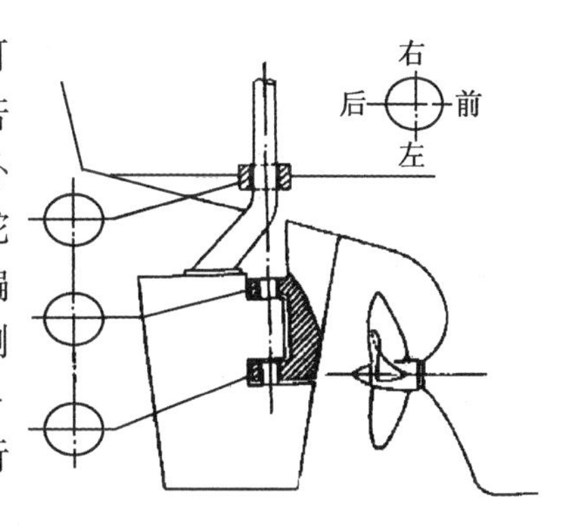

图5-12 舵间隙测量示意图

表5-9 舵销平面装配间隙

单位：mm

上舵杆直径 d	闭锁舵销安装间隙 c_t	舵钮与舵钮或舵叶与舵底托平面间隙 c
<80	16～21	12～17
80～120	18～23	15～20
120～180	20～25	18～23
180～260	22～27	22～27
260～360	24～29	26～31
360～500	26～31	30～35

③舵柄安装：舵杆与舵柄的结构形式有两种，一种是圆柱体连接结构，另一种是圆锥体连接结构，其中圆锥体结构在目前建造的船舶中被普遍采用。圆柱体连接结构的舵柄，安装前应复测舵杆与舵柄的装配过盈量，其值应符合表5-5所示规定值。圆锥体连接结构的舵柄，采用专用液压螺母压入安装，见图5-13，技术部门在装前应提供压入力与压入量的数值，装时应按此要求安装到位。最后将舵叶转至零度，制作舵柄至基准点处的舵零度样棒。

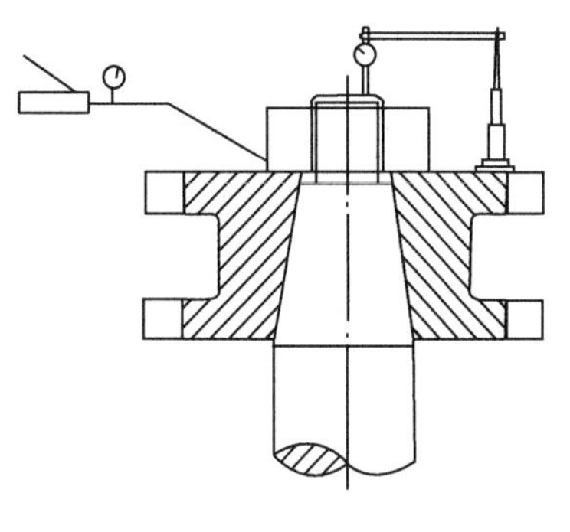

图5-13 舵柄安装图

5. 舵安装要求

按《中国造船质量标准》要求，舵安装要求按表 5－10 所示。

表 5－10　舵安装要求　　单位：mm

<table>
<tr><th colspan="4">项目</th><th>标准范围</th><th>允许极限</th><th>备注</th></tr>
<tr><td rowspan="4">舵钮</td><td colspan="3">与不锈钢衬套过盈量(d_5-d_6)</td><td colspan="2" rowspan="3">0～0.05</td><td rowspan="3">与其他材料衬套过盈按产品说明书</td></tr>
<tr><td colspan="3">与青铜衬套过盈量(d_5-d_6)</td></tr>
<tr><td colspan="3">与铁梨木衬套过盈量(d_5-d_6)</td></tr>
<tr><td colspan="3">与合成材料衬套过盈量(d_5-d_6)</td><td colspan="2">—</td><td>按产品说明书或供货方计算书</td></tr>
<tr><td rowspan="8">舵柄</td><td colspan="3">与舵杆圆柱部分的过盈量</td><td colspan="2">>0</td><td rowspan="8"></td></tr>
<tr><td rowspan="3">舵杆与键的过盈量</td><td rowspan="6">键槽宽度</td><td>≤50</td><td colspan="2">0.015～0.025</td></tr>
<tr><td>>50～120</td><td colspan="2">0.005～0.015</td></tr>
<tr><td>>120～250</td><td colspan="2">－0.005～0.005</td></tr>
<tr><td rowspan="3">舵柄键槽与键的间隙</td><td>≤50</td><td colspan="2">0.005～－0.005</td></tr>
<tr><td>>50～120</td><td colspan="2">0.005～0.015</td></tr>
<tr><td>>120～250</td><td colspan="2">0.015～0.025</td></tr>
<tr><td colspan="3">与舵杆锥体部分接触面</td><td colspan="2">>70%</td></tr>
<tr><td rowspan="3">上舵承</td><td colspan="3">舵承与摩擦片接触面</td><td colspan="2">>50%</td><td rowspan="2"></td></tr>
<tr><td colspan="3">舵承与摩擦片间隙 ΔB_9</td><td colspan="2">≤0.05</td></tr>
<tr><td colspan="3">与键的过盈量</td><td colspan="2">按舵柄要求</td><td>用 0.05 mm 塞尺其插入量度大于 15 mm</td></tr>
<tr><td>舵系中心线</td><td colspan="3">上舵承、上舵钮、下舵钮镗孔后中心线偏差(包括艏艉方向及左右方向)ΔB_{10}</td><td>≤0.3</td><td>≤0.5</td><td></td></tr>
</table>

表 5－10(续)

项目		标准范围	允许极限	备注
轴中心线 舵系中心线 ΔB_{11}	舵系中心线与轴中心线偏差 ΔB_{11}	≤4	≤8	

6. 舵机安装

舵机是保持或改变船舶航向、保证安全航行的重要设备，液压舵机是船舶广泛使用的舵机类型，根据动作方式不同可分为往复式和回转式两类。图 5－14 为液压舵机图。

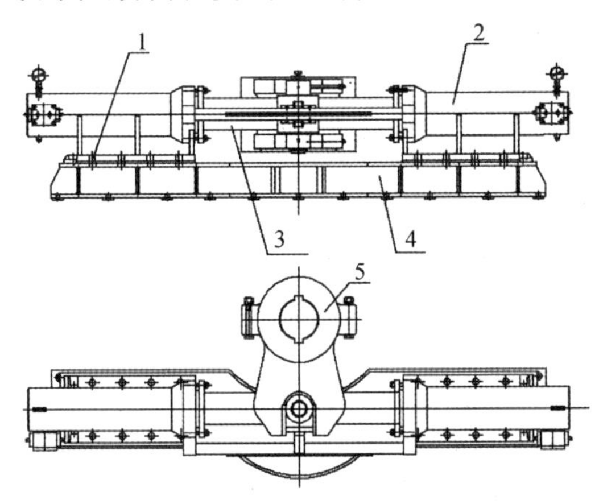

图 5－14　液压舵机图

1—螺栓；2—推舵油缸；3—柱塞；4—底座；5—舵柄

舵机安装要求：

(1)舵机基座焊接垫块加工后，要求用色油检查，在每(25×25) mm^2 面积上应有色油接触 2～3 点，且平面应向外倾斜 1∶100。

(2)在舵叶处于零度位置时，舵机液压缸应处于中间位置，用舵杆上端安装的专用工具，检查舵机液压缸的中心线是否在同一个平面内，其偏差应不大于 0.5 mm。

(3)舵机基座垫片用色油检查，每(25×25) mm^2 面积上应有色油接触 2～3 点，用 0.05 mm塞尺检查应插不进，局部插入深度不大于 10 mm。

7. 舵系安装检验方法

(1)上舵承本体安装与基座绞孔检查

用内径千分尺测量孔径、圆柱度、圆度，用视觉检验孔表面粗糙度，并按孔径尺寸加放过盈量配制螺栓。用外径千分尺测量螺栓，其圆柱度、圆度、表面粗糙度及螺栓过盈量应符合要求。测量时应做好原始记录，安装时应旋紧螺母。

(2)舵杆与舵叶连接螺栓安装

螺栓直径较小的常用锤敲入法安装，螺栓直径大一些的常用二氧化碳干冰冷却螺栓的方法安装。若采用干冰等冷却方法安装，一般将螺栓放入螺孔内，螺母随手旋紧，待螺栓温度恢复到外界温度时，方可用锤敲紧螺母，并装上防松螺母或焊接防松止块。在舵杆与舵叶连接成一体后,即可用塞尺检查舵系各道轴承前、后、左、右四个方向的间隙,根据间隙分析舵系中心是否符合要求,并用钢皮尺测量舵销平面间隙,做好测量记录。最后进行舵转动轻便性检查,用绳固定在舵叶叶尾处,一般用2~5人拉动舵叶,使舵左右转动大于37°,转动应灵活。

(3)舵柄安装检验

对于孔为圆柱体的舵柄,安装前应用外径千分尺复测舵杆轴径,用内径千分尺复测舵柄内孔,测得结果应满足过盈配合要求。此种结构安装时一般采用热套法安装,也可采用油泵压入法,但装配要到位。对于孔为锥体的舵柄,安装时一般采用专用液压螺母压紧,其压紧要求按技术部门提供的压入量与压入力。压入力可由专用液压螺母的有效液压面积乘油压力计算得出。舵柄压入量起始点以舵柄与舵杆贴合算起,一般按压力表起压至2 MPa~3 MPa为压入量起始点,此时将百分表调整为零。在压入过程中,记录压入时百分表读数及油压。压装时,一般压到压入量或轴向压入力有一个先到位时为止。待稳定一段时间后将螺母内油压放掉,用扳手将螺母从旋紧方向敲紧。舵柄压入时应做好液压压力、压入量记录,参见表5-11,并按记录绘制压入力与压入量曲线。

表5-11 舵柄压入记录表

液压压力/MPa	压入力/kn	压入量/mm

(4)舵机安装检验

舵机安装前,应对舵机基座焊接垫块进行检验。舵机安装定位采用样棒检查,舵处于零度状态时,舵机的液缸应处于中间位置。检验方法(图5-15):在舵杆上端的吊装螺孔处安装专用指针式工具,并在其指针的端部安装一只百分表,转动指针检查舵机液缸的基准平面A、B、C、D,四处的百分表读数偏差应在0.05 mm以内,并检查液缸在A、B、C、D四个基准平面的基准点至舵杆中心处的尺寸a、b、c、d,应基本相等。此时,还应检验舵柄与滚柱的间隙g_1、g_2、g_3、g_4,应基本相等。舵柄至液压柱塞十字头平面的间隙,其上平面间隙应略大于下平面间隙(主要是考虑舵经长期使用,上舵承止推轴承会产生一些磨损,而导致舵杆向下)。舵机按上述要求定位安装后,应用色油检验舵机与基座垫片接触面,每(25×25) mm^2面积上应有2~3点,垫片上、下平面处用0.05 mm塞尺检查,应插不进,如局部插入,深度不大于10 mm。舵机基座处四个侧面应安装侧向塞铁,此塞铁应有一定的斜度,其检验要求与基座垫片一样,检验合格后,在侧向塞铁处于用电焊焊牢。舵机安装应做好各项测量记录,记录内容如表5-12和表5-13所示。

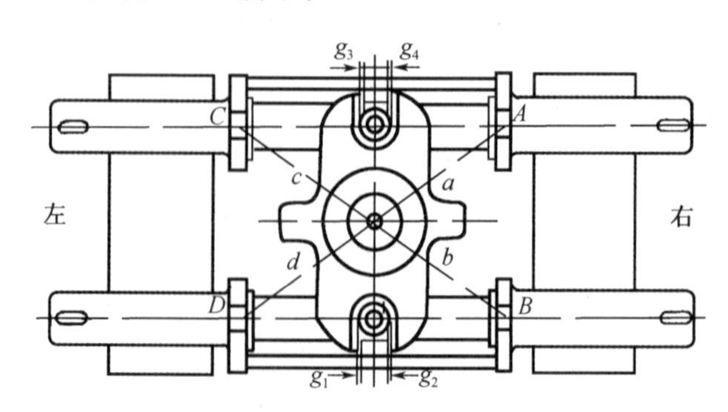

图5-15 舵机安装定位检查

表 5-12 舵机安装测量记录表一

舵机液缸定位 单位:mm

位置	A	B	C	D	a	b	c	d
图样								
实例								

表 5-13 舵机安装测量记录表二

舵柄与滚柱间隙 单位:mm

位置		g_1	g_2	g_3	g_4
测量部位	上部				
	下部				
	上平面				
	下平面				

5.1.2 工作任务训练

图 5-16 是半悬挂舵的结构图,写出 1~11 各构件的名称,写出舵叶制造过程中须检验的项目及相关制造精度要求,设计舵叶制造验收表。

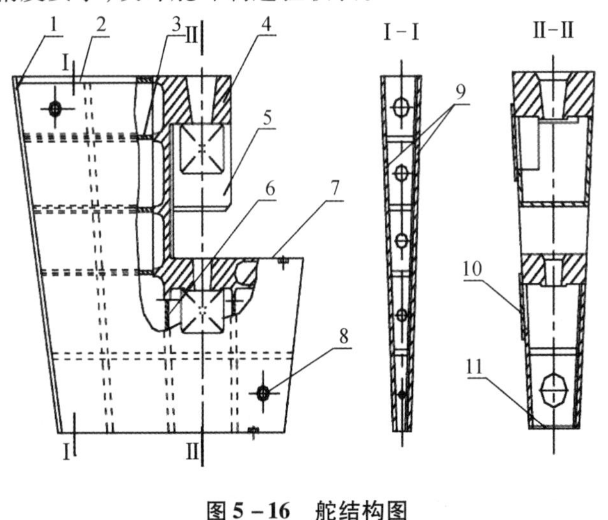

图 5-16 舵结构图

任务 5.2 锚泊及系泊设备安装检验

5.2.1 相关知识

锚设备是甲板主要设备之一,是船舶航行不可缺少的重要设备,船舶在装卸货物、避风、等泊位、自力脱浅、检疫及候潮等情况下都需要锚设备,锚设备的配置就是为了使船舶锚泊时产生足够的锚泊力。此外,锚设备也是船舶操纵的辅助设备,如靠离码头、系离浮筒、狭水道掉头及紧急情况下减刹船速等往往都要用到锚设备。锚设备由锚、锚链、锚链筒、制链器、锚机、锚链舱、锚链管和弃链器等几部分组成。图 5 - 17 是锚设备布置图。

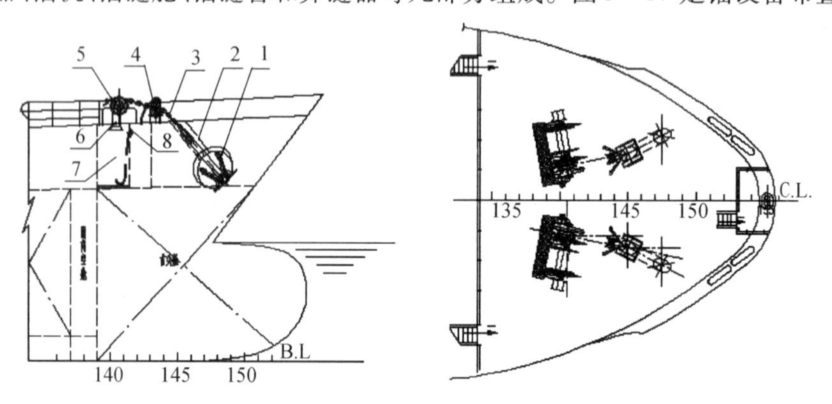

图 5 - 17　锚设备布置图

1—锚;2—链;3—锚链筒;4—制链器;5—锚机;6—锚链管;7—锚链舱;8—弃链器

系泊设备是船舶停靠码头、系泊浮筒、进出船坞时使用的一种专用设施,它由缆索、带缆桩、导缆孔、导缆钳、导向滚轮和系泊绞车等组成。系泊设备随船舶的大小、作业状态和要求不同,其数量及布置也不同。

5.2.1.1　锚、锚链和锚机安装检验

1. 检验的内容

锚机安装检验、锚及锚链安装检验、锚链制链器安装检验,在检验之前应具备以下各项条件:

(1)锚链筒、锚链舱及安装锚链的有关部件均安装、焊接完工,经检验合格;

(2)锚链冲洗、管路安装完工,经检验合格;

(3)锚机基座安装、焊接完工,经检验合格;

(4)锚、锚链和锚机均经验船部门检验合格,产品标记和船检标记齐全。

2. 检验要求与方法

(1)锚机安装要求与检验方法

锚机机座应按图样位置在锚机甲板上焊接,焊缝应符合图样规定的尺寸。表面应光洁,无裂缝、漏焊、焊瘤、弧坑等缺陷。机座上垫片加强板焊接后,应进行平面加工,要求向外倾斜小于 1:100,平面用平板作色油检查,接触面应不小于 60% 。

锚机安装时,应将锚机机座间垫片镶配好,未旋紧底脚螺栓之前,用 0.05 mm 塞尺检查垫片上下接触面之间的缝隙,要求插入深度不大于 10 mm,垫片平面色油接触面应不小于 60% 。

锚机绞缆滚筒端处支架轴承定位安装时,支架轴承底座垫片镶配后,应校对离合器中心,要求离合器平面偏差及外圆偏差均不大于 0.1 mm;打开支架轴承上盖,用塞尺检验轴承两侧间隙,两侧间隙应基本相同。轴瓦下面应接触(或用 0.03 mm 塞尺检验轴承下面,应插不进),如垫片检查符合上述要求时,则可认为支架轴承定位符合要求,锚机垫片检验合格后,旋紧全部底座螺栓,并装上双螺母。

锚机底座还应安装侧向垫片,其倒向垫片的斜度及施工检验要求与机座垫片相同,侧向垫片检验合格后应焊接固定。

(2)锚及锚链的安装要求与检验方法

锚、锚链、转环、连接环安装前,应认真抄录船检的产品编号、制造厂产品编号和锚质量。经检验,其规格、数量符合图样要求时方可装船,并记录各编号。

锚的外观检查应在涂漆前进行,锚和其零件表面不应有裂纹、气孔、砂眼及其他足以影响强度的缺陷,对不影响强度的表面缺陷允许补焊修整。

锚的外形尺寸的误差限度为3%,但每艘船首锚实际质量的总和不得小于规范规定锚重的总和;每个新首锚在配备时的质量误差限度为7%;锚杆的弯曲在1 m长度上不超过3 mm;锚爪转动角允许偏差为 -0.5° ~ +2°;当满足锚的质量偏差时,各部分尺寸允许偏差为4%,但其最大值不得超过20 mm。

锚的试验是指锚的拉力试验。国标G8/T 548—1996规定,质量大于75 kg的锚应进行拉力试验。拉力作用点一端在锚卸扣处,另一端在锚爪上距锚爪尖1/3处,在卸扣处的锚杆上及锚爪每一尖端处各做一标志以便测量间距。无杆锚应同时拉两只爪,先在一面拉试后,再将锚爪转到另一面拉试。施力方法是先逐渐加力至试验负荷的10%,维持5 min,测两标志间距;再逐渐增加拉力至试验负荷,维持5 min,然后降至试验负荷的10%,测两标志间距。如果两次拉试的间距差不超过20 mm,且锚爪可以灵活地转至两侧最大角度,则为合格,否则应在消除缺陷后再进行拉力试验。如果仍不满足要求,就不能验收。

锚链的试验,如需要应进行力学性能复验:

①电焊锚链试验

成品电焊锚链的试验包括拉断试验、拉力试验及力学性能试验。

拉断试验是对锚链中截取的相连的3个链环试样做拉断试验。取样范围及试验负荷应符合国标GB/T 549—1996的规定。试验后,试样无断裂迹象,则试样合格。

拉力试验是对整节锚链所做的试验,应在拉断试验之后进行,要求每根链节都必须做拉力试验。试验后,应对每个链环进行表面质量检查,并在10%的拉力负荷下对整节锚链长度和相连5链环长度进行测量。相邻5链环长度增加量不应超过2.5%。对拉力试验后有严重缺陷和变形的链环应去掉,换上新环,新换的链环仍应进行拉力试验。如果被换环数超过该节环数的5%,则该链节应予以报废。当拉力试验中有过拉断环时,换上新的链环后再进行拉力试验,试验中如又发生断裂迹象,则该链环应报废。

力学性能试验是专对M3级锚链所做的试验。从每4节中不超过27.5 m长的链节上切取一个拉伸试样和两组(每组3个)V形缺口冲击试样,但试样不能从做过拉断试验的链节上切取。试验结果应符合规范中有关规定。

②铸钢锚链试验

成品铸钢锚链须做拉断试验和拉力试验。

拉断试验是从链节中取出3个相连的链环,一般从每4节锚链中取一组试样(即3个相连的链环)进行试验。如果试样达到规定的试验负荷要求后,而未出现断裂迹象,即视为合格。

拉断试验若不合格,则从原来锚链中再割取同样一组试样进行试验。若第二次试样仍不合格,则该节描链为废品。但若这些试验还代表其他几节锚链时,则必须在这批锚链节中的其余每节锚链上取试样,分别进行拉断试验。

拉力试验:拉断试验合格后,要对整节锚链做拉力试验。在试验时各链环相对位置应正确,整节锚链不得有搓扭,在拉力逐渐增加至试验负荷后,应稳定一段时间,一般进行5 min拉力试验后,每链节的残余伸长变形量不得超过原始长度的5%。如果锚链节在拉力试验时发生断裂,允许换上新环进行热处理后再做一次拉力试验,若再不合格,则该锚链节即为废品。拉力试验后,若发现有些链环变形过大,可以换上新环重新做拉力试验,但不合格的链环数超过总环数的5%时,该锚链节即为废品。

按图样要求的锚链节数,通过连接环、转环连接成整根锚链,要求锚链连接安装牢固并浇铅封固定。连接环方向在整根锚链中应在同一个平面内,并要求经过链轮时处于水平方向。检查锚链根部固定情况并做锚装置脱钩试验,锚链末端能从弃锚装置灵活地脱开,检验认可后将锚链装入锚链舱并锁牢,同时检查该装置底座的焊缝质量和锚链在锚链舱内的堆放情况。锚链应在每节锚链的两端作上色漆标记,以便识别锚链抛出的节数,此项工作可放在以后适当的时候完成。

③锚链制链器的安装要求与检验方法

锚链制链器安装位置一般先进行临时安装就位,试验后再进行最后定位。制链器安装要求较高,起锚时,制链器应控制锚链在锚链轮上不发生转链及翻链。在锚链制链器安装的纵向位置,应使锚在收足时(锚应与锚链筒唇口处三点相碰或与船旁板三点相碰,此时,锚贴合良好,不能自由摆动),制链器能将锚链止牢。检验时应确保试验锚在正反两个方向被制止时,贴合均应良好,不能自由摆动。

5.2.1.2　系泊设备安装检验

1. 安装前应具备的条件

(1)带缆桩、导缆钳、导缆孔等系泊设备,目前大都采用钢板焊接结构或将铸钢件焊接固定,其焊缝应符合焊接质量要求。如用铸件制作系泊设备,铸件表面应经过修整,铸件型箱连接处的缝隙须修平到表面,铸件表面不应有尖角、砂眼、裂缝等缺陷。

(2)装船的绞车钢丝绳应符合图样规定的规格、要求,并具有产品质量证明文件。

2. 检验内容

(1)带缆桩、导缆钳、导缆孔、导向滚轮安装检验。

(2)绞缆机安装检验。

3. 安装要求与检验方法

(1)带缆桩、导缆钳、导缆孔、导向滚轮的安装要求与检验方法:上述系泊设备的安装形式,有直接与甲板焊接的,有在甲板上安装加强复板后再焊接的,也有安装在基座上,基座与主甲板焊接的。对于上述几种安装方法,尽管方法不同,但焊接要求是相同的,即焊缝的尺寸应符合图样规定,焊缝应无裂缝、漏焊、焊瘤、弧坑等缺陷。对于少量采用铸钢件的系泊设备,安装时直接将铸钢件与船体结构焊接,其焊接要求同上,上述系泊设备安装后,应检查其安装位置与安装质量。

(2)绞缆机安装要求与检验方法:绞缆装置有锚机附带绞缆装置和起货机附带绞缆装置,此类机组安装归入相应的锚机、起货机安装。专用绞缆装置的安装中,绞缆机的机座应按图样尺寸在甲板上安装、焊接,焊接规格应符合图样规定,焊缝无裂缝、漏焊、焊瘤、弧坑等缺陷。机座上垫块(包括侧向基座)焊后应进行表面加工,要求向外倾斜小于1:100。

5.2.2 工作任务训练

查阅《国内航行海船建造规范》锚泊及系泊设备章节内容，列出锚和锚链的检验要求，制定锚和锚链的检验方案。

任务5.3 舱口盖、桅和门窗等舾装件检验

5.3.1 相关知识

5.3.1.1 钢质水密货舱口盖检验

钢质货舱口盖是重要的船体舾装装置，用来遮蔽舱口、保护舱内货物不受风浪、雨水的侵袭。在船舶装卸货物时，要便于开启和关闭，货舱口盖应具有足够的强度，以保证在规定的风浪或其他设定的负荷下不变形，不会影响使用。

钢质水密货舱口盖一般是由专业厂制造的，船厂检验部门检验有关证书，船厂自己生产，应按船级社的规定，申请船用产品检验，并在制造过程中向验船师和船东提交验收，检验合格的钢质水密货舱口盖，由船级社向制造单位颁发船用产品合格证书。

钢质水密货舱口盖的安装检验有两个内容：一是船上货舱口围板的安装检验，二是在舱口围板上的安装检验和试验。

钢质水密货舱盖的种类很多，常用的有纵向滚动式、折叠式、箱式和横移式等。下面以纵向滚动式货舱口盖为倒，简述货舱口盖的检验方法。

1. 钢质水密舱口盖制作检验

(1)原材料检验

检查原材料的质量证书，并在原材料号料前抽查原材料的表面质量。若发现材料不合格，停止该批材料投入生产或继续加工和组装。

(2)零部件检验

货舱口盖零部件检验采取抽查的方式。零部件装配前应对内场加工质量和钢材外观质量进行复查，如检查T形构件的腹板、面板和密封垫角钢等构件的尺寸，切割边缘的直线度及粗糙度，以及材料表面质量状况。

货舱口零部件检验标准，除了按零部件检验的一般要求外，针对货舱口盖的特点，有其更严格的要求。

货舱口盖零部件焊接后，如因变形超出上述标准，应用火工矫正等方法纠正。

(3)货舱口盖胎架检验

货舱口盖通常在胎架上制造。为保证货舱口盖在船上安装时的精度，所有由几块舱口盖板组成的货舱口都在同一胎架上组装。货舱口盖的胎架为反造胎架。

货舱口盖胎架的检验，应特别注意如下两点：

①在胎架模板安装前，检查平台上舱口盖中心线、角尺线和外框线的准确性；

②检验胎架模板上缘是否在同一水平面上。当工艺上有规定时，检查是否已设置了反变形量。

(4)货舱口盖构架画线检验

对反置于胎架上的货舱口盖的顶盖板,先进行拼板焊接,然后定位,其与胎架模板的间隙为0~2 mm。同属于一个货舱口的几块货舱口盖之间的间隙应接近,板边应平行,达不到此要求时应修割准确。所有中心线、角尺线和构架线应在平台上画线进行检查,检查内容和要求如下:

①长度公差:±2 mm;

②宽度公差:±2 mm;

③对角线长度公差:单块不大于2mm,整舱不大于3 mm;

④相互平行的构架间的平行度不大于1 mm;

⑤中心线、角尺线、外框线都应打上样冲标记;

⑥焊前结构装配检验。

货舱口盖结构装配后、焊接前的检验方法与一般平面分段一样。应特别指出,其检验内容与随后完工检验时的内容基本相同,见表5-14,但应将完工检验时的标准范围当作允许极限来检验。其次需严格检查水密结构部位、货舱口盖下口的平面度和外框的正确性。最后须检查工艺上规定的反变形量是否已经包括。

表5-14 货舱口盖零部件装配质量检验标准 单位:mm

项目	极限范围	备注
T形构件腹板安装位置偏差	±1	
T形构件面板倾斜度偏差	±2	
T形构件面板与腹板的纵向相对位置偏差	±1	
侧板和端板拼接后的平整度及下口边缘的直线度	±1	
侧板、端板的高度尺寸偏差	±1	
密封槽安装在侧板和端板上位置的正确性和垂直度	±1	
压紧扁钢安装位置的准确性和垂直度	±1	

(5)货舱口盖完工检验

货舱口盖反置于胎架上的焊接工作应遵照焊接工艺规定的焊接程序,以使结构变形量减少。货舱口盖于胎架上焊接结束后,反身置于搁架上,焊接未完成的部位经焊接后,用火工矫正变形部位,最后进行完工检验。以滚动式货舱口为例,其检验内容及检验标准见表5-15。同时,还应对货舱口盖进行测量,测量时,货舱盖的搁置状态可进行调整,但不得强行牵引或放置重物,应在自由状态下进行测量。测量结果有超差者应再次矫正,最后将测量所得的主尺度数据填入表5-16。

表 5 – 15 货舱口盖的检验内容和检验标准 单位:mm

项目				标准范围	允许极限	备注
舱口盖整体、单块盖板尺寸偏差 $L_{12}+\Delta L_{12}$ $L_{13}+\Delta L_{13}$ D_3 D_4 D_5 D_6 $L_{10}+\Delta L_{10}$ $L_{11}+\Delta L_{11}$ L_{10}—船长方向舱口盖整体长度; L_{11}—船宽方向舱口盖整体长度; L_{12}—船长方向单块盖板长度; L_{12}—船宽方向单块盖板长度; ΔL_{10}、ΔL_{11}、ΔL_{12}、ΔL_{13}—各长度的偏差; D_3、D_4—舱口盖整体两对角线长度; D_5、D_6—单块盖板两对角线长度	L_{10} L_{12} L_{13}	>1 000 ~ 2 000	ΔL_{10} ΔL_{12} ΔL_{13}	±3	±4	
		>2 000 ~ 4 000		±4	±5	
		>4 000 ~ 8 000		±5	±6	
		>8 000 ~ 12 000		±6	±7	
		>12 000 ~ 16 000		±7	±8	
		>16 000 ~ 20 000		±8	±9	
		>20 000 ~ 24 000		±9	±10	
		>24 000 ~ 28 000				
		>28 000				
	L_{11}	>1 000 ~ 2 000	ΔL_{11}	±3	±4	
		>2 000 ~ 4 000		±5	±6	
		>4 000 ~ 8 000		±7	±8	
		>8 000 ~ 12 000		±9	±10	
		>12 000 ~ 16 000		±11	±12	
		>16 000 ~ 20 000		±13	±14	
		>20 000 ~ 24 000		±15	±16	
		>24 000 ~ 28 000		±16	±17	
		>28 000				
	L_{10} L_{11} L_{12} L_{13}	>1 000 ~ 2 000	对角线长短差 $(D_3 - D_4)$ 或 $(D_5 - D_6)$			L_{10} 与 L_{11} 或 L_{12} 与 L_{13} 中,按小者查表
		>2 000 ~ 4 000				
		>4 000 ~ 8 000				
		>8 000 ~ 12 000				
		>12 000 ~ 16 000				
		>16 000 ~ 20 000				
		>20 000 ~ 24 000				
		>24 000 ~ 28 000				
		>28 000				
单块盖板平面度(即诸梁共同区域的变形) L_{14} f_0 支承 支承 L_{14}—盖板诸梁中最大者; f_0—盖板平面度	L_{14}	≤5 000	f_0			
		>5 000 ~ 15 000				
		>15 000 ~ 25 000				

表 5-16　货舱口盖完工测量记录表　　单位：mm

项目	理论值	测量值	结论
L_1（长度）			
L_2（长度）			
B_1（宽度）			
B_2（宽度）			
D_1（对角线）			
D_2（对角线）			
D_1-D_2（对角线差）			

2. 钢质水密盖安装检验

(1)货舱口围板安装检验

货舱口围板在船体合龙后安装，由于主船体各种分段安装时的误差，会造成货舱口围板的安装偏差。其原因有两方面：一是舱口围板与舱口纵桁或舱口横梁错位，影响强度；二是舱口围板合拢后，其长度和宽度偏差超出质量标准的要求，影响与舱口盖的配合。此外，舱口围板的面板不平，将直接影响到舱口盖的水密性。

舱口围板在装配后（焊接前）进行检验，其检验内容和检验标准见表 5-17。此外，对于参加总纵强度或舱口盖承受货物载荷的舱口围板，还应注意检查舱口纵桁腹板的对接接头，坡口形状应确保能焊透。

表 5-17　货舱口围板安装检验内容和检验标准　　单位：mm

<table>
<tr><th colspan="4">项目</th><th>标准范围</th><th>允许极限</th><th>备注</th></tr>
<tr><td rowspan="16">舱口围开口尺寸偏差 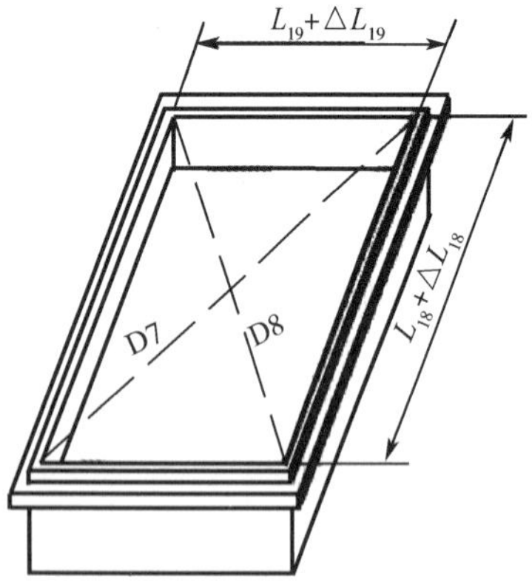
L_{18}—船长方向舱口围开口长度；
L_{19}—船宽方向舱口围开口长度；
ΔL_{18}、ΔL_{19}—对应于 L_{18}、L_{19} 长度偏差；
D_7、D_8—舱口围开口对角线长度</td><td rowspan="16">开口长度 L_{18} 或 L_{19}</td><td>>1 000~2 000</td><td rowspan="16">对角线长度差（D_7-D_8）</td><td></td><td>±8</td><td rowspan="16"></td></tr>
<tr><td>>2 000~4 000</td><td></td><td>±10</td></tr>
<tr><td>>4 000~8 000</td><td></td><td>±13</td></tr>
<tr><td>>8 000~12000</td><td></td><td>±16</td></tr>
<tr><td>>12 000~16 000</td><td></td><td>±19</td></tr>
<tr><td>>16 000~20 000</td><td></td><td>±22</td></tr>
<tr><td>>20 000~24 000</td><td></td><td>±24</td></tr>
<tr><td>>24 000~28 000</td><td></td><td>±26</td></tr>
<tr><td>>28 000~32 000</td><td></td><td>±28</td></tr>
<tr><td>>32 000~36 000</td><td></td><td>±30</td></tr>
<tr><td>>36 000~40 000</td><td></td><td>±32</td></tr>
<tr><td>>40 000~44 000</td><td></td><td>±34</td></tr>
<tr><td>>44 000~48 000</td><td></td><td>±36</td></tr>
<tr><td>>48 000~52 000</td><td></td><td>±38</td></tr>
<tr><td>>52 000~80 000</td><td></td><td>±40</td></tr>
<tr><td>>80 000</td><td></td><td>±45</td></tr>
</table>

表 5－17(续) 单位:mm

<table>
<tr><th colspan="4">项目</th><th>标准范围</th><th>允许极限</th><th>备注</th></tr>
<tr><td colspan="2">舱口围侧板直线度
a_{23}、a_{24}—舱口围侧板每 3 000 mm 长度处变形的波峰、波谷距测量基准线距离</td><td colspan="2">$|a_{23}-a_{24}|$</td><td>≤4</td><td>≤5</td><td></td></tr>
<tr><td rowspan="7">L_C—压紧条长度;
f_6—舱口围压紧条平面度值</td><td rowspan="3">后装压紧条</td><td>≤3 000</td><td rowspan="7">f_6</td><td>≤2</td><td>≤3</td><td rowspan="7">局部测量时:1 m 长度内其平面度应不大于 2 mm</td></tr>
<tr><td>>3 000～13 000</td><td>≤3</td><td>≤4</td></tr>
<tr><td>>13 000～28 000</td><td>≤4</td><td>≤5</td></tr>
<tr><td rowspan="2">先装压紧条(焊劳)L_C</td><td>≤7 000</td><td colspan="2">≤2</td></tr>
<tr><td>≤28 000</td><td>≤2</td><td>≤3</td></tr>
<tr><td rowspan="2">无压紧条(滑移橡胶密封条)</td><td>≤14 000</td><td>≤2</td><td>≤3</td></tr>
<tr><td>≤28 000</td><td>≤3</td><td>≤4</td></tr>
</table>

舱口围板焊接后应对焊缝进行检验。对参加总纵强度的舱口围板对接缝还要进行无损探伤检查,对围板顶缘及其开口边缘的粗糙度也要予以注意。

2. 货舱口盖船上安装后检验

货舱口围板安装焊接后,在面板上安装压紧条、垫板、导轨和导板等附件。在这些附件装配焊接和现场加工后,进行货舱口盖及启闭设备的安装。围板上附件和舱口盖在舱口围板上的安装精度,一般要现场抽检。检查时,要特别注意水密结构、启闭运动装置和舱口盖边板与舱口围板面板之间的间隙。舱口盖在船上安装结束后,须按下列内容进行试验和检验。

(1)开启和关闭舱口盖各两次,检查其运动的可靠性和操作的方便性;

(2)对舱口盖进行密性试验,不得有渗漏现象,冲水试验要求喷嘴直径应不小于 16 mm

（对于船长小于 90 m 的船舶，可选用 13 mm），水压力不小于 1 MPa，冲水时喷嘴至试验接缝处的距离不得大于 3 m，并向接缝处垂直喷水；

（3）首制船的液压操纵舱盖板，应任选一舱用起货杆做应急启闭试验。

除了以上试验和检验外，有关机电方面的要求按技术文件执行。另外对承受较大负荷的舱口盖（如集装箱船），应按技术文件规定的程序进行其他试验。

5.3.1.2 桅、起重柱和吊货杆检验

桅、起重柱和吊货杆都是起货设备中的主要结构件。其中，吊货杆是船级社规定的船用产品，必须通过船级社检验，合格后发给船用产品证书。桅、起重柱和吊货杆都由成段圆柱形壳和锥体壳组装焊成。桅、起重柱和吊货杆可在简易模板胎架上装配，焊接方式一般采用自动焊和半自动焊。桅、起重柱和吊货杆的主要质量特性：一是焊缝的质量，二是壳的圆度和轴向直线度。

1. 桅、起重柱、吊货杆的制造检验

（1）检验内容

①原材料检验：核查桅、起重柱和吊货杆的原材料质量证书，并在号料前抽查原材料的外观质量。无论在号料前或加工过程中，当发现有材质不合格或外观质量不合格时，检验员应及时制止该材料投入生产或继续加工和组装。

②加工质量检验：桅、起重柱和吊货杆内场加工时，一般采取抽查的形式，其中应重点检验壳圈等零部件的圆度和纵向边接缝的直线度。此外，应按一般船体零部件的加工检验要求，检查坡口的形式和粗糙度等。

③装配检验：桅、起重柱和吊货杆在胎架上装配后，检查壳圈板和胎架的紧贴度；检查直线度；检查壳圈的直径和圆度；检查对接缝的间隙、错边和坡口形式。

④焊接质量检验：验证是否使用规定等级和种类的焊接材料；焊缝外观检查，要求无裂纹和咬边，构件及零部件端部的包角焊应完整，焊喉尺寸符合要求；桅、起重柱和吊货杆的纵横对接焊缝应用射线或超声波探伤检查。横缝探伤长度应不少于其总长度的 25%，且应包括每一个纵横焊缝交叉点，纵缝可进行抽查。焊缝的内在质量也可采用其他等效方法进行检查，但须经验船师同意。

（2）检验标准

桅、起重柱和吊货杆的加工、装配应按表 5－18 和表 5－19 的规定值进行检验。

表 5－18 桅及起重柱制造检验标准　　单位：mm

项目	标准范围	允许极限	备注
直径偏差	$\pm\frac{1}{150}D$ 且≤±5.0	且≤$\pm\frac{1}{100}D$	D 为圆柱直径
直线度	$\pm\frac{1}{200}D$ 且≤±5.0	$\pm\frac{1}{150}D$ 且≤±7.5	
对接缝的错边量	≤$0.1t$	≤$0.15t$	t 为较薄一侧板的厚度
圆度	$\pm\frac{3}{1\,000}D$ 且≤±5.0	$\pm\frac{5}{1\,000}D$ 且≤±15	

表 5－19 吊货杆制造检验标准

单位:mm

项目	标准范围	允许极限	备注
长度偏差	±7	$\pm(5+\frac{5L}{1\ 000})$	L 为桅或起重柱的全长
直线度	$\leqslant\frac{L}{1\ 000}$且$\leqslant 10$	$\pm(5+\frac{5L}{1\ 000})$	
直径偏差	$\pm D/200$ 且最大为 ±5.0	$\pm D/150$ 且最大为 ±7.5	D 为圆柱直径
对接缝的错边量	$\leqslant 0.1t$	$\leqslant 0.15t$	
吊杆叉头处圆度	≤1	≤2	
吊杆叉头处与眼板的安装角度偏差	≤1°	≤2°	

2. 桅和起重柱安装检验

(1)检验内容

①定位检验

桅和起重柱在船上安装时,应根据甲板上的船中线检查桅和起重柱中心线的偏差,可采用经纬仪测量桅和起重柱上端的中心线,检查其纵横向的倾斜度,并利用近甲板的基准线与桅和起重柱上的基准线来测定它们的高度。

②装配检验

桅和起重柱在船上安装时,一般都穿过一层甲板后坐落在下一层甲板上,也就是桅和起重柱与船体的连接具有两个支点。装配检查时应按图样查对桅和起重柱与甲板连接的形式,船舶建造规范一般有如下规定:

当桅或起重柱的端部固定在强力甲板上时,其根部应开单面坡口与甲板焊接;

当桅或起重柱穿过强力甲板固定在下层甲板时,则与桅或起重柱连接处的强力甲板应开双面坡口焊接,桅或起重柱的根部应开单面坡口与下层甲板焊接。

③焊接检验

由于起重柱与桅主要是与甲板连接固定,因此该两处的焊缝强度非常重要,检验员应对该两处焊缝加强现场检查。在焊接前核查坡口形式和焊接部位的清洁程度;焊接中,检查焊工是否采取了适当的焊接规范和用小直径焊条进行打底焊等;焊接后,检查焊缝表面质量。

起重柱、桅与甲板连接的角焊缝,一般不进行无损探伤。

(2)检验标准

桅和起重柱安装质量检验标准,见表 5－20。

表 5 – 20　桅和起重柱的安装检验标准　　单位:mm

项目		标准范围	允许极限	备注
ΔL_2　$H+\Delta H$　ΔL_1	桅、起重柱中心线位置偏差 ΔL_1	≤3	≤5	
	垂直度 ΔL_2	≤1H/1 000	≤2H/1 000	
	高度偏差 ΔH	±10	—	

5.3.1.3　门、窗、盖及其他舾装件检验

这里所指的门、窗、盖及其他舾装件主要指水密门、小舱口盖和舷窗等,船体开口处的关闭装置,以及舷梯、引水员软梯和机械升降器等舾装件。

上述产品通常由专业制造厂生产。船级社将这些产品列入船用产品范围,因此这些产品的制造均须按规定向船级社申请船用产品检验。船厂检验部门对这些产品实施进厂入库检验,同时在船上安装时向验船师提交安装质量检验。

1. 门、窗、盖安装检验

(1)检验内容

门、窗、盖都是船体上的小型风雨密关闭装置。由于门、窗、盖在船上的数量比较多,船厂一般仅在安装过程中进行抽查,其检查内容包括如下几方面。

①查阅水密门、舷窗、小型风雨密舱口盖的船用产品合格证,并核对实物钢印或标志。

②按船级社审查批准的图纸检查门、窗、盖的开口位置。应特别注意干舷甲板上的风雨密门和小型风雨密舱口盖,对于风雨密门,应重点检验门槛高度,对于小型风雨密舱口盖,重点检查围槛离甲板的高度。

③门、窗、盖安装后,检查结构完整性、牢固性和启闭性能。

④检查所有焊缝处的焊接质量。

⑤检查门、窗、盖的密性。一般先用白粉黏附法检查密封的安装质量,然后在一批门、窗、盖安装结束后,按船级社的规定进行冲水试验,其范围规定如下:

干舷甲板以下船舷两侧的舷门和舷窗,以及艏艉门等;

干舷甲板上和开敞的上层建筑甲板上人孔或小舱口关闭装置,机舱天窗;

干舷甲板上,第一层甲板室或上层建筑的门、窗;

干舷甲板上,第二层具有通往干舷甲板以下通道的甲板室或上层建筑围壁上的门;

水密舱壁上的门及开口关闭装置;

上述位置以外的门、窗及开口关闭装置可进行淋水试验。

(2)检验标准

门、窗、盖的安装质量检验标准分别参见表 5 – 21 至表 5 – 23。

表 5－21　风雨密门安装检验标准

单位：mm

项目		标准范围	允许极限	备注
门框 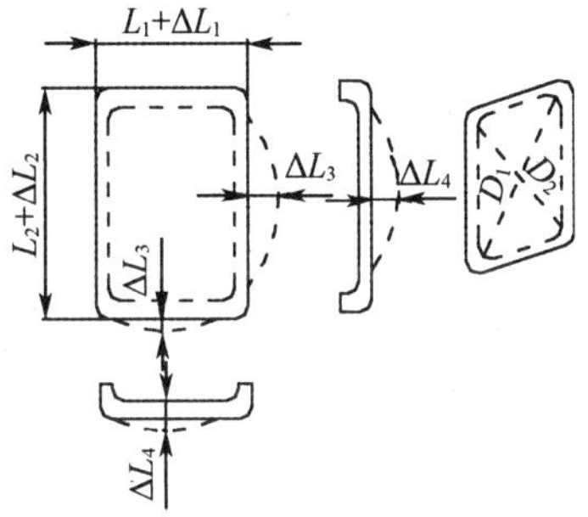	宽度偏差 ΔL_1	±2.0	±4.0	
	高度偏差 ΔL_2	±2.0	±4.0	
	对角线长度差 D_1-D_2	±2.0	±4.0	
	扭曲度	≤2.0	≤3.0	两对角线中点之间距离
	直线度 ΔL_3	≤1.0	≤3.0	
	平面度 ΔL_4	≤1.0	≤3.0	
围壁开孔 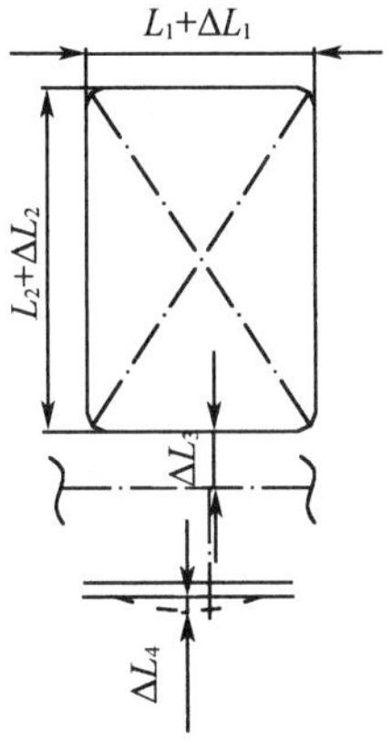	宽度偏差 ΔL_1	±4	±6	
	宽度偏差 ΔL_2	±4	±6	
	对角线长度差 D_1-D_2	±2	±4	
	门槛高度（最低点）偏差 ΔL_3	+15 0	+30 －10	
	开孔处围壁平面度 ΔL_4	≤2	≤3	
门安装 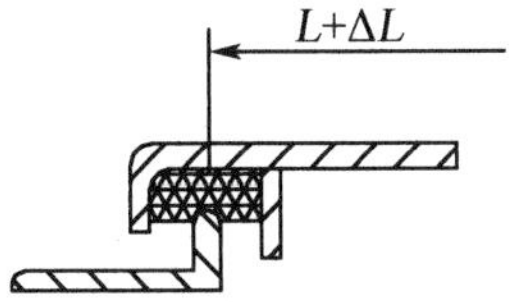	门槛高度偏差	+15 0	+30 0	
	门中心垂直度	≤2L/1 000	≤2L/1 000	L为密封垫距门中心距离
	密封垫距门中心偏差 ΔL	±2		

表 5-22　矩形窗和舷窗安装检验标准

单位:mm

项目		标准范围	允许极限	备 注
矩形围壁开孔 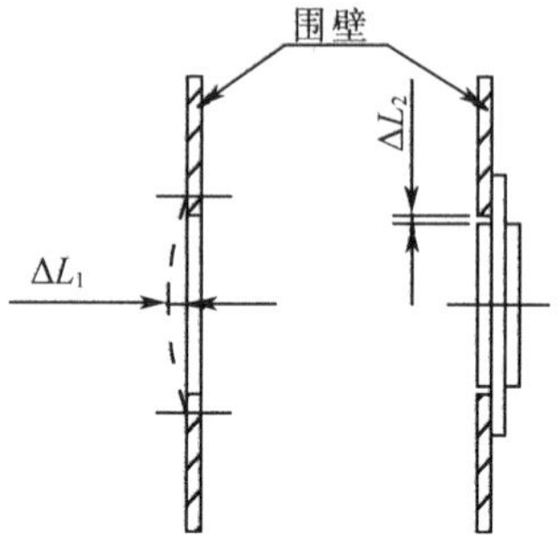	开孔处围壁平面度 ΔL_1	≤2	≤3	
	窗座与窗开孔间隙 ΔL_2	≤1	≤2	
舷窗围壁开孔 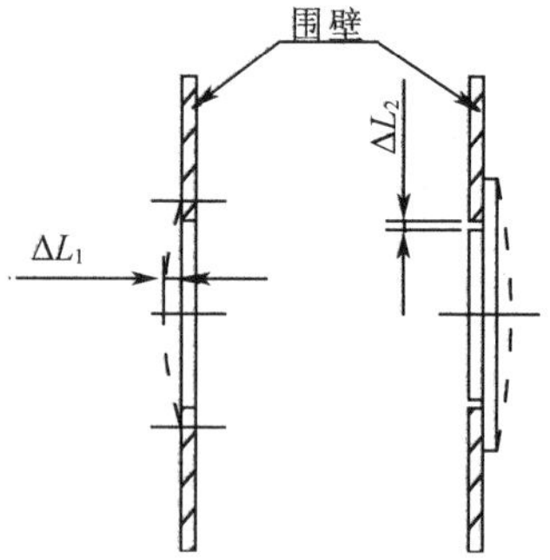	开孔处围壁平面度 ΔL_1	≤1	≤1.5	
	窗座与窗开孔间隙 ΔL_2	≤1	≤2	

表 5-23　风雨密小型舱口盖安装检验标准

单位:mm

项目		标准范围	允许极限	备注
盖 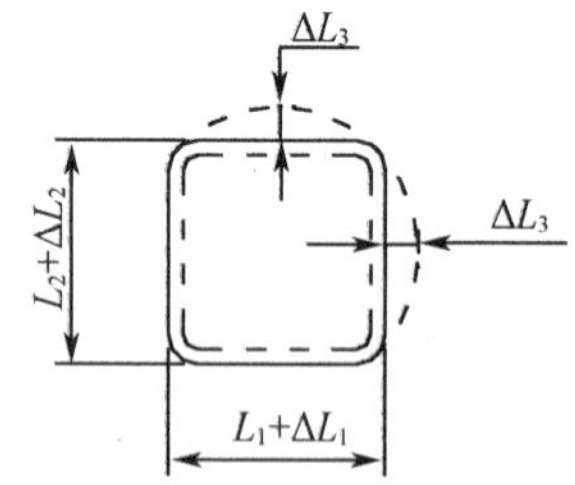 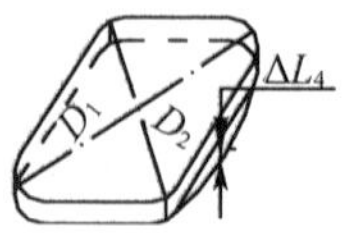	宽度偏差 ΔL_1	±3	±5	
	高度偏差 ΔL_2	±3	±5	
	对角线长度差 $D_1 - D_2$	±2	±4	
	扭曲度	≤2	≤3	两对角线中点之间距离
	直线度 ΔL_3	≤1	≤2	
	平面度 ΔL_4	≤1	≤3	

表 5-23(续)

项目		标准范围	允许极限	备注
舱口围槛	长度偏差 ΔL_1	±2	±5	
	宽度偏差 ΔL_2	±2	±5	
	对角线长度差 D_1-D_2	±2	±4	
	高度(最低处)偏差 ΔL_3	+6 0	+20 0	
	扭曲度	≤2	≤3	两对角线中点之间距离
	直线度 ΔL_4	≤1	≤3	
	平面度 ΔL_5	≤1	≤3	

2. 舷梯、引航员梯检验

舷梯、引航员梯均由专业制造厂生产,是人员登船所用设备,大多用铝合金制成。舷梯、引航员梯、舷梯吊架及横担、吊梯滑车和钢索等都必须经过船级社的检验,检验合格后由船级社发放船用产品检验合格证,船厂仅进行安装检验和安装后的各种试验。

(1)设备上船前检验

检查舷梯、引航员舷梯、软梯及机械升降器、舷梯吊架及横担、吊梯滑车及钢索等产品的船用产品合格证、实物钢印或标志,并进行外观检查。

(2)设备安装检验

检查设备在船上的安装情况。舷梯安装后,应检查吊架钢索、滑车及有关结构件的安装和焊接质量。与船体结构相连接的部位既要装配正确、焊接牢固,又要注意防止损伤船体结构,滑车基座穿通钢索对,不允许任意切割船体结构。

对于引航员舷梯,应检验其是否已按规定安装在船舷平直部分,且向船首方向倾斜,它的布置应避开舷旁排泄口。对于引航员软梯,应检查系固区域的照明条件,确认船舷外边的引航员舷梯及登船地点均能充分照亮。此外应检查舷墙门的设置是否符合图样要求,且便于引航员登船。

3. 导流管制造与安装检验

船舶安装导流管能提高螺旋桨的推进效率。导流管的制造或安装位置的偏差,都有可能影响螺旋桨的安装质量及导流管的功能。

(1)导流管制造检验

①检验内容:核查钢板和铸锻件的材质证书;检查导流管内圈围板和筋板在胎架上装配的正确性;焊接如有特殊要求时,对焊缝应进行无损探伤;按船级社有关规定进行充气试验,试验气压为 0.02 MPa ~ 0.03 MPa。如因结构原因,气压试验也可在船上安装后进行。气压试验后,不应有变形和渗漏现象。

②制造检验标准:导流管制造检验按船体部件检验标准检查外观、焊缝质量、导流管的

测量应按表 5－24 所示标准。

表 5－24　导流管制造检验标准　　单位：mm

项目		标准范围	允许极限	备注
中心线位置偏差		±1	±2	
长度偏差		±4	±6	
直径偏差	导边	±4 －0	+6 －2	
	随边	+4 0	+6 －2	
	颈部	+4 0	+6 0	
圆度		≤4	≤8	

（2）导流管安装检验

①检验内容：导流管安装后检查流管构架与船体结构的吻合状态；按轴线测量导流管的安装位置；检查工艺规定的反变形措施是否已经落实；检查焊缝质量。

②检验标准：导流管船上安装检验标准如表 5－25 所示。

表 5－25　导流管安装检验标准

项目	标准范围	允许极限	备注
导流管导边距艉轴壳后端面的尺寸偏差	±3	±5	扣除艉轴壳后端面加工余量
导流管中心与轴线高度偏差	±2	±3	
导流管中心距离基线高度偏差	±2	±3	
导流管中心距离船台中心线高度偏差	±2	±3	
角接缝间隙	≯2	≯3	
十字形接头错位	≤1/4t	≤1/3t	
与船体结合部线型光顺	光顺	光顺	

4. 扶梯、栏杆、扶手和通风帽检验

扶梯、栏杆、扶手是人员在船上行走时安全所必需的舾装件，其布置应合理、整齐，装焊应牢固。通风帽是舱室通风所必需的舾装件，由于它开口于各层甲板，因此应有足够的高度和结构强度。

(2)导流管安装检验

船厂对于扶梯、栏杆、扶手和通风帽等船体舾装件的安装质量采取抽查的方式,发现不符合质量标准的地方,应随时向操作者指出并予以纠正。

扶梯检验内容包括扶梯垂直度、踏步平行度和间距的均匀性,以及焊接牢固性等。

栏杆检验内容包括垂直度、间距、高度,以及焊接外观整齐、光顺。

通风帽检验的重点是结构强度和高度。

②安装检验标准:扶梯、栏杆和通风帽的安装检验标准参见表5-26。

表5-26 扶梯、栏杆、通风帽安装检验标准

单位:mm

产品名称	项目		标准范围	允许极限	示图
直梯	本体尺寸	宽度偏差	±3	±5	
		踏步间距偏差	±2	±4	
	安装尺寸	踏步平行度	±2	±3	
		垂直度	±5L/1 000	±5L/1 000	
斜梯	本体尺寸	宽度偏差	±5	±10	
		踏步间距偏差	±2	±4	
		踏步平行度	±2	±3	
		踏步倾斜度	±1	±1	
	安装尺寸	倾斜度	±1	±1	
栏杆	安装尺寸	宽度偏差	±3	±3	
		纵向间距偏差	±5	±5	
		垂直度	±5	±5	
通风帽	安装尺寸	围板高度偏差	+5 0	+5 0	
		通风管与基线垂直度	5L/1 000	5L/1 000	

5.3.2 工作任务训练

查阅《中国造船质量标准》舱口围制造要求部分,列出舱口围开口尺寸偏差标准范围和允许极限,并制定舱口围尺寸测量方案。

任务5.4 住舱舾装检验

5.4.1 相关知识

住舱舾装是指上层建筑内各种船员或旅客住室和各种专用舱室内的舾装件或舾装单元的安装作业。住舱舾装检验包含船体绝缘敷设检验、甲板敷料敷设检验和舱室内部的装饰检验。

5.4.1.1　绝缘敷设检验

1. 常用绝缘材料

为保证满足《海上人命安全公约》有关防火的要求，改善船员在船上的工作环境，达到隔热、隔声的效果，满足船旗国主管机关对船舶噪音和安全的有关要求，住舱舾装时将绝缘材料敷设于壁板、天花板和地面，使船舶能达到规范和各种规则规定的防火、隔热和隔噪要求，以保证船员生命财产的安全，以及良好的工作条件和舒适的居住条件。常用的绝缘材料有矿棉、岩棉、陶瓷棉和超细玻璃棉。舱室内装板常用硅酸钙板和复合岩棉板，复合岩棉板外形美观、安装简便、隔热隔声效果理想，因此复合岩棉板得到了越来越广泛地应用。

敷设耐火绝缘材料应符合《国际海上人命安全公约》（SOLAS）和船舶建造规范有关防火的要求。根据 SOLAS 的规定，将船上的空间按其性质和功能划分成不同的防火区域，共分为 A 级分隔、B 级分隔和 C 级分隔三个级别，参见表 5－27。防火隔堵、驾驶室、报务室和机舱等应用 A 级分隔、一般的起居舱室可采用 B 级分隔。

表 5－27　耐火标准试验的要求

<table>
<tr><td rowspan="3">耐火标准试验</td><td>试样体积</td><td colspan="5">高 2.4 m　面积 4.65 m²</td><td rowspan="3">材料</td><td rowspan="3">等级</td></tr>
<tr><td>时间/min</td><td>5</td><td>10</td><td>15</td><td>30</td><td>60</td></tr>
<tr><td>温度/℃</td><td>538</td><td>704</td><td>760</td><td>843</td><td>927</td></tr>
<tr><td rowspan="4">A 级耐火分隔（舱壁或甲板）</td><td rowspan="2">背火面温度</td><td colspan="5" rowspan="2">平均稳升不超过 139 ℃；最高温度不超过 180 ℃</td><td rowspan="4">钢或同等材料</td><td>A－60</td></tr>
<tr><td>A－30</td></tr>
<tr><td rowspan="2">要 求</td><td colspan="5" rowspan="2">60 min 后，烟及火焰不得穿过</td><td>A－15</td></tr>
<tr><td>A－0</td></tr>
<tr><td rowspan="3">B 级耐火分隔（舱壁）</td><td rowspan="2">背火面温度</td><td colspan="5" rowspan="2">平均稳升不超过 139 ℃；最高温度不超过 225 ℃</td><td rowspan="3">不燃材料</td><td>B－15</td></tr>
<tr><td>B－0</td></tr>
<tr><td>要 求</td><td colspan="5">30 min 后，火焰不得穿过</td><td></td></tr>
</table>

2. 绝缘敷设检验

进行绝缘敷设检验时，首先要确认各区域所敷设的绝缘材料与绝缘布置图所要求的绝缘材料是否一致、绝缘敷设区域和方式是否符合绝缘布置图的要求，然后验证绝缘敷设的平整性，确认无漏敷和少敷等现象，最后，做好检验记录，收集好所有绝缘材料说明书和有关证书，绝缘记录表参见表 3－28。在进行耐火绝缘敷设检验时，还应检查耐火绝缘材料是否按相应的敷设准则来进行安装，并收集好各类耐火绝缘材料说明书和有关证书，以备验船师验证。

绝缘敷设检验要点如下：

（1）在外敷材料安装之前，要检查该区域所敷设的绝缘材料与绝缘布置图所要求的材料的一致性；

（2）检查绝缘敷设范围与绝缘布置图所要求范围的一致性，并注意过渡区域的敷设，确认无漏敷、少敷或在接缝处留有间隙等现象；

(3)检查围壁上绝缘材料的下缘与距离,保持在50 mm左右;

(4)检查绝缘在构架处的敷设形式,采用搭接式或嵌接式中的一种;

(5)检查固定绝缘所用的碰钉的密度,一般每平方米不少于16只,且排列整齐,固定牢固;

(6)检查热绝缘敷设后的平整性,构架外部凸出部分的边缘、接缝均应整齐;

(7)做好检验记录;

(8)收集好所有的使用绝缘材料说明书和有关证明,与验收记录表存在一起,以备验船师验证。

表5-28 绝缘记录表

区域	绝缘部位		
	________甲板	________甲板上纵壁	________甲板上横壁

检验者__________

3. 甲板敷料敷设检验

(1)甲板敷料

为了提高居住舱室的舒适性,一般在甲板上敷设甲板敷料。根据《国际海上人命安全公约》对船舶防火的要求,甲板敷料除了满足舒适性的要求之外,还须达到船舶的防火要求。甲板敷料一般在专门的生产厂组织生产,大致有下述一些类型。

①基层薄型甲板敷料:主要用于钢板表面或其他甲板敷料层表面平整度的调整,使聚氯乙烯地砖或地毯与甲板敷料之间接触良好。

②耐火型甲板敷料:此类甲板敷料除提高舱室地面的舒适性之外,还须满足有关公约、规范、规则、规定的耐火等级的要求。生产厂商根据不同耐火等级的要求来生产不同型号或规格的甲板敷料。

③浮动耐火甲板敷料:主要应用于阻止振动源噪声的传递,把船舶舱室的内装板系统完全安装于浮动地板之上,吸收声波,阻碍声波的传播,使舱室的噪声控制在有关规范、规则所要求的水平上,见图5-18。

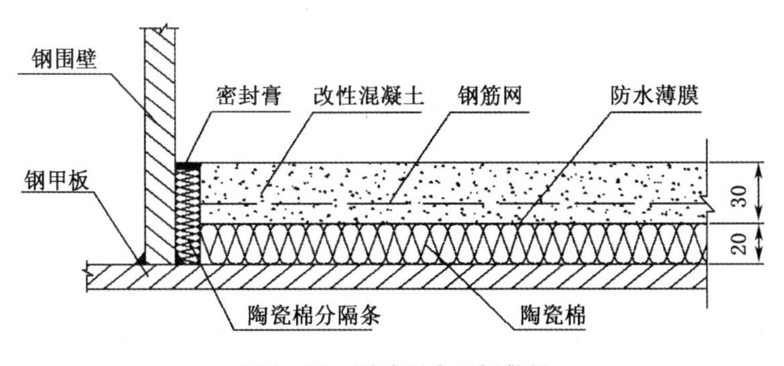

图5-18 浮动耐火甲板敷料

④聚氯乙烯地砖、地毯:主要用于舱室内地板表面的装饰,增加舱室室内的美观程度和居住的舒适性。

⑤马赛克、瓷砖:主要用于增加潮湿房间的美观程度和舒适性,且便于这类房间的清洁和干燥。

在进行甲板敷料敷设检验时,要根据甲板敷料布置图和甲板敷料使用说明书的要求,对每个舱室的甲板敷料分各个敷料层进行检验。

(2)基层甲板敷料敷设检验

甲板敷料检验一般按具体船舶舱室的区域、甲板敷料布置图和甲板敷料使用说明书的要求,分各个敷层进行检验。检验要点如下:

①在敷设前,做好钢甲板表面的准备工作。钢板表面应无油污、油漆和其他不洁净的杂物、垃圾等。

②甲板敷料敷完后,进行甲板敷料的表面检验。

③检查甲板敷料的配比和调和的正确性。

④检查甲板敷料的技术说明与甲板敷料布置图的要求是否一致,并收集好各类甲板敷料说明书和证书,以备验船师验证。

⑤面层甲板敷料检验时要验证甲板敷料的平面度,一般控制在 3 mm/4 m^2,且敷料表面平整、光滑,印迹不允许超过 4 只/m^2。

⑥对于浮动地板,还须检验浮动地板四周的节点,是否与四周钢壁隔离良好,钢壁与浮动地板岩棉接口处的密封是否良好。

⑦检查甲板敷料各层的厚度与总厚度是否满足敷料布置图和甲板敷料说明书的要求。

⑧做好检验记录。

(3)聚氯乙烯地砖或地毯的铺设检验要点

①各舱室所用的地砖和地毯的型号和色彩应完全符合甲板敷料布置图的要求,铺设方法应符合图纸的敷设工艺和产品说明书的要求。

②检查粘贴前的地板表面,应无油污、油漆和其他不洁净的杂物、垃圾等。

③检查粘贴的牢固度,无脱胶现象,板(毯)缝排列整齐。

④检查拼板的紧密度,间隙须小于 0.5 mm,验证地砖或地毯花纹的统一性和方向的一致性。

⑤检查拼缝隙的直线度,每米应小于 1.5 mm。

5.4.1.2 舱室内壁和天花板安装检验

1. 居住舱室内壁板和天花板材料

上层建筑钢质围壁围成的区域往往很大,所以常使用预制板作壁板和天花板将其分隔成各种舱室和套间。从舱室分隔和装饰的要求出发,壁板和天花板不仅应有防火和隔音的要求,而且它们的设置位置应能遮盖管路、电缆、风管和钢骨架等设施,以便壁面的装饰。

船舶居住舱室内壁板和天花板按材料分类,主要有下列几种:

(1)木衬档和胶合板系统;

(2)硅酸钙板系统;

(3)复合岩棉板系统。

2. 木衬档的安装检验要领

(1)检查木衬档的规格尺寸、材质、布置密度,以及与钢围壁的连接方式和图纸要求的一致性，并根据现场情况进行施工。

（2）验证木衬档的布置是否符合图纸要求，并结合各舱室的具体情况合理安排，保证天花板和壁板具有一定的刚度和强度。衬档要和顺平直，衬档构成面的平面度必须符合后续工序的施工要求。高级舱室的壁板平面度为 3～4 mm/4 m^2，顶板的平面度为 5 mm/4 m^2。普通舱室壁板平面度为 5 mm/4 m^2，顶板的平面度为 6 mm/4 m^2。

（3）必须严格按照图纸要求，检查完工后舱室的净高度。

3. 复合岩棉板系统的检验

（1）检查壁板和顶板的排列与图纸的一致性。

（2）检查壁板的平整度，应不大于 1 mm/m^2。

（3）检查壁板对饰面地板的垂直度，应不大于 3 mm/2 m。

（4）检查同一舱室同方向壁板与衬板间平行度，应不大于 4 mm。

（5）检查壁板和顶板相邻板材间平面错位，应不大于 0.5 mm。

（6）检查壁板和顶板相邻板材间缝隙，应不大于 2 mm。

（7）检查顶板对壁板的垂直度（限甲板高度内），应不大于 5 mm。

（8）检查壁板和顶板表面应无油污和脏迹。

（9）检查同一舱室的壁板颜色和天花板颜色，应无明显差异。

（10）检查壁板和顶板的可见表面，在任取 6 m^2 的范围内，压痕直径不得大于 50 mm，深度不得大于 1 mm，划痕宽度应小于 0.5 mm，总长不大于 80 mm。

（11）同一舱室内，顶板的相交缝应为“十”字形，其纵横缝应平直。

（12）舱室完工后的尺寸公差如下：

舱室净高　尺寸公差≥0 mm

舱室净宽　尺寸公差 ±10 mm

舱室净长　尺寸公差 ±10 mm

5.4.1.3　舱室完整性检验

在各个舱室内装完工后，应进行舱室完整性检验。舱室完整性检验的主要内容：检查舱室内部构造是否符合设计要求；舱室内部装饰表面质量及清洁状况是否符合要求；对以前的某些内容进行复查，并消除遗留问题。居住舱室完整性检验要点如下：

（1）按舱室设备布置图和合同书的要求，检查舱室设备的安装完整性；

（2）检查舱室内的五金件，如窗帘、床帘、衣钩、其他装饰品等是否齐全，使用的方便性和可靠性；

（3）检查壁板、天花板、门窗玻璃等是否有碰伤痕迹和凹陷等情况，如有损美观时，应予修复或更换；

（4）检查门窗启闭的灵活性和可靠性；

（5）检查家具固定的牢固性，使用的方便性和可靠性；

（6）检查地面、壁板、天花板、门窗家具、洁具、设备等表面的污渍和清洁情况，必须达到规定的要求。

5.4.2　工作任务训练

查阅《中国造船质量标准》中壁板与天花板的安装要求部分，列出壁板与天花板的安装标准范围与允许偏差，并据此设计船舶舱室壁板与天花板完工验收表。

任务5.5 涂装检验

5.5.1 相关知识

在自然界,金属腐蚀的产生是一种很普遍的现象。船舶腐蚀情况根据船体各部位所处的腐蚀环境、船舶航行海域、船龄及维护保养程度不同而有很大的差别。控制船舶的腐蚀是一件非常重要的工作,直接影响船舶的坞修周期和修理费用。因此,要积极采取各种防腐措施,尽量减少腐蚀所造成的损失。本节主要讲述船舶涂装的检验要求及内容。

船体水下部分,根据腐蚀介质的作用条件,可分为艏部、艉部、船舷和船底四部分。在船体的艏部,海水对壳体产生较大的流体动力作用,在艏部泡沫翻滚的波浪区,涂层首先遭到破坏。另外,艏部的涂层还经常受到锚链和漂浮物的撞击。

船体中部的船舷外壳表面受到比艏部小的流体动力作用,但是这个区域的涂层在船靠码头时特别容易遭到破坏。在螺旋桨所产生的强烈水流作用下,船艉部壳板和舵叶上遭到明显的局部流水动力的作用。在许多情况下,这会引起结构的冲刷腐蚀破坏。

船底部位,由于附着海洋生物,故易产生氧浓差电池而引起坑蚀。同时,海洋生物的排泄物除了助长腐蚀之外,随其积累还会侵入船体涂膜中,从而将涂膜破坏,也会造成严重后果。

水线区的船体外壳处于特别苛刻的条件之下。在这个区域,涂层破损的可能性最大。这个区域的外壳处于干湿交替条件下,遭到水和空气的交变作用,这大大增强了腐蚀介质的侵蚀性。

船体水上结构包括干舷、甲板和上层建筑,其主要受到海洋大气、海水飞沫、雨雪、冲洗甲板时所用的海水及凝结水的腐蚀。

根据使用条件不同,船舶内部舱室的腐蚀也有很大差异。货舱中,由于所装载货物的作用,加上冷凝水和积水的作用,涂层往往会受到破坏,造成货舱壁和内底板的腐蚀。卫生舱包括浴室、盥洗室、厕所,这里的侵蚀环境比较严重。从抗蚀性的观点来看,最不安全的是难于维护保养的船体内部结构,如艏尖舱、艉尖舱、压载水舱、锚链舱、污水井和机舱、泵舱的双层底部位。

5.1.1.1 钢材表面预处理与除锈检验

1. 船舶除锈

(1)钢材表面处理质量的评定

涂装前钢材表面处理质量的控制主要包括两个方面的内容,即钢材表面的清洁度和粗糙度。

(2)表面清洁度的评定

根据国家标准《涂装前钢材表面锈蚀等级和除锈等级》,未涂装过的钢材表面原始锈蚀程度分为四个“锈蚀等级”,将未涂装过的钢材表面,以及全面清除过原有涂层的钢材表面除锈后的质量,分为若干个“除锈等级”。钢材表面的锈蚀等级均以文字叙述和典型样块的照片共同确定。

①锈蚀等级:根据钢材表面氧化皮覆盖程度和除锈状况,将其原始锈蚀程度分为四个等级,分别用 A、B、C、D 表示。

A——全面覆盖着氧化皮而几乎没有铁锈的钢材表面；

B——已发生锈蚀，并且部分氧化皮已经剥落的钢材表面；

C——氧化皮已因锈蚀而剥落，或者可以刮除，并且有少量点蚀的钢材表面；

D——氧化皮已因锈蚀而全面剥离，而且已普遍发生点蚀的钢材表面。

②除锈等级：该标准对喷丸（砂）或抛丸除锈、手工和动力工具除锈，以及火焰除锈过的钢材表面清洁度规定了除锈等级，并且分别以“Sa”“St”和“FI”表示。字母后面的阿拉伯数字则表示清除氧化皮、铁锈和涂层等附着物的程度等级。

A. 喷射或抛射除锈：该项国家标准对喷射或抛射除锈过的钢材表面，设有四个除锈等级，每一等级的文字定义如下：

Sa1—— 轻度的喷射或抛射除锈钢材表面应有可见的油脂和污垢，但是没有附着不牢的氧化皮、铁锈和涂层等附着物；

Sa2—— 彻底的喷射或抛射除锈钢材表面应无可见的油脂和污垢，并且氧化皮、铁锈和油漆层等附着物已基本清除，其残留物应是牢固附着物；

Sa2. 5——非常彻底的喷射或抛射除锈钢材表面上应无可见的油脂、污垢、氧化皮、铁锈和油漆涂层等附着物，所有残留的痕迹应仅是点状或条纹状的轻微色斑；

Sa3——使钢材表观洁净的喷射或抛射除锈钢材表面应无可见的油脂、污垢、氧化皮、铁锈和油漆涂层等附着物，该表面应显示均匀的金属色泽。

B. 手工和动力工具除锈：对用手工和动力工具，如用铲刀、手工或动力钢丝刷、动力砂纸盘和砂轮等工具粗修过的钢材表面设有两个除锈等级，每一等级的文字定义如下：

St2—— 彻底的手工和动力工具除锈钢材表面应无可见的油脂和污垢，并且没有附着不牢的氧化皮、铁锈和油漆涂层等覆盖物；

St3——非常彻底的手工和动力工具除锈钢材表面应无可见的油脂和污垢，并且没有附着不牢的氧化皮、铁锈和油漆涂层等附着物。除锈应比 St2 更为彻底，底材显露部分的表面应具有金属光泽。

C. 火焰除锈：对于火焰除锈只设一个等级，FI 火焰除锈钢材表面应无氧化皮、铁锈和油漆涂层等附着物，任何残留的痕迹仅为表面变色。

③船体二次除锈评定等级：钢材经预处理并涂上车间底漆以后，才能进入船体制造的生产流程。在分段建造过程中，由于钢材表面油漆的损坏难以避免，故会产生新的锈蚀。船厂为了保证产品的最后涂装质量，彻底清除由于在施工过程中产生的新的锈蚀，通常把装焊完工后的分段运到二次除锈场所进行二次除锈和涂装作业。

涂有车间底漆的船体钢材表面在进一步涂装防锈漆之前需要进行二次除锈的部位，一般是焊接部位、火工矫正或其他原因引起底漆烧损部位和表面已重新锈蚀部位。因此，该标准二次除锈前钢材表面状态分为三类：

W——涂有车间底漆的钢材经焊接作业后，重新锈蚀的表面；

F——涂有车间底漆的钢材经火工矫正后，重新锈蚀的表面；

R——涂有车间底漆的钢材，因暴露或擦伤而重新锈蚀，或附有白色锌盐的表面。

实施船体二次除锈的手段主要分为两大类，一类是喷丸或喷矿渣砂除锈，另一类是用动力工具，包括用风动砂纸盘和各种形状的风动钢丝刷等进行除锈。因此，船体二次除锈的质量等级也按这两大类分别设置。

A. 动力或手工工具二次除锈质量等级：对采用动力或手工工具进行二次除锈的质量设

置有三个等级：

P1——用动力钢丝刷和动力砂纸盘彻底清除锈迹和其他污物，仅留有轻微的痕迹，经清理后，表面应具有金属光泽，其外观相当于 WP1、FP1 或 RP1 级的照片；

P2——用动力钢丝刷、动力砂纸盘或并用上述工具清除几乎所有的锈迹和其他污物，但局部仍可看到少量锈迹，经清理后，外观应相当于 WP2、FP2 或 RP2 级的照片；

P3——用动力钢丝刷、动力砂纸盘或手工工具清除浮锈和其他污物，经清理后，外观应相当于 WP3 或 RP3 级的照片；

B. 喷射磨料二次除锈质量等级：对采用喷丸或喷棱角砂方式进行二次除锈过的表面，设置有三个质量等级。

b1——以喷射磨料的方式彻底地清除锈迹和其他污物，仅留有轻微的痕迹，经清理后，外观相当于 Wb1、Fb1 或级 Rb1 的照片；

b2——以喷射磨料的方式除去几乎所有的锈迹和其他污物，但局部仍可看到少量锈迹，经清理后，外观相当于 Wb2 或 Rb2 级照片；

bs——以轻度喷射磨料的方式清除锈迹、锌盐和其他污物，但表面上允许留有车间底漆和少量锈迹。经清理后，外观相当于 Rbs 级照片。

在标准中，表示二次除锈前钢材表面状态的典型样块照片有 4 张；表示用喷射磨料方式和用动力工具进行二次除锈后，钢材表面清洁度的典型样块照片有 20 张。

(3)表面粗糙度的评定

①表面粗糙度等级：标准将涂装前钢材表面经喷射清理形成的粗糙度分为“细级”“中级”和“粗级”三个等级。表面粗糙度等级划分见表 5－29。

表 5－29　表面粗糙度等级划分表

级别	代号	定义	粗糙度参数值	
			丸状磨料	棱状磨料
细细		钢材表面所显现的粗糙度小于样块区域 1 所显示的粗糙度	<25	<25
细	F	钢材表面所显现的粗糙度等同于样块区域 1，或介于区域 1 和区域 2 所显示的粗糙度	25 ~ 40	25 ~ 60
中	M	钢材表面所显现的粗糙度等同于样块区域 2，或介于区域 2 和区域 3 所显示的粗糙度	40 ~ 70	60 ~ 7 100
粗	C	钢材表面所显现的粗糙度等同于样块区域 3，或介于区域 3 和区域 4 所显示的粗糙度	70 ~ 100	100 ~ 150
粗粗		钢材表面所显现的粗糙度等同于或大于样块区域 4 所显示的粗糙度	≥100	≥150

F、M、C 这三个等级，足以满足涂装对表面特征的要求。

②表面粗糙度的评定方法：先清除待测钢材表面的浮灰和碎屑，然后根据喷射清理所用的磨料，选择合适的表面粗糙度比较样块，将其与被测表面的某一区域进行对照，依次将

被测表面与样块进行目测比较,必要时用放大倍数不大于7倍的放大镜观察,确定比较样块上高于和低于被测表面粗糙度的两部分,根据表5-29就可以得出被测表面的粗糙度等级。

2. 钢材的表面处理

船舶涂装前钢材的表面处理分两个阶段进行:一是钢材进厂后,加工前对原材料先进行处理,除去表面的氧化皮和锈蚀,涂上车间底漆,确保钢材在加工过程中不继续腐蚀;另一阶段的处理则是在钢材加工并制成分段或合龙成船舶整体时,要进行涂装前所做的钢材表面处理,这在造船工业中通常称之为"二次除锈"。

造船用钢材预处理的方式有抛射磨料处理、喷射磨料处理和酸洗处理三种方式。新造船的二次除锈通常采用喷射磨料(喷丸或喷砂)处理和动力工具打磨处理两种方式。

5.1.1.2 船舶涂装

1. 船舶涂装涂料特点

涂料一般由成膜物质、颜料及填料、助剂、溶剂和特种涂料的特种物质组成。船舶涂料主要有防腐、防污、装饰和标志四项功用。船舶涂料主要的种类有防锈涂料、防污涂料、耐高温涂料、饮水舱涂料、阻尼涂料等。船舶不同的部位要求配用不同的涂料。水线以下船体用涂料必须具有良好的耐海水、淡水和海水淡水交替的性能,以及耐碱性、耐磨性,面层涂料还应有防海生物附着污损性和耐油性,在海水中长期浸泡不起泡、不脱落、不龟裂等性能。水线区用涂料应有良好的耐海水、淡水性、耐候性、耐干、湿交替性,耐磨性、耐冲击性、耐碱性、耐油性及有良好的机械强度。水线以上大气暴露区用的涂料应具有优良的防锈、耐晒、抗冲击及耐摩擦等性能。面层涂料还应具有良好的保色性、保光性,甲板涂料应有一定的耐碱、耐油和耐擦洗性。饮水舱涂料要有良好的耐水性,必须绝对保证对水质无污染,需有经认可的卫生部门的检测报告并经有关卫生当局的认可。压载水舱涂料要有优良的耐水、耐盐雾、耐腐蚀、耐干湿交替的性能。燃油、滑油和污油舱等这类舱以往一般不涂漆,只涂相应的油类保护,但使用中油舱顶和油舱上部的四壁往往严重锈蚀,也需要用涂料保护,因此要求涂料应有良好的耐油、耐水、耐油水交替或油水混合等综合适应性。至于成品油舱或化学品舱,其涂料要求更高。机舱、泵舱、声呐舱及其他工作底舱,要求涂料有良好的耐水性和耐油性。

船舶防腐涂层配套时要注意以下几点:

(1)选用的涂料应适合特定的腐蚀环境条件和特定的使用要求(如防污、耐烟囱烟道高温、耐热反射、耐酸、耐油及甲板防滑等);

(2)同一部位的各层涂料之间应有良好的层间附着力,最好是底、面漆采用同类型的涂料,若采用不同类型涂料,则底漆的性能应等于或高于面漆的性能,避免产生咬底、渗色等缺陷;

(3)某些涂料的应用受到有关规范、国际公约的制约,应符合规范、国际公约的要求,并取得相关证书(如饮水舱的涂料应有相关的卫生许可证书等);

(4)涂料的配套体系应考虑不同的海区、不同的维修周期,选用不同档次的涂料配套体系。每道涂层的厚度,应根据防蚀年限(或使用寿命)要求和涂料厂商的推荐厚度来确定。

2. 船舶涂装的工艺程序

造船是一个非常复杂的过程,要经历分段制造与预舾装、船台或坞内合龙、下水、码头舾装与系泊试验、试航等过程;而船舶的涂装则要与整个造船工艺过程相适应,在每一个造船工艺阶段确定其相应的涂装工作内容。新造船舶的涂装工作通常是分段进行的,特别对于大型船舶的建造涂装，这样可避免钢材过早地生锈，在室内或平地进行。

船舶涂装工艺程序：原材料抛丸流水线预处理→涂装车间底漆→钢材落料、加工、装配→分段预舾装→分段二次除锈→分段涂装→船台合龙、舾装→船台二次除锈→二次涂装→船舶下水→码头二次除锈、涂装→交船前坞内涂装。

在船舶涂装作业中，主要采用刷涂、辊涂、压缩空气喷涂和高压无气喷涂等方式，其中高压无气喷涂以其特别高的涂装工作效率成为船舶涂装作业中应用最广的涂装方式。

5.1.1.3　涂装检验

1. 钢材预处理检验

在钢材投入使用之前，对其进行的矫正、除锈、喷涂车间底漆等工作统称钢材预处理。一般将未处理的钢材表面的原始锈蚀程度分为 A、B、C、D 四个等级。钢材表面全面地覆盖着氧化皮而几乎没有铁锈为 A 级；钢材表面已发生锈蚀，并且部分氧化皮已经剥落为 B 级；钢材表面氧化皮已因锈蚀而剥落或可以刮除，并且有少量点蚀为 C 级；钢材表面氧化皮已因锈蚀而全面剥离，并且已普遍发生点蚀为 D 级。钢材表面的除锈等级以代表所采用的除锈方法的字母 Sa、St 或 FI 表示，如果字母后面有阿拉伯数字，则数字表示清除氧化皮、铁锈和油漆层等附着物的程度。通常经预处理的钢材表面除锈质量应达到 Sa2.5 级，即非常彻底的喷射或抛射除锈钢材表面应无可见的油脂、污垢、氧化皮，其痕迹应仅是点状、条纹状的轻微色斑。

钢材经除锈处理后应喷涂车间底漆，车间底漆对钢材的切割和焊接性能无不良影响，能与各类防锈漆配套使用。车间底漆分为环氧富锌底漆、硅酸乙酯锌粉底漆和不含锌粉底漆三种。车间底漆的漆膜厚度一般为 10 ~ 15 μm，车间底漆要进行漆膜厚度测定。

2. 二次除锈检验

钢材经预处理并涂上车间底漆以后，才能进入船体制造的生产流程。在分段建造过程中，由于钢材表面油漆的损坏难以避免，故会产生新的锈蚀。船厂为了保证产品的最后涂装质量，彻底清除由于在施工过程中产生的新的锈蚀，通常把装焊完工后的分段运到二次除锈场所进行二次除锈和涂装作业。

船体零件、部件、分段或总段制造完毕上船台安装之前，或在船台上部件装焊后，均应进行二次除锈。对于分段（总段）或部件通常在二次除锈场所进行抛丸除锈。对于在船台上发生的锈蚀，则一般采用动力工具或手工工具进行二次除锈。除锈质量应达到船舶生产设计所规定的要求等级。二次除锈和表面清理的质量要求可参见表 5－30、表 5－31。

表 5－30　二次除锈质量等级要求

涂装种类	除锈方式	船体外板		室外暴露部位		舱室内部		液舱		燃油舱	
		CB *①	GB②	CB *	GB	CB *	GB	CB *	GB	CB *	GB
常规涂料	B	b2	Sa2	b2	Sa2	b2	Sa2	b2	Sa2		
	T	P2	St2—St3	p2	St2—St3	p3	St2	p2	St2—St3	p3	St2
氯化橡胶涂料	B	b2	Sa2	b2	Sa2	b2	Sa2				
	T	P2	St2—St3	p2	St2—St3	p3	St2				

表 5 -30(续)

涂装种类	除锈方式	船体外板		室外暴露部位		舱室内部		液舱		燃油舱	
		CB * ①	GB②	CB *	GB	CB *	GB	CB *	GB	CB *	GB
环氧树脂涂料	B	b1	Sa2.5	b1	Sa2.5	b2	Sa2	b1	Sa2.5		
	T	P1	St3	p1	St3	p2	St2—St3	p1	St3		
焦油环氧涂料	B	b2	Sa2	b2	Sa2	b2	Sa2	b1	Sa2.5		
	T	P1	St3	p1	St3	p2	St2—St3	p1	St3		
乙烯树脂涂料	B	b1	Sa2.5	b1	Sa2.5			b1	Sa2.5		
	T	P1	St3	p1	St3			p1	St3		
无机锌涂料	B	b1	Sa2.5	b1	Sa2.5	b1	Sa2.5	b1	Sa2.5		
	T										

注:①常规涂料包括油性涂料、油性合成树脂涂料、沥青涂料;滑油舱常规涂料是指石油树脂、蓖麻油等临时性保护涂料;饮水舱采用漆酚树脂涂料时,除锈质量要求参照环氧树脂涂料;

②表中 CB * 代表 CB * 3230,GB 代表 GB8923。CB * 3230 中 P2 级的质量要求约处于 GB8923 中 St2 级与 St3 级之间。

表 5 -31 船体表面清理质量要求

清理项目	无机锌涂料	氯化橡胶、环氧树脂、焦油环氧乙烯树脂涂料	常规涂料
水分	肉眼看不见痕迹	肉眼看不见痕迹	肉眼看不见痕迹
盐分	肉眼看不见痕迹	肉眼看不见痕迹	肉眼看不见痕迹
油脂	肉眼看不见痕迹	允许痕迹存在	允许痕迹存在
尘埃	允许痕迹存在	允许痕迹存在	允许痕迹存在
锌盐	允许轻微痕迹存在	允许痕迹存在	允许痕迹存在
气割电焊烟尘	允许轻微痕迹存在	允许痕迹存在	允许痕迹存在
粉笔记号	允许轻微痕迹存在	允许痕迹存在	基本清除
标记漆	允许轻微痕迹存在	如标记漆属同类型可不必除去,否则全部除去,允许痕迹存在	不必除去

3. 涂层检验

这里所述的涂层检验是指除了钢材预处理之外的其他涂料的涂层检验。鉴于船舶涂装具有不同于其他金属结构涂装的某些特点,因而船舶涂装的涂料具备某些特殊的特性。

(1)船用漆的分类

涂料按所含黏结剂的种类可分为天然树脂、矿物质沥青和合成树脂三类。现代船舶漆类广泛采用合成树脂,主要有醇酸树脂、乙烯树脂、环氧树脂、氯化橡胶、聚氨酯树脂和硅酸脂等。

①醇酸树脂:涂料的优点是对大气和紫外线的作用稳定,因而具有优良的耐候性和耐久性,并具有良好的耐盐水性、可挠性和光泽保持力,还具有耐脂肪族溶剂性、耐热性和耐冲击性;但是,它的干燥时间较长,不耐酸、碱、酯、酮等。这类漆一般用于室外,如上层建筑部分和外舷部,也可用于室内,如住舱、厨房等。

②乙烯树脂:乙烯树脂涂料具有良好的耐水性、耐候性和耐化学品性,并具有良好的附着力、耐热性和柔韧性,同时还能与酚醛、醇酸和氨基等树脂混溶,有着良好的配套性。所以,这类涂料广泛用于船舶涂装,除常年浸水的部位外,可用于船舶的其他任何部位。

③环氧树脂:环氧树脂具有优良的耐化学品性、耐水性和耐盐性,漆膜角质厚实,附着力强,机械性能好,常用于油舱、货舱和船底部等。环氧树脂有纯环氧和焦油环氧两种。这类漆的缺点是喷涂时环境温度不能太低,否则就不能固化,同时它在固化后的复涂性也较差。

④氯化橡胶:氯化橡胶具有优良的耐化学品性、耐水性和耐久性,并因含氯量高而不易燃烧,漆膜层间具有互溶性而复涂性好,还由于它固体含量高,故可制成厚浆型漆。但是,它的耐油性、耐强硝酸和浓醋酸性差,也不能用高于110 ℃的温度进行烘烤。这类漆主要用于大气区,如甲板、甲板室、桅杆和吊杆等。此外,由于它干燥快和复涂性好,所以是一种很好的维护保养漆。

⑤聚氨酯树脂:聚氨酯树脂涂料具有优良的快干性、耐磨性、耐油性、耐水性和耐化学品性,而且附着力强。聚氨酯涂料的品种有单组分和双组分之分,其中的双组分漆是需要固化的。这类漆主要用于外舷部、甲板部和各种液舱。

⑥无机锌漆:无机锌漆涂层坚韧、耐磨性好,对多种石油产品和有机溶剂的作用稳定,所含锌粉具有阴极保护作用。这类漆被广泛用作车间底漆、液舱漆和甲板漆。

(2)船体涂层的规定膜厚检测

船体涂层的规定膜厚是指涂装说明书所规定的干膜厚度。膜厚分布是指所有检测点上干膜厚度的分布状态。涂层的膜厚分布要求为85%以上的检测点干膜厚度不小于规定膜厚,其余检测点的干膜厚度不小于规定膜厚的85%。对于有膜厚上下限规定的涂料品种,均应保证80%以上的检测点的干膜厚度在规定的最低与最高膜厚之间。

干膜厚度的检测要点:

①船体涂层的干膜厚度检测应在涂层硬干后进行。涂料硬干的时间参阅涂料产品说明书。检测应用干膜测厚仪,其测量误差应小于±10%。

②要注意检测点的分布应均匀,且具有代表性:

A. 对船体外板、甲板和上层建筑外表面等平整表面,一般每20 m^2左右检测一点。

B. 对于舱柜内部、双层底内部等结构复杂的表面,一般每10 m^2左右检测一点,且有1/3以上的构架型材,其表面两侧应均匀分布2~3个检测点。

C. 对于狭小舱室、小型液柜等面积较小的区域或部件,须保证每一面应有3个以上检测点。

③对于焊缝表面,距自由边30 mm范围内和检测困难处都不必进行检测。

④将检测中获得的膜厚数据进行整理,编制膜厚分布情况表,参见表5-32。

表 5-32 膜厚分布情况表(示例)

工程名称		涂装区域		规定模数	
膜厚分布情况					

干膜厚度/μm	点数	频率/%	频率直方图/% 10 20 30
200~220	2	0.9	
220~240	10	4.3	
240~260	27	11.6	
260~280	40	17.2	
280~300	63	27.0	
300~320	48	20.6	
320~340	24	10.3	
340~360	11	4.7	
360~380	5	2.1	
380~400	3	1.3	
总　计	233	100	

(3)船体涂层外观质量检验

涂层的涂料品种、牌号、颜色、道数和膜厚应符合经船东认可的涂装说明书的规定。涂层表面应无漏涂、气孔、裂纹、明显的流挂、刷痕和起皱现象,涂层表面无色差现象。

5.1.1.3　所有类型船舶专用海水压载舱和散货船双舷侧处所保护涂层性能标准(PSPC)

1. PSPC 介绍

PSPC 的英文全称是 performance standard of protective coatings。所有类型船舶专用海水压载舱和散货船双舷侧处所保护涂层性能标准。适用范围:不小于 500 总吨的所有类型船舶专用海水压载舱和船长不小于 150 m 的散货船双舷侧处。实施时间:2008 年 7 月 1 日及以后签订建造合同的;无建造合同,则为 2009 年 1 月 1 日以后安放龙骨或处于类似建造阶段;2012 年 7 月 1 日以后交船的船舶。

2. PSPC 一般要求

(1)使涂层达到 15 年的目标使用寿命。

(2)涂层系统达到其目标使用寿命的能力,取决于涂层系统的类型、钢材处理、涂装和涂层检查及维护。所有这些方面对涂层系统的优良性能都有影响。要明确目标使用寿命与实际使用寿命的区别。

(3)表面处理和涂装过程的检查标准应该由船东、船厂和涂料生产商达成一致,并提交给主管机关审查。如有要求,主管机关可参与到协议过程中。还应报告这些检查的明确证据并包括在涂层技术文件中(CTF)。

3. PSPC 基本要求

(1)涂层系统的设计

①涂层系统的选择:涂层系统的选择应由各有关方面结合涂层的使用条件考虑如下事

项:与受热表面相关舱室的位置;压载和排压载作业的频率;要求的表面条件;要求的表面清洁度和干燥度;辅助阴极保护装置。

②涂层类型:采用环氧基体系,其他涂层系统的性能要通过 PSPC 标准附件 1 的试验程序。建议多道涂层系统,每道涂层的颜色要有对比。面涂层应为浅色,便于营运中检查。

③涂层合格预试验:要求按照 PSPC 标准附录 1 的试验程序或等效的试验程序进行试验。

④工作规范:应至少进行两道预涂和两道喷涂。仅在焊缝区若能证明涂层可满足名义干膜厚度要求的范围内,可减少第二道预涂,以避免不必要的涂层过厚。任何减少第二道预涂的范围都应详细地记录在涂层技术文件中(CTF) 中。

⑤名义总干膜厚度(NDFT):对环氧类涂层为在 90/10 原则下达到 NDFT 320 μm,其他系统根据涂料生产商的技术,总干膜厚度最大值依据涂料生产商的详细规范,应小心避免涂膜过厚。

(2)一次表面处理

①喷射处理和粗糙度:除锈等级 Sa2.5 级,粗糙度介于 30 ~ 75 μm。在以下情况下不应进行喷砂,相对湿度超过 85% 或钢板的表面温度高于露点温度小于 3 ℃。

②水溶性盐限制(相当于氯化钠):≤50 mg/m^2 NaCl。

③车间底漆采用无缓蚀剂的含锌硅酸锌基涂料或等效的涂料。

(3)二次表面处理

①钢板状况:钢板表面应加以处理,去除毛边,打磨焊道,去除焊接飞溅物和任何其他的表面污染物,以使选择的涂层能够均匀涂布,达到所要求的 NDFT 和有足够的附着力。涂装前边缘应处理成半径至少为 2 mm 的圆角,或经过三次打磨,或经过等效的处理。

②表面处理:被破坏的车间底漆和焊缝处达到 Sa2.5;如车间底漆未通过涂层合格证明预试验,则完整底漆至少要去除 70%,达到 Sa2。如果由环氧基的主涂层和车间底漆组成的整体涂层系统通过了合格证明预试验,则当使用同样的环氧涂层系统时,可保留完整的车间底漆。

③对大接缝为 St3 或更好,可行时为 Sa2.5。小面积破坏区域不大于总面积的 2% 时为 St3。相邻接的破坏区域的总面积超过 25 m^2 或超过舱室总面积的 2%,应为 Sa2.5。涂层搭接处表面要处理成斜坡状。

④粗糙度要求:全面或局部喷射处理时,为 30 ~ 75 μm,其他的按照涂料生产商的建议处理。

⑤灰尘:颗粒大小为“3”“4”或“5”的灰尘分布量为 1 级。如不用放大镜,在待涂表面可见的更小颗粒的灰尘应去除。

⑥喷砂、打磨后水溶性盐限制(相当于氯化钠)≤ 50 mg/m^2 NaCl。

⑦无油污。

(4)通风

①为使涂料适当地干燥和固化,必须予以充足的通风。应根据涂料生产商的建议,在整个涂装过程中和涂装完成后的一段时间内保持通风。

②应按照生产商的技术条件,在控制湿度和表面的条件下进行涂装。此外,下述情况下不应进行涂装:

A. 相对湿度超过 85%;

B. 钢材表面温度高于露点温度小于 3 ℃。

③涂层检验:应避免破坏性检验。为了质量控制,每道涂层干膜厚度都要进行测量。最后一道涂层涂装后应使用适当的测厚计确定总干膜厚度。

④修补:任何缺陷区域,如针孔、气泡、露底等,应做标记,并适当修复受影响的区域。所有这类修补应再次检查并以文件记录。

(5)涂层系统认可

涂层系统合格预试验的结果应以文件记录,如结果令人满意,应由独立于涂料生产商的第三方签发一份符合证明或形式的认可证书。

(6)涂层检查要求

为保证符合本标准,涂装检验具有 NACE 检查员Ⅱ级、FROSIO 检查员Ⅲ资格或主管机关承认的同等资格的涂层检查人员完成。应由检查人员记录检查的结果,并放入涂层技术文件 CTF 中,检查项目如表 5-33 所示。

表 5-33 涂装检验项目表

建造阶段	序号	检查项目
一次表面处理	1	在喷砂开始前和天气发生突变时,应测量钢板表面温度、相对湿度和露点,并记录
	2	应测量钢板表面的可溶性盐分并检查油、油脂和其他污染物
	3	车间底漆涂装过程中应监控钢板表面的清洁度
	4	应确认车间底漆的材料满足 PSPC 标准的要求
厚度	1	如证明硅酸锌车间底漆与主涂层体系相兼容,则应确认车间底漆厚度和固化情况与规定值一致
分段组装	1	分段建造完成后,二次表面处理开始前,应目视检查钢板表面处理,包括检查边缘的处理。去除任何的油、油脂或其他可见的污染物
	2	喷砂、打磨、清洁后,在涂装前应目视检查处理好的表面。完成喷射、清洁、系统第一道涂层涂装前,应检查钢板表面残留可溶性盐水平,每个分段至少取一点
	3	在涂层涂装和固化阶段,应监控钢板表面温度、相对湿度和露点,并记录
	4	应按 PSPC 基本要求的涂装过程步骤进行检查
	5	应按 PSPC 标准的规定和列出的要求进行干膜厚度(DFT)测量,验证涂层达到了规定的厚度
合龙	1	目视检查钢板表面状况、表面处理情况,验证 PSPC 标准基本要求中的其他要求是否达到,达成一致的规范是否得到执行
	2	涂装前和涂装中应定期测量钢板表面温度、相对湿度和露点,并做记录
	3	应按 PSPC 标准的基本要求中的涂装过程步骤进行检查

5.5.2 工作任务训练

船舶涂装工艺程序:原材料抛丸流水线预处理→涂装车间底漆→钢材落料、加工、装配→分段预舾装→分段二次除锈→分段涂装→船台合龙、舾装→船台二次除锈→二次涂装→船舶下水→码头二次除锈、涂装→交船前坞内涂装。针对每一流程,写出除锈或涂装要求并填入下表中。

表5-34 除锈及涂装要求记录表

涂装工艺程序	除锈要求	涂装要求
原材料抛丸流水线预处理		
涂装车间底漆		
钢材落料、加工、装配		
分段预舾装		
分段二次除锈		
分段涂装		
船台合龙、舾装		
船台二次除锈		
二次涂装		
船舶下水		
码头二次除锈、涂装		
交船前坞内涂装		

任务5.6 管系安装检验

5.6.1 相关知识

5.6.1.1 管系制作安装工艺简介

船上系统是由管路、设备、机械和检查测量仪表等组成,利用管子输送流体以完成一定的任务,故亦称为管系。根据不同用途,管系可分为船舶系统和动力系统两大类。船舶系统的功用在于保证生活、安全和管理等各种全船性需要,如消防、舱底水、压载、卫生、暖气、冷藏、通风、空调和通话等系统。动力系统的功用是保证动力装置能正常地工作,如燃油、滑油、冷却水、压缩空气、锅炉给水、蒸汽和进排气等系统。管系安装工作主要包括管子的制作、固定与连接、附件安装及油漆、绝缘等。

1. 管系的等级划分

为了对管系确定必要的试验要求、连接形式、热处理和焊接工艺规程,对不同用途的管系按设计压力和设计温度可分为三级,具体见表5-35。

表 5－35　管系等级

管系	Ⅰ级		Ⅱ级		Ⅲ级	
	设计压力 /MPa	设计温度 /℃	设计压力 /MPa	设计温度 /℃	设计压力 /MPa	设计温度 /℃
蒸汽	>1.6	或>300	≤1.6	和≤300	≤0.7	≤170
燃油	>1.6	或>150	≤1.6	和≤150	≤0.7	≤60
其他介质	>4.0	或>300	≤4.6	和≤300	≤1.6	≤200

2. 常用管子材料

(1)碳钢无缝钢管是管子中用得最多的一种,常用的材料有 10 号、20 号碳钢无缝钢管,可用于Ⅰ级、Ⅱ级和Ⅲ级。当工作介质温度高于 450 ℃时,则用合金钢管。

(2)紫铜管具有良好的塑性和耐腐蚀性,但不适宜处于高温的工况。常用的材料有 T2、T3、T4、TUT 等。舰艇的海水系统管路上用紫铜管得很广泛。因紫铜管价格昂贵,其他管路一般不采用。

(3)黄铜管对空气及海水的腐蚀有很高的抗蚀能力,而且有很好的导热率,用在热交换器中,常用的黄铜管材有 H62、H68 等牌号。

(4)经船检部门认可的塑料管,可用于下列管路:货舱污水测量管;专用压载水舱的舱内水管;非引入冷藏舱的船内泄水管;干舷甲板以上的卫生管路和排水管。但塑料管不得用于下列管路:防水管、舱底水管、机器处所内的压载水管、动力管、输送油类或其他易燃液体的管、饮水管及管内介质温度高于 60 ℃或低于 0 ℃的管。

(5)当机器和固定管路之间需要有相对运动时,则可采用认可的短软管进行连接。输送可燃性液体或海水的管系中使用的非金属软管,其内部至少有一层金属丝编织物。每根软管均应经液压试验,试验压力不应小于最大许可工作压力的 1.5 倍。在舱底和压载管系中使用非金属软管时,应经船级社同意。

3. 管件的制作

在现代造船模式中, 管件的制作是根据管子零件图等工作管理图表,在管子成组加工生产流水线上进行制作,并运往酸洗电镀车间进行表面处理,最后按管件所属区域装入托盘,并根据日程表的安排送往生产现场进行安装。

4. 管路连接方式及零件、附件

法兰连接是船舶管系最主要的连接形式,能适应各种压力,紧密可靠,易于拆装。低压管路和某些高压管件也可采用标准对接零件,如套管、螺管和联管节等。管路控制零件有球形阀、蝶形阀、锥形阀、安全阀、止回阀、温度调节阀和压力调节阀等。其他管装零件还有补偿变形的伸缩接头和穿过水密舱壁的贯通件等。为了避免管路因本身和管内介质的质量而产生局部下垂和阻止管路移动,船舶管系要求每隔适当的距离必须设置吊架或托架。

5. 管系安装

按照区域安装图(或单元组装图)在相应的位置上安排管系附件。待附件装焊妥后开始安装管子,先安装主要的总管,后安装分支管,以及先大后小和先里后外等原则安装管件和阀件等。安装前,应先用压缩空气将管子吹净。在安装时可先用螺栓临时安装全部管件,检查其与规定路线是否符合,并进行必要的校正工作,然后装配合拢管子。最后为了便于管系的识别,对管路分别涂上规定的色漆。

5.6.1.2　管子制造检验

1. 弯管检验

(1)弯管的方法

管子弯制通常分为冷弯和热弯两种方法。冷弯时管子弯曲半径一般应不小于管子外径的3倍,舱柜加热管、安装位置狭窄的地方等特殊管子的弯曲半径一般不小于管子外径的2倍。采用预制弯头的弯曲半径应不小于管子通径。冷弯有手工弯曲和机械弯曲两种。冷弯管子的弯曲表面无氧化皮,粗糙度好,生产效率高,采用较普遍。热弯是把管子加热到930 ℃~1 050 ℃时进行的弯管。冷弯不能弯的管子采用热弯,如直径较大、弯曲角度小或管壁较厚的管子,热弯时应注意尽量减少受热的影响,即同一部位的加热次数越少越好。各种金属管,无论是冷弯管还是热弯管,弯制时管壁的厚度和形状都会发生变形,须采取措施使变形减到最小,符合规定的技术要求。

(2)弯管检验:弯管检验是检查弯管后的形位和尺度,对照检验要求检测管壁厚度和截面的变形是否符合技术要求,判定管子是否合格。

①管子圆度的要求,见图5-19和表5-36。

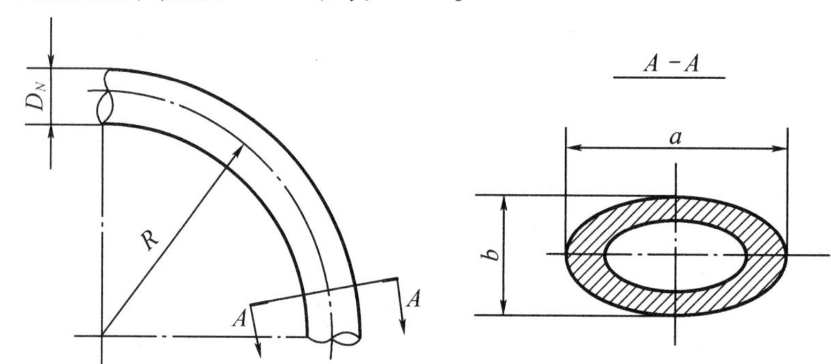

图5-19　管子弯制后椭圆度示意图

表5-36　弯管圆度偏差表(钢管、铜管)

弯曲半径 R	圆度允许极限 E/%	
	冷弯	热弯
$R \leqslant 2DN$		10
$2DN < R \leqslant 3DN$	10	8
$3DN < R \leqslant 3DN$	10	8
$4DN < R$	10	5

表中圆度允许极限 E 可用下式进行计算:

$$E = \frac{a - b}{DN \times 100}$$

式中　E——允许圆度偏差,%;

a——管子弯曲处截面最大外圆直径,mm;

b——管子弯曲处截面最小外圆直径,mm。

②管子壁厚减薄率的要求,见表5-37。

表5-37 管壁厚度减薄率

弯曲半径 R	管壁厚度减薄率 F/%			
	钢管		铜管	
	冷弯	热弯	冷弯	热弯
$R \leqslant 2\text{DN}$		20		20
$2\text{DN} < R \leqslant 3\text{DN}$	25	13	30	15
$3\text{DN} < R \leqslant 4\text{DN}$	20	12	25	10
$4\text{DN} < R$	15	12	20	10

管子壁厚减薄率 F 可用下式进行计算:

$$F = (\delta - \delta_1)/\delta_1 \times 100\%$$

式中 F——管子壁厚减薄率,%;

δ——原有管壁厚度,mm;

δ_1——弯曲后的最小管壁厚度,mm。

③检验方法

管子圆度检验:

A. 用游标卡尺或外径千分尺、外卡(任选一种),对管子弯制部位进行测量检验,将所测得的数据进行计算,然后对照表5-3所列要求,判断合格与否。

B. 对有特殊要求的管子,可采用滚钢珠的方法(钢珠按规定选用)检验,钢珠在弯管处能通过的可判定为合格,通不过的,须进行修正。

管子壁厚减薄率检验:

A. 用测厚仪进行测量,将测得的数据与表5-3所列要求对照,以判断合格与否。

B. 对重要产品或批量管子,为了较正确地知道管子的减薄量,可采用破坏性检验,将管子用锯子(或其他方法)锯开,然后用外卡或游标尺或外径千分尺进行测量,以判断合格与否。

在进行上述两项检验的同时,应对管子外表进行视觉检验,被弯制部位的表面不应有裂纹、折皱、结疤、分层等缺陷。

2. 校管和焊缝检验

在进行单件校管检验时,可根据放样图上的尺寸进行下料校管,应使各部分的尺寸符合表5-38和表5-39所列的公差要求或其他规定的技术要求。

可用钢皮卷尺、角尺、直尺以投校管机上的指示角度板等检测单管的尺寸和角度,可用角尺和钢皮尺(或卷尺)检验管子法兰与管段的垂直度和弯曲变形。用万能角尺检验管子与支管相贯处的连接是否良好,角度是否正确。

表 5－38　校管尺寸公差要求

单位:mm

<table>
<tr><th colspan="2">项目</th><th>标准范围</th><th>允许极限</th><th>备 注</th></tr>
<tr><td>直管偏差 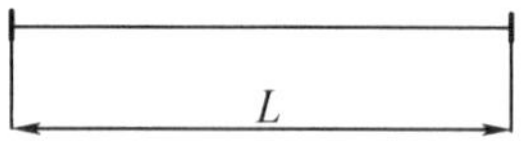
L—直管长度</td><td>ΔL</td><td>±6</td><td>—</td><td></td></tr>
<tr><td rowspan="3">弯管偏差 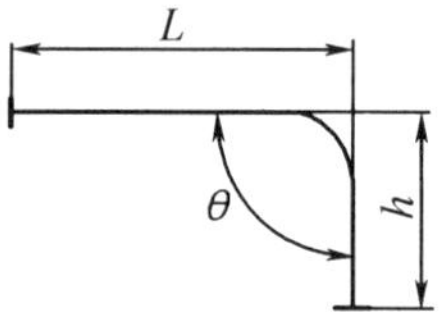
L—第一段弯管长度;
h—第二段弯管长度;
θ—弯管角度</td><td>ΔL</td><td>±6</td><td>—</td><td rowspan="3"></td></tr>
<tr><td>Δh</td><td>±6</td><td>—</td></tr>
<tr><td>$\Delta\theta$</td><td>±1.0°</td><td>—</td></tr>
<tr><td rowspan="4">双向弯管偏差 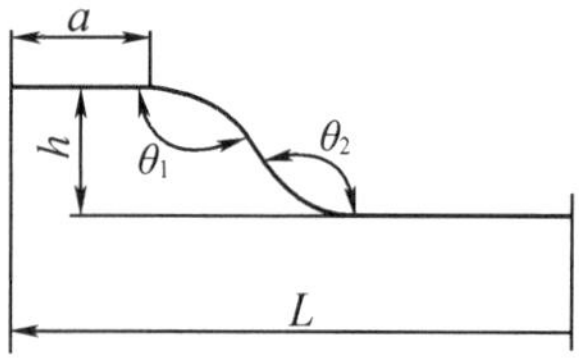
L—双向弯管总长度;
h—双向弯管开档间距;
a—双向弯管起始段长度;
θ_1、θ_2—双向弯管角度</td><td>ΔL</td><td>±3</td><td>±6</td><td rowspan="4"></td></tr>
<tr><td>Δh</td><td>±3</td><td>±6</td></tr>
<tr><td>Δa</td><td>±3</td><td>±6</td></tr>
<tr><td>$\Delta(\theta_1-\theta_2)$</td><td>±1°</td><td>±2°</td></tr>
<tr><td rowspan="4">立体形弯管偏差 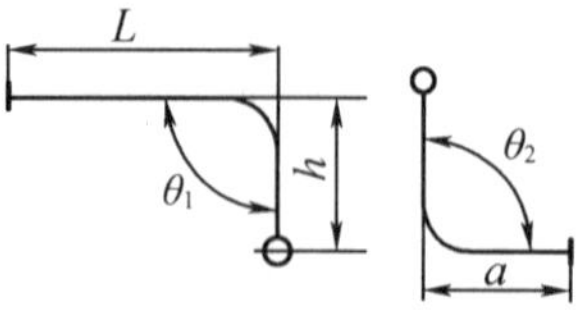
h—弯管高度;
L、a—弯管直管段长度;
θ—弯管角度</td><td>Δh</td><td>±3</td><td>±6</td><td rowspan="4"></td></tr>
<tr><td>ΔL</td><td>±3</td><td>±6</td></tr>
<tr><td>Δa</td><td>±3</td><td>±6</td></tr>
<tr><td>$\Delta\theta$</td><td>±0.5°</td><td>±1.0°</td></tr>
</table>

表 5-38(续)

项目		标准范围	允许极限	备注
分支管偏差 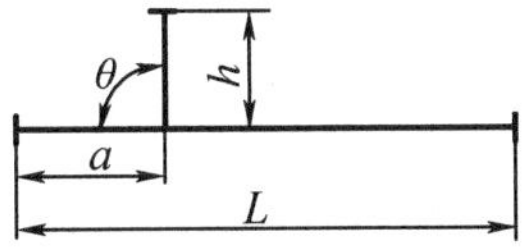 L—母管长度； a—分支管距母管端长度； h—分支管长度； θ—分支管与母管角度	ΔL	±3	±6	
	Δa	±3	±6	
	Δh	±3	±6	
	$\Delta\theta$	±0.5°	±1.0°	
贯通偏差 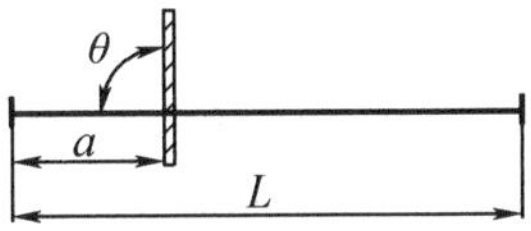 L—贯通直管长度； a—贯通直管端法兰距复板长度； θ—贯通直管与复板角度	ΔL	±3	±6	
	Δa	±3	±6	
	$\Delta\theta$	±0.5°	±1.0°	

表 5-39 校管法兰角度尺寸公差要求

单位:mm

序号	项目		公称通径	公差	简图
1	法兰面垂直度	θ	DN<150 DN≥150	30′ 20′	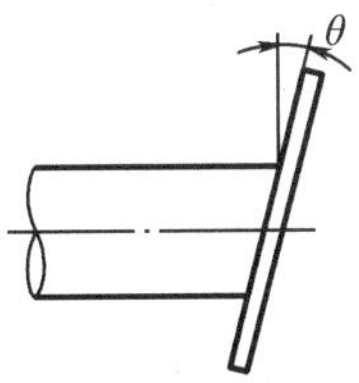
2	法兰面弯曲	a	DN<200 DN≥200~450 DN>450	≤0.5 ≤1.0 ≤1.5	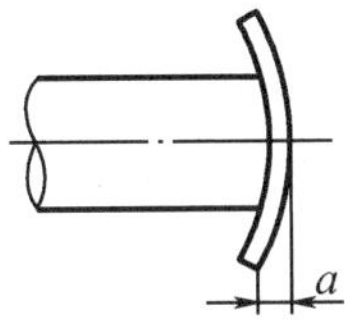
3	管子弯曲	a	DN ≥40	≤1.5L/1 000	

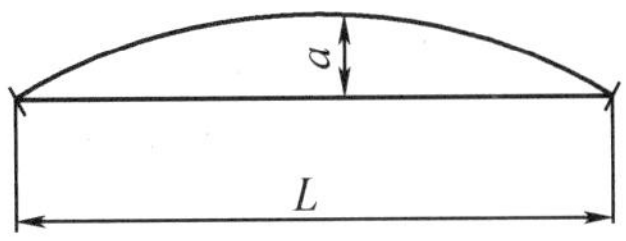

3. 管子连接接头焊接检验

(1)管子及附件的焊接方法

采用适当级别和强度的焊接材料进行焊接,且所用焊接材料必要时应经过船级社工艺认可;特、异种金属管材的焊接,应事先进行工艺认可试验,并提交船级社认可。Ⅰ、Ⅱ级管件角焊,应选用全熔透坡口;Ⅲ级管件焊接可选用部分熔透坡口。管件探伤应遵循船级社规范要求。合理选用焊接工艺参数,保证焊缝质量,无咬边、夹渣、焊瘤、未熔合等缺陷。焊缝表面应清洁,除去油漆、铁锈等对焊缝表面有害的物质。不同材质的管件,应用不同的方法清洁。

管材的焊接方法见表 5-40。

表 5-40　管子焊接方法

管材	焊接方法
钢管、不锈钢管	手工电弧焊、CO_2气体保护焊、钨极氩弧焊、钨极氩弧焊+CO_2保护焊
铜管、铝黄铜管	钎焊
铜镍合金管	钨极氩弧焊

(2)管子连接接头焊接检验

①焊缝尺寸用焊缝卡尺、直尺(钢皮尺等)进行检验,焊缝尺寸应符合图样要求,焊脚(或焊喉)高度要相同,焊缝金属应向母材圆滑过渡,避免尖角。

②焊缝外表用放大镜和手电筒检验,焊缝表面不允许有裂纹、焊瘤、气孔、咬边及未填满的弧坑或凹陷,管子内壁不允许塌陷。若发现上述缺陷应进行修补,直至合格为止。

③管子表面如有电弧、擦伤,必须进行铲除,铲除后的凹坑应予以修补,并打磨光滑、和顺,飞溅物应予清除。

④对不加垫环和不采用气体保护焊封底的对接焊缝检验,其内表面的凸出部分不能大于 2 mm,凹陷不大于 1 mm,超过上述要求应进行修正。对要求高的管子,还须进行磨光。

⑤角焊缝应按规范要求进行无损探伤检验。

⑥对Ⅰ级管、Ⅱ级管的对接焊缝,按照规范要求进行 X 射线检验或 γ 射线检验。如不能采用上述方法检验时,经船检部门同意,可采用其他等效的无损检测方法进行检验。

5.6.1.3　管子及附件液压试验

1. 液压试验概述

管子制成后应进行液压试验,其目的是要检查管壁的缺陷或不紧密的情况。试验压力对一般工质温度在 120~300 ℃的管子为 1.5~2 倍工作压力;工质温度在 300~400 ℃的管子,试验压力为 2~2.5 倍工作压力,参见表 5-41。所有阀及其他附件的受压部位,装配前应进行液压强度试验,其试验压力为 1.5 倍设计压力,但不必大于设计压力加 7 MPa。

管子的液压试验一般用水,也可用压缩空气,两者都可以检查出管子的缺陷或不紧密的地方。但在检查长管或承受较低压力的管子时,用压缩空气试验则不易查出,因此一般不宜采用,仅在试验水箱时应用;而用水作液压试验则最为广泛。

表 5-41 管子液压试验要求

序号	管子名称	液压强度试验压力(车间内)/MPa	试验介质	备注
1	燃油	1.5*P*	水	
2	滑油	1.5*P*	油或水	
3	淡水、海水	1.5*P*	水	
4	压缩空气	1.5*P*	水	
5	蒸汽 $t<300$℃ $t\geqslant300$℃	 1.5*P* 2*P*	水	
6	液压油	1.5*P*	油或水	
7	锅炉给水	1.5*P*	水	
8	锅炉放泄	1.5*P*	水	
9	锅炉压力燃油油管	1.5*P*	水	
10	油舱加热管	1.5*P*≥0.4	水	
11	舱底水、压载水管	1.5*P*	水	
12	甲板排水管	—	—	
13	污水疏水管	—	—	
14	空气管	—	—	若与船体结构密性试验一起试验,则可免试
15	生活用水管	1.5*P*	水	
16	暖气	1.5*P*	水	
17	制冷	1.5*P*	水	
18	水灭火	1.5*P*	水	
19	自动化喷水灭火	1.5*P*	水	
20	二氧化碳灭火 1. 瓶及瓶头阀装配后 2. 分配阀箱及控制箱 3. 瓶头阀至分配阀管 4. 自分配阀至喷出头管	 24.5 11.8 11.8 1.0	 水 水 水 水	
21	泡沫灭火	1.5*P*	水	
22	惰性气体	1.5*P*	水	

注:*P*—管路设计压力。

2. 液压试验

(1)试验前,先检查已制成的管子内外的缺陷和不紧密处,特别是接头处,情况良好时方可进行试验。

(2)在管子一端的法兰上安置管塞,另一端连接水泵的管路,试验前,先在管内灌满水将管内空气排除。

(3)管内水压力升高至规定压力时,停止液压泵的工作,维持5 min左右,待降压至工作压力时,再进行检查。其方法是用小锤轻击管子四周和焊缝处,如果试验压力表上没有指出压力下降,且焊缝和法兰连接处又没有发现漏水与渗水,则认为试验合格;如发现法兰焊接处有渗漏,允许焊补。如发现管子有裂缝时,若是一般性管子,在裂缝处应凿60°的角槽缝后再焊补;对于高压管,不允许补焊,应换新的管子。缺陷消除后,需再次进行液压试验。

5.6.1.4　管子酸洗及镀锌检验

1. 管子酸洗检验

管子酸洗的目的是对经内场检验合格的管子,将其表面的锈斑、油污、氧化皮和其他污物在上船安装前进行清除,使管子表面符合要求。

通常情况下,对滑油管、燃油管、过热蒸汽管、冷凝水管、给水管、压缩空气管、制冷管、油舱空气注入测量管、吸入管、海水管、淡水管及工艺要求另有规定的管子等都要进行酸洗。管子酸洗处理工艺流程见图5-20。

准备工作 → 热水漂洗 → 酸洗 → 清水冲洗 → 钝化 → 热水冲洗 → 干燥、保养

图5-20　管子酸洗处理工艺流程

外观检验:经过酸洗的管子,表面应清洁光亮、无异物,钢管表面呈灰白色,铜管呈红铜色。若发现局部有氧化皮或锈斑,须铲除后再酸洗。内壁一般用手电筒照光进行检验,对长的管子则采用拉白布的方法进行检验。若发现内壁有黑斑、疏松物、砂粒等缺陷应进行消除。消除方法:将碱水温度保持在80~90 ℃范围内,将管子重新放入,然后再吊出冲洗。若内壁涂油不完全,应重新补涂。

经检验合格的管子,车间应按工艺规定及时在管子两端加盖,以免锈蚀和垃圾落入。

2. 管子镀锌检验

镀锌的目的是保护管子,使管子少受或不受腐蚀,延长管子使用寿命。通常,镀锌的管子有舱底水管、凝水管、疏排水管、电缆管、CO_2管,以及工艺要求另有规定的管子。热浸镀锌工艺流程见图5-21。

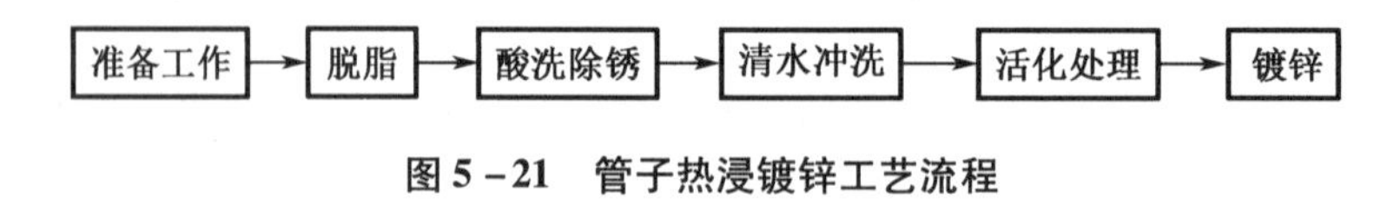

图5-21　管子热浸镀锌工艺流程

管子镀层检验要求如下:

(1)外观检验,经出白纯化处理后,锌层应呈银灰色,结晶细致。

(2)镀锌层厚度检验,可用磁性测量仪和特殊千分尺进行测量。

(3)镀层应均匀,结合力要好。

5.6.1.5　管子安装检验

管子上船安装时要按船舶管路系统布置图及管子管件图要求进行,并必须严格地按照下列的工艺原则进行,这些原则也是检验的重点。

1. 管子安装技术要求

(1)凡要穿过船体结构,如横梁、肋骨、肘板、纵桁、内底板、液舱箱柜及甲板薄处时,应严格按开孔图或工艺技术要求规定先画线,经指定的人员复验无误后再开孔,严禁任意开孔。在船体重要构件上开孔,应按要求进行加强。

(2)穿过水密或气密结构处的通舱管件应保持水密性,采用贯通件或座板,穿过非水密平台、甲板或非水密隔墙时,应加装防护罩,并双面焊接。

(3)淡水管不得通过油舱,油管也不得通过淡水舱,如不可避免时,应在油密隧道或套管内通过。其他管子通过燃油舱时,管壁应加厚,且不得有可拆接头。

(4)汽管、油管、水管应避免设在配电板上方或其后面,若不可避免时,不得设置可拆接头,并有可靠的保护措施或托盘。

(5)管子(包括其上的连接件)与管子间、管子与设备或船体间的距离不应小于50 mm,蒸汽管、排气管法兰距电缆的空间距离平行敷设的应不小于100 mm,交叉敷设的应不小于50 mm,热水管管壁距电缆应不小于100 mm,特殊情况不能达到以上规定时,应增加隔热层厚度。

(6)油管及油柜应避免设在锅炉、烟道、蒸汽管、排气管段消音器上方,如有困难时,应采取有效措施,防止油滴在管子或设备的热表面上。

(7)在货舱、锚链舱、煤舱及其他易受碰损处所的管子,应具有坚固的便于拆装的防护罩。

(8)各种管路应根据需要,在管子、附件、泵、滤器和其他设备的最低处安装泄放阀。

(9)泵的输出端管路上应安装安全阀。对于油管,由安全阀溢出的油应流回至泵的吸入端或舱柜内,管路中的加热器和压缩空气系统的冷却器也应安装安全阀,安全阀的开启压力,一般不得超过管路的设计压力。压力管路上装有减压阀时,应在其后安装安全阀及压力表,并应有旁通管路。

(10)所有蒸汽管、排气管和温度较高的管路应包扎绝热材料,绝热层外缘的表面温度一般不能超过60 ℃,可拆接头及阀件处的包扎绝热材料应便于拆换。

(11)非冷藏装置的管路通过冷藏舱时,应包扎防冻材料,以防冻裂。一般情况下,通过温度为0 ℃或低于0 ℃舱室的管子,应与该舱室的钢构件作绝热分隔。

(12)由于船舱环境较差,且立体作业,因此在每根管子安装时都要注意清洁工作,应按管子安装顺序拆除封头进行安装,以防止异物或污水落入管内,同时,要防止封头漏拆而造成管路不通。

(13)镀锌钢管不准敲击,也不准使用火焰加热、气割和电焊焊接。下列情况可以除外,但必须用环氧富锌底漆或其他等效涂层修补。

①在船上焊接的套筒接头;

②在船上焊接的通舱管件的复板;

③在船上调整定位的管子法兰,以及焊接在镀锌管上的紧固件。

(14)管子采用钢法兰连接时,其法兰与法兰连接,法兰与机械设备(包括管路附件)接口连接要自然对准,不许用撬杠和夹具等强行对中。法兰面和螺孔偏差应符合表4-30要求。

(15)所有的管子接头,管子同垫板、机械设备、隔舱管接头等法兰连接处,均应垫上均匀的压紧衬垫。衬垫的边缘不应盖住管子或附件的流通截面。衬垫材料可根据工质、温度和压力而决定。

(16)由于管内运行冷的或热的介质，以及受到工作环境温度盛暑寒冬等气温变化的影响，管路安装应考虑热胀冷缩因素。为此，在敷设管路时应有能使管路自由伸缩的结构。

2. 管子支架检验

船舶在航行中，因船体振动、变形，以及管内介质温度变化等各种因素，会引起管路的变形和损坏。为了使管路能正常工作，通常把管子安装在支架上，以减少管路的变形和损坏。

支架检验：支架主要用作固定管子，检验主要是观察它是否起到固定的作用。这项检验通常在系统密性试验时一起进行。在进行管子支架检验时，要检查支架否起到固定的作用，支架本身焊接情况，支架设置间距是否符合要求。

检验方法：

(1)焊缝外观用手电筒和放大镜等工具检查，焊缝表面不能有裂纹、气孔、咬口等缺陷。支架底脚应采用双面焊且包角，以防止因振动而脱焊。

(2)支架间距用钢皮卷尺进行测量，间距要求见表5-11。如图样和工艺文件有规定的，则按规定要求进行判断。

(3)对支架和衬垫的使用是否恰当进行检验。如燃油、滑油舱柜内的支架一律不准用镀锌支架；冷藏舱、甲板、机舱花铁板以下及其他露天部位的镀锌钢管，必须采用镀锌支架；紫铜管可采用扁铁支架；空调室、冷藏机室的管子可采用木质支架；有色金属管、油舱中管子与支架之间应用青铅衬垫；蒸汽管、排气管和冷温的货物管与支架之间应用绝热材料衬垫。

(4)完整性检验。支架盖应盖好，紧固螺栓应按要求旋紧，螺纹伸出螺母1~3牙。

3. 管子垫床检验

垫床的用途主要是在管子与管子连接时起到密封作用，应按管内不同的介质选用垫床。

在选用垫床时应注意以下要点：

(1)制冷系统中的氨管应选用胶质石棉或铝片垫床，氟代烃类制冷管应选用胶质石棉或紫铜环。盐水管、海水冷却管应选用橡胶垫床；

(2)高压蒸汽、压缩空气管可选用尼龙或紫铜垫床；

(3)液压管应按法兰结构选用O形圈；

(4)CO_2管应选用紫铜垫床；

(5)消防水管一律不准选用橡胶垫床；

(6)管螺纹接头选用聚四氟乙烯密封带或白漆麻丝。

垫床厚度的选取可参照表5-42选用。

表5-42　垫床厚度　　单位：mm

公称通径 DN	垫床厚度
<10	1
15~50	1.5
65~200	2
225~300	3
>300	6

3. 管子安装质量外观检验

(1)按照系统施工图的要求检验管路的布置及走向。

(2)检验管路结构的完整性。检查的要点:是否有遗留的管路支架未装,支架是否装焊牢固;蒸汽管路的支架是否会妨害管路的热胀冷缩;支架数量和分布位置是否符合安装工艺要求;法兰螺栓是否配置齐全,螺纹接头内外螺纹、高压管接头螺纹是否完好,螺栓是否旋紧;螺纹接头与平肩接头的密封处是否存在有影响密封的缺陷、垃圾和残渣;在两个管螺纹连接时,管端是否平行;相接两管的中心线是否同轴,管子有无强度试验合格的钢印标记等。

(3)管子附件的检验。用于管路本身的疏通、泄放、防蚀等处的螺塞应安装齐全,安装在压力管路上的真空表、压力表等仪表应完好并有铅封。

(4)检查各部件及附件的相互位置是否正确,是否便于操作和维护保养。

(5)检查管子色标涂装是否正确,管子色标的色别可参见表5-43。

表5-43 管子色标色别

系统	工作介质	色别
压缩空气	空气	粉红
润滑油	润滑油、汽缸油	黄
燃油	重柴油、轻柴油	深棕、淡棕
海水	冷却水、压载水、卫生水	绿
消防	消防水	红
舱底	舱底水	黑
淡水	冷却水、热水	淡蓝
淡水	饮水、冷却(冷凝)水	深蓝
蒸汽	蒸汽、排汽凝水	红

4. 管路密性试验

管路密性试验一般在船上进行,主要是为了检验整个管系的安装质量,确保整个系统在各种工况下能够正常工作。试验要求具体见表5-44,如图样有规定,按图样规定进行检验。

表5-44 管路密性试验压力表

序号	管路名称	密性试验压力(装船后)/MPa	试验介质	备注
1	燃油	$1.5P$	水、气	
2	滑油	P	空气、油	
3	淡水、海水	P	水	
4	压缩空气	P	空气	

表 5-44(续)

序号	管路名称	密性试验压力 (装船后)/MPa	试验 介质	备注
5	蒸汽 t<300℃ t≥300℃	 25*P* 1.25*P*	水	
6	液压油	1.25*P* 但不必超过 P+7	油	
7	锅炉给水	1.25*P*	水	
8	锅炉放泄	1.25*P*	水	
9	锅炉压力燃油油管	*P* 不小于 1.65	油、空气	
10	油舱加热管	1.5*P* 但不小于 0.4	水	
11	舱底水、压载水管	*P*	水	通过双层底舱或深舱的舱底水管,其试验压力不小于该舱的试验压力
12	甲板排水管	灌水	水	
13	污水疏水管	灌水	水	
14	空气管	灌水	水	与船体结构密性试验一起试验的,可免试
15	生活供水管	*P*	水	
16	暖气	*P*≥0.4	水	
17	泛气	*P*	水	
18	制冷	*P*	氮气	
19	一般水灭火	*P*	水	
20	自动喷水灭火	1.25*P*	水	
21	二氧化碳灭火 1. 瓶及瓶头阀相互装配后; 2. 分配阀箱及控制阀; 3. 瓶头阀至分配阀管; 4. 喷出头管	 — — 5 0.7	 — — 空气 空气	1 和 2 在车间装配后做试验压力为 *P* 的气密试验
22	卤化烃灭火	0.7	空气	
23	泡沫灭火	1.25*P*	水	
24	惰性气体灭火	1.25*P*	空气	

在选取管内实验介质时,原则上,液压试验和密性试验压力大于 1 MPa 的,其试验介质应选用液体,除非用液体试验会对系统产生不利作用或影响。压力小于 1 MPa 的可以用气

体进行试验。

具体试验方法可参照如下步骤进行：

(1)在船上进行管路密性试验时，应将管路与机械设备(如泵)之间连接法兰拆开或隔开，同时检验法兰与设备连接情况；

(2)各类泵吸入管路试验压力为0.4 MPa；

(3)检验用的压力表的精度为1.5级，最大量程为试验压力的1.3~2倍；

(4)试验前应将管路空气排除；

(5)注水或注气过程中检验被试验管路的畅通性；

(6)管路密性试验的压力应逐渐升至规定压力，注水管路在20 min内(以空气为介质的试验压力为10 min)压力下降值不得超过规定压力的5%，注气管路的时间为10 min，进行密性试验的高、中压压缩空气系统，在2 h内其主管路(从空压机到空气瓶)的压力降不得超过1%，支管路压力降不得超过2%；

(7)试验过程中，用小镐头轻轻敲击管子，观察其是否泄漏；

(8)整理管路液压试验报告。

5.6.2 工作任务训练

下面是管子通过水密甲板、水密隔壁、双层底和机舱围墙等船体结构时，通舱管件选用要求。现有规格为Φ325 mm×7 mm海水管要通过壁厚为12 mm舱壁，按表5-45所示的要求选用合适的通舱件，绘制CAD施工图，写出施工和检验注意事项。

表5-45 通舱管件选用要求

型号	图示	适用范围
A	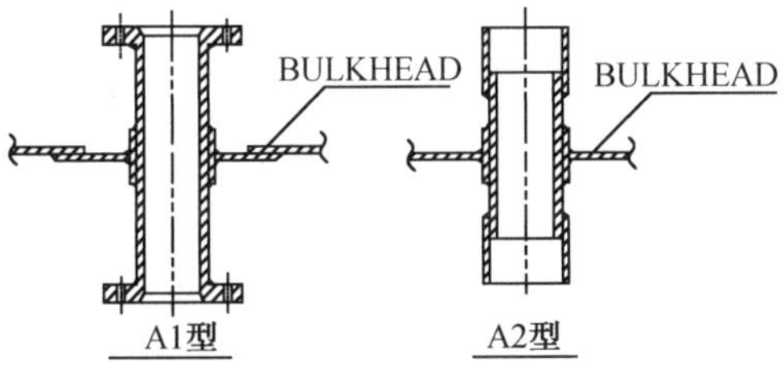 BULKHEAD BULKHEAD A1型 A2型	(1)双层底加热管； (2)通过各种水、油密舱的管子
B	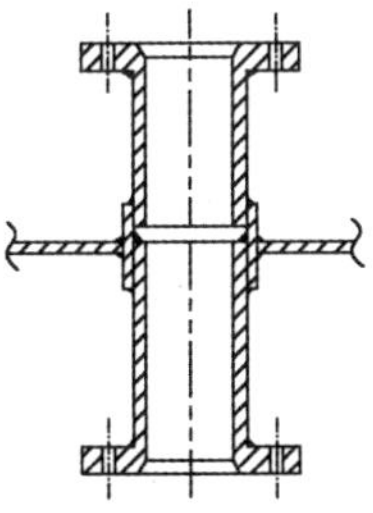	(1)甲板排水及粪便管； (2)蒸汽管和排气管； (3)淡水，饮用水和卫生水管； (4)消防和甲板冲洗管； (5)空间位置狭小区域
C	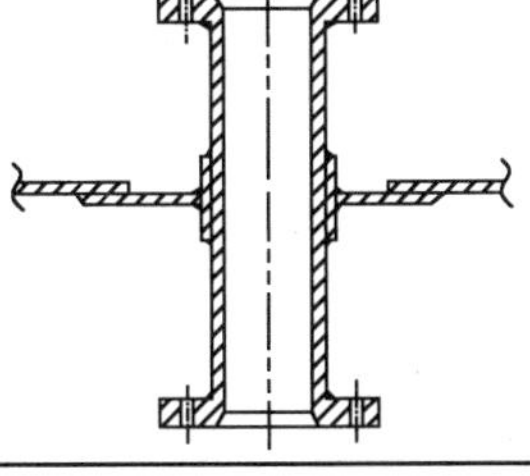	(1)海水管； (2)除了A、B以外所有的管子

任务5.7 机舱舾装检验

5.7.1 相关知识

5.7.1.1 轴系装置安装检验

1.轴系概述

(1)轴系的基本组成

船舶轴系是船舶动力装置的重要组成部分,其任务是将船舶主机发出的功率传递给螺旋桨,同时又将螺旋桨所产生的推力传给船体以推动船的航行,船舶轴系由推力轴、中间轴、艉轴、螺旋桨轴、联轴器、推力轴承、中间轴承、艉管轴承和其他附件等组成,有的还带有减速齿轮箱。轴系布置图见图5-22。

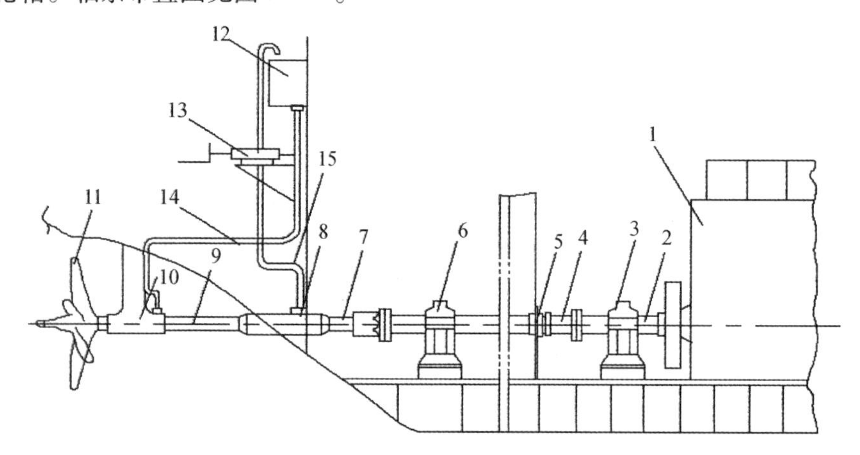

图5-22 某轮轴系布置图

1—主机;2—推力轴;3—推力轴系;4—中间轴;5—隔舱填料函;6—中间轴承;7—螺旋桨轴;8—艉管支承;9—艉管;10—人字架;11—螺旋桨;12—艉轴油柜;13—艉轴润滑油泵;14—进油管;15—回油管

(2)轴系结构

①中间轴及轴承

中间轴的主要作用是将主机的扭转力矩传给艉轴,并将螺旋桨的推船力由艉轴经中间轴、推力轴传给推力轴承。在轴系安装时对同心度的要求较高,因而各中间轴两端的法兰加工时与轴的同轴度要求较严格,并且在构造上要具有便于安装和拆修时对中找正的措施(基准点)。各法兰的连接螺栓一律采用铰制孔的精密紧配合螺栓连接。大多数中间轴系用的是实心结构,而只有对质量要求较严格的少数中间轴才采用空心结构,空心结构的目的是使船舶的自重减轻。而对大多数中间轴段来说,每轴段只有一个中间轴承来支承。中间轴承主要有两种结构形式:滑动轴承和滚动轴承。

②推力轴及推力轴承

推力轴主要作用:一方面承受螺旋桨的轴向推力,并将推力传给船体,使船舶前进或后退;另一方面还要保证整个轴系有一个准确的唯一的轴向位置。推力轴承分为滑动式和滚动式两种。目前滑动式具有承载力大、工作可靠等优点,所以在轴系中应用最为普遍。

(3)艉轴及艉轴管装置

艉轴装在穿过船艉壳体的艉轴管中,支承在艉轴承上。它的前端通过联轴节和中间轴相连接,其后端采用锥形轴颈加上平键与螺旋桨相连接,有的配以平键并依靠锥体末端的紧固螺母,将螺旋桨固紧在艉轴上。

艉轴管装置的任务是用来支撑艉轴或螺旋桨轴,并使其可靠地通出船外,不使舷外水漏入船内,同时亦不使滑油外泄。为了承担上述任务,艉轴管装置一般由艉管、艉轴承、密封装置及润滑与冷却系统等部分组成,见图5-23。艉轴管是一空心圆形长管,其前端采用法兰与水密隔舱壁上的焊接法兰相连接,尾部固定在艉柱上用螺帽紧固。单轴系的艉轴管,均位于船的纵中剖面上;双轴系的艉轴管,位于船艉部的对称两侧。双轴系的艉轴管一般较长,往往分若干节组合而成,同时在尾部还装有人字架。大型船舶的艉轴管一般由整体铸钢件或分锻铸钢件焊接而成。

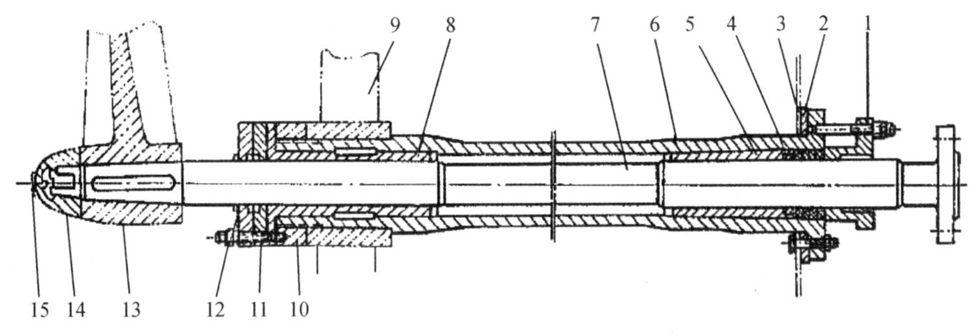

图5-23 艉轴管装置总图

1—填料压盖;2—焊接法兰;3—隔舱壁;4—填料;5—前轴承;6—艉轴管;7—艉轴;8—后轴承;9—艉柱;10—艉轴管;11—压板;12—橡皮密封装置;13—螺旋桨;14—艉轴螺母;15—防松螺钉

2. 轴系安装工艺及程序

(1)轴系安装工艺内容

①首先确定轴系的理论中心线;

②按确定的轴系理论中心线镗艉轴孔(艉轴管壳体孔)、人字架壳体孔及开隔舱壁填料函孔;

③安装艉轴管、艉轴承、人字架轴承、艉轴及艉轴密封装置和螺旋桨;

④中间轴的排轴及轴系校中,并安装、固定中间轴轴承;

⑤主机的定位及其固定。

(2)轴系安装一般程序

船舶轴系的安装工程,可在船体艉段及机舱分段船台上建造好后,与其他分段的建造同时进行,其基本过程如下:

①首先确定轴系的首、尾基准点,首基准点一般设在主机前1~2 m处;尾基准点一般设在船尾舱系中心线之后300~500 mm处。

②按首、尾基准点确定轴系理论中心线,并做好有关标记,为进一步检查、镗孔及排轴提供根据。

③确定理论中心线后,其他工作可从艉轴端向前,或自主机端向后,也可两端同时进行。

④画出轴系各贯通孔（穿过各隔舱壁）的镗孔线，并检查各中间轴承基座在船体的位置。

⑤镗人字架、艉轴管毂孔及各隔舱壁的轴系贯通孔，并加工各中间轴承基座面板（包括推力轴承）。

⑥安装艉轴管总成（艉轴管已在内场加工好且前后艉轴承已加工装好）。

⑦安装艉轴、螺旋桨（艉轴和螺旋桨已在内场拂配完毕）和艉轴管密封装置。

⑧排轴、中间轴及中间轴承就位，且以校中轴系来定位安装。

⑨中间轴及轴承未就位前可按直线性或合理校中原则，利用光学仪器法，校中定位各中间轴承；而在中间轴及轴承就位后，可按连接法兰的偏移值和曲折值来校中轴系。

⑩按二次排轴，校中定位的珠中间轴承须拂配各中间轴承的调整垫块；并钻孔铰孔，配制螺栓。

⑪中间轴承紧固定位，各中间轴连接法兰（内场已镗好螺孔）用紧配螺栓固定。

⑫轴系与主机相连接，并调整好推力轴承间隙，安装推力轴总成；

⑬安装轴系刹车装置、润滑油管、冷却水管及各填料密封装置；

⑭轴系的试车、交验。

轴系的安装检验主要围绕上述工作进行。

3. 轴系中心线拉线检验

轴系的理论中心线是指船舶设计时所规定的轴心线。安装轴系时，人字架轴毂孔和艉柱轴毂孔等的画线和镗削加工，以及轴系各部件和主机的校中定位，都是以轴系理论中心线为基准的。确定轴系理论中心线的方法主要有拉线法和光学法两种。轴系长度小于15 m时，常用拉钢丝线的方法来确定轴系理论中线，大型船舶或精度要求高的船舶，采用投射仪照光确定轴系理论中线。无论哪种方法均是采取首、尾两基准点来确定轴系理论中心线的主要依据。

（1）确定轴系理论中心线前的准备工作

①船体建造自尾端起应完成全长85%的安装工作，在船高方向上应完成到主甲板的建造。

②主机及轴系所安装的区域内，所有的舱室及油水框都应经过焊缝检验及水密试验且合格。

③船上所有质量较大的设备均应安装到位，特殊情况时可采用相当质量的物体放在相应位置代替，不允许在轴系安装过程中有较大物品吊进或移出船体。

④在确定轴系的理论中心线或在轴系校中时，应停止船上所有的冲击性和振动性的其他施工作业，以免造成轴系的安装质量问题。

⑤轴系的拉线或照光工作，最好在下雨阴天或晚间后半夜内船体相对稳定时进行。

⑥在确定轴系理论中心线之前，对某些不正规的船台，应复查船身的横向、纵向的水平情况，并做好记录，作为修正中心线的依据，或对船身进行重新找正。

⑦船体在船台上的位置，应有专门的指示装置来指明船体因各种因素所引起的变化情况。在安装轴系的过程中也要经常加以检查，如果船体的位置发生变化且变动的有关数据已超过规定值，应立即予以校正。

（2）基准点的确定

轴系拉钢丝线与舵系拉钢丝应同时进行。拉轴系及舵系钢丝线的基准点要求如

图5－24所示，轴系找中的艉部基准靶应布置在艉部零号肋骨的后方，在舵系中心之后的 h 点。首基准靶布置在机舱内前部 G 点，基准靶应牢固固定。靶心应与船体中心线平行或重合，允许偏差 ±1 mm。舵系则按舵机平台之上与舵销承座之下两个理论基准点。上述拉线基准点须经检验员确认，车间按此基准点进行轴系与舵系的拉线。

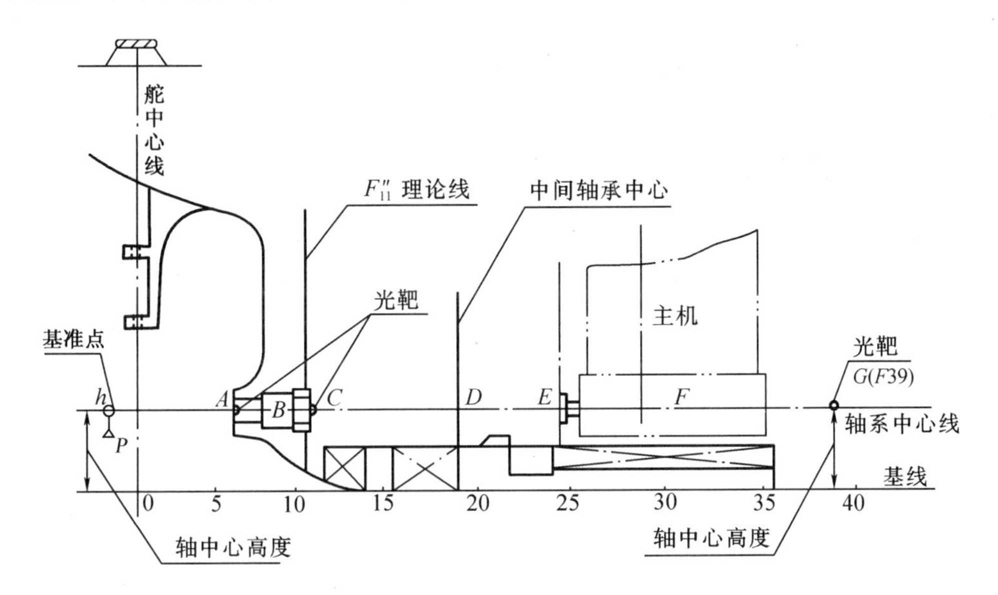

图5－24　拉轴系及舵系钢丝线的基准点要求

(3)检验要求

①轴系中心线与舵系中心线相交度不大于3 mm，两线垂直度不大于1 mm/m。

检验两线相交度可用钢带尺，检查十字线垂直度可用预先制作的十字形样板，也可用其他几何测量法。

②确定艉轴管镗孔中心。根据轴系钢丝线确定艉轴管中心(注意要经挠度修正)的检验方法，在拉线时预先在艉轴管内放入一个画线套筒，钢丝通过该画线套筒孔，拉线后高速画线套筒内孔与钢丝线同心(一般用内卡钳测量)，然后再按挠度修正值借高(用外径分厘卡及内卡钳测量借高量)，根据该套筒用专用画线工具在艉轴管端面画切削圆及检查圆并在线上打上圆冲眼，如图5－25所示。

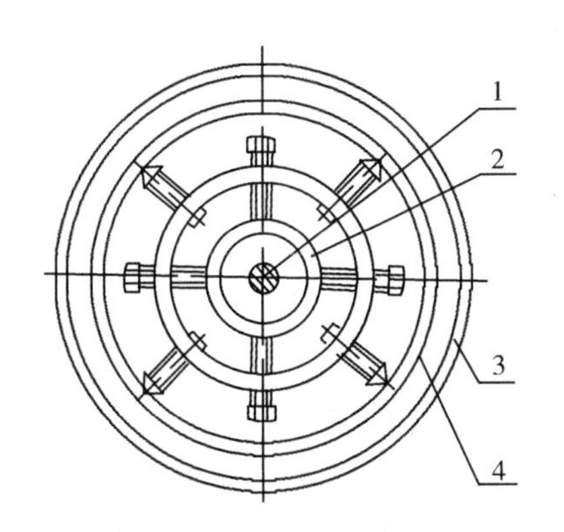

图5－25　用画线套筒专用工具确定中心

1—钢丝；2—画线套筒；3—检查圆；4—切削圆

在轴系长度小于15 m时，轴系拉线可直接用上面介绍的拉钢丝线的方法来确定轴系的理论中心线。对于轴系长度大于15 m的大中型船舶，拉线法仅作为检查轴系与舵系的相交度和垂直度，以及检查基座垫片厚度等初步确定中心之用。由于各测量点要随拉线位置修正，且修正量大会影响轴系中心线的精度，为此在通过拉线初步定出中心的基础上，须采用投射仪照光确定轴系中心。

画线完成后，要测量切削圆至艉轴管外缘的尺寸，艉轴管厚度应符合中国船级社《钢质海船入级与建造规范》的规定，即艉轴管厚度在镗削完毕后应不小于 $t=0.1d_s+60$(mm)

式中　t——轴壳壁厚度，mm；

　　d_s——推进轴的直径，mm。

4. 轴系中心线的定位检验

投射仪照光找正轴系中心的优点是准确度高、操作方便。目前我国万吨级以上的大型船舶（轴系长度一般都在35 m以上）或精度要求高的船舶，在完成拉钢丝线初步找中后，都采用该方法确定轴系中心。本节主要介绍投射仪照光法检验内容。

投射仪照光前，船体的建造进度与照光环境要求应符合规定的条件。轴系照光的前后两个基准点 G、h 由船体制造部门提供，作为投射仪找中心线的依据，具体参见图5－26。

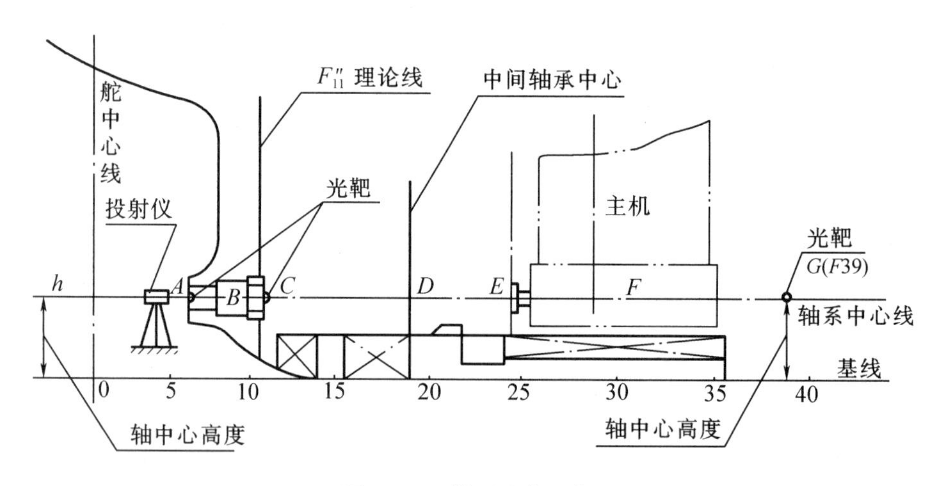

图5－26　轴系照光示意图

在进行投射仪照光时，首先，应调整光学投射仪中心，使其与船体制造部门提供的两个基准点的中心保持在同一个中心上，其偏差应在规定范围内。然后，以调整好的光学仪中心为基准，逐个调整艉轴管轴承端面处的光靶中心，使其与光学仪中心一致。最后，按照光靶中心画出各道轴承端面的镗削圆及检验圆。

具体检验要点如下：

(1)投射仪按 G、h 两个基准点调整中心，也可通过拉轴系钢丝线将 h 点移植到轴壳后端，即图上 A 点，将其十字线分别投到 A、G 两点，与靶上的十字线重合。若偏差不大于 ±0.5 mm，则可认为投射仪中心已调好。

(2)投射仪中心调整好后，应将投射仪十字线投到艉轴管前、后轴承壳两端面的光靶上。调整靶心位置，使靶心上十字线完全与投射仪上的十字线同心。用同样方法调整好所有轴承端面的投射光靶中心。

(3)按投射仪中心调整好艉轴管端面的照光靶后,将照光用的十字形靶心取出,换上专用画线工具,按图样尺寸在轴管端面画出切削圆和检验圆,并在两个圆上敲上圆冲眼。

5. 艉轴管镗孔检验

(1)概述

大中型船舶的人字架轴毂孔、艉柱轴毂孔及艉隔舱壁内圆等的安装加工工艺都是将这些部件焊装在船体后就地用镗排镗孔,镗孔完成后,在加工好的孔中安装艉轴管。这些孔的加工,是以轴系理论中线为基准,利用在该孔端面上所画出的加工圆线和检验圆线进行的。加工圆和检验圆是两个同心圆,加工圆线是为了镗孔时确定其加工线,以便于达到所规定的尺寸要求所画的圆线,检验圆线比加工圆线的直径稍大(约大 20 ~ 30 mm),它是作为镗孔和船舶大修时检验轴系理论中线用的。

(2)镗孔检验

在艉轴管镗孔前,应对镗孔工具进行检查,镗排、支承架、传动装置的加工精度和安装精度应符合要求。

①艉轴管镗孔须根据图纸要求按粗镗与精镗两个阶段进行。粗加工后,必须对镗排中心再一次校中,方可进行精镗,以确保镗孔中心符合要求。在精镗前,按艉轴管端面的检验圆线为依据,用画针盘检查上、下、左、右四个位置,使镗排中心和检验圆的中心重合,偏差控制在 ±(0.03 ~0.1)mm 范围内,检验合格后,再进行精加工。精加工时,精镗的切削余量不宜太多,需一次镗出,不允许接刀。镗削中由于刀具的磨损会造成孔径呈圆锥度,根据螺旋桨轴轴承顺锥度压入才能有足够的紧固力的要求,精镗的进刀方向应和螺旋桨轴轴承压入方向一致。

②艉轴管镗孔后须用复照光方法检验艉轴管中心。在已镗好的艉轴管前、后轴孔内,分别放上照光靶,并按照镗孔圆调整其靶心,使之与镗孔中心完全一致。按图 5 -26 所示的 A、G 两基准点调整投射仪中心,然后将投射仪十字线投到轴管,按图 5 -27 所示 B、D、C 处的光靶十字线上,检查其中心偏差,即为该处的镗孔中心偏差值,中心偏差按长度计算应小于 0.15 mm/m。

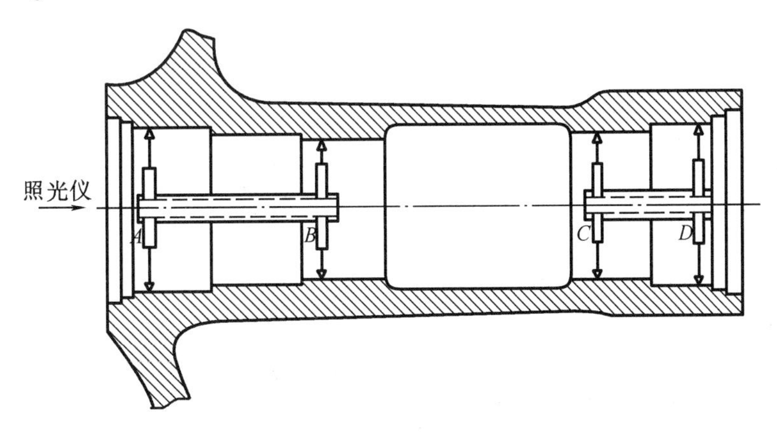

图 5 -27 复照光示意图

艉轴管镗孔结束后,应进行镗孔质量检验。表面粗糙度应符合要求,圆柱度和圆度的公差不低于 H_9,同轴度偏差值不大于 0.08 mm,圆柱度方向应与轴承压入方向一致。艉轴管端面的切削面应垂直于中心线,垂直度公差值不大于 0.01 mm/m。选取测量部位时,在长度方向上应取前、中、后三点，每点测量上、下、左、右四个方向的尺寸。测量应选择在内外温差小的时候进行。

艉轴管镗孔检验结束后，整理相关数据并填入记录表中，可参见表 5－46。

表 5－46　艉轴管镗孔测量记录表

	测量日期	温度环境	艉管温度	量具温度	孔径/mm									
后轴承处艉管孔径测量记录					测量位置	1	2	3	4	5	6	7	8	9
					A									
					B									
					C									
					D									
					和									
	温度差平均值				平均值									
前轴承处艉管孔径测量记录	测量日期	温度环境	艉管温度	量具温度	孔径/mm									
					测量位置	1	2	3	4	5	6	7	8	9
					A									
					B									
					C									
					D									
					和									
	温度差平均值				平均值									

6. 艉轴管及艉管轴承的安装检验

（1）艉轴管装置及安装工艺概述

艉轴管装置的任务是用来支承螺旋桨轴，并使其能可靠地通出船外，不使船外的水大量渗入船内，亦不使滑油外泄。为了承担上述任务，艉轴管装置一般是由艉轴管、艉轴承，密封装置，以及润滑与冷却系统等部分组成。艉轴管轴承可以在车间装入艉轴管内，也可在艉轴管上船安装之后再装。为了安装方便，减少船台安装工作量，目前大多数船厂在车间把两者装配好。艉轴管轴承设在艉管或人字架及前支承中，艉管轴承的结构形式按其润滑的方式分为水润滑和油润滑两种，油润滑的艉管轴承主要是白合金轴承，水润滑的轴承则由铁梨木、橡皮、桦木胶合板、增强塑料等制成。

大中型船舶艉轴管安装工艺：

①把艉轴管送入艉隔舱壁孔和艉柱轴孔内，可用起重葫芦拉送，也可用小车送进，当艉轴管送到直径配合面并始接触时，需要加力才能压入。

②当艉轴管螺纹伸出轴毂孔后端3～4牙后，应立即将艉轴管轴毂后端面的相应位置钻孔、攻丝，安装艉轴管螺母止动块，在艉轴管法兰端装紧螺母，并上紧。

中小型船舶艉轴管的安装工艺：

中小型船舶为了避免在船上镗孔，广泛采用环氧树脂浇注法进行施工。将艉轴毂和人字架孔在车间镗好，此孔与艉轴管的外圆配合间隙很大，先将艉轴毂和人字架焊到船体上，在施焊时人字架可用调节螺钉作支撑，并按轴系理论中线校中其位置，艉轴毂焊好后将艉轴管插入，艉轴管装入后，用调节螺钉临时支撑住，再按照轴系理论中线校中其位置，然后在艉轴与艉轴毂和人字架的配合间隙中填满环氧树脂黏结剂，使艉轴管紧固。

(2)白合金艉轴管轴承检验

①艉轴管轴承安装前应进行清洁检查，艉轴管内残留的铁屑、毛刺、型砂、焊渣及油污等多余物和垃圾应清除干净；对艉轴管前后轴承外圆直径及艉轴管内孔进行复测。

②轴承压装检验，轴承与艉轴管为过盈配合，轴承安装普遍采用液压拉伸器将轴承压入艉轴管内。在压入过程中，每压入50 mm应记录一次液压压力及压入距离。最后压入压力应符合设计要求，没有设计要求时可参照表5－47的数值。轴承压入时应认真检查轴承上的“TOP”标记，使“TOP”标记的部位向上。

表5－47 艉轴管轴承安装压入力

名称	轴承外圆 D	压入力/KN	
		前轴承	后轴承
压力润滑艉轴管轴承	$300<D<500$	68.65～294.2	147.1～588.4
	$500<D<900$	147.1～588.4	343.23～980.67
	$900<D$	147.1～784.53	343.23～1 176.8

(3)整体式艉轴管安装检验

①检查艉轴管上所标的“TOP”标记位置是否正确。

②检查艉轴轴管法兰处是否填入帆布垫片并涂上牛油白漆，艉轴管与艉柱平面连接处是否填入铅垫片。

③艉轴管后端螺母旋紧后，用0.05 mm塞尺检查平面贴合紧密性，塞尺应不能插入，说明螺母锁紧装置已安装好。

④艉轴管安装好后，对艉轴所通过的水舱进行密性试验。

(4)艉轴的安装检验

前端有固定法兰的艉轴必须从船内进行安装，对于前端是可拆联轴器的艉轴则都是从船外向船内进行安装的，艉轴的安装与艉轴管的安装方法类似，也是用起重葫芦或小车把艉轴送入艉轴管轴承内。

艉轴安装到位后，应用长塞尺测量艉轴与艉轴管轴承的左右及下部间隙，要求下部接触处0.05 mm塞尺插不进。左右两端的间隙在直径间隙40%～60%之间，测量前应在艉轴的尾端挂一个与螺旋桨质量相当的重物。

7. 艉轴管密封装置的安装检验

(1)概述

为了防止海水沿螺旋桨轴侵入船内及船内润滑油的外漏,在艉管装置中必须设置艉轴密封装置。对于油润滑的密封装置,其首部密封装置的任务主要是封油,使其不致漏入船内,尾部密封装置则担负着封水和封油的双重任务。对于水润滑的艉管装置则只设有首部密封装置,仅担负着不使船外水漏入船内的任务。

(2)艉轴管前端填料函结构密封装置安装检验

安装填料时,应严格按规定的填料规格及数量施工,并符合以下要求:

①加装填料时,每圈填料的两端应刚好接拢,各道填料搭口应相互错开安装;

②填料压置前后移动应灵活;

③填料装妥后,压盖法兰与尾管凸缘平面的间距应相等;

④压盖衬套的内圆不准与轴接触,力求四周间隙相等;

⑤营运中艉轴管前填料函应按要求检查。

艉轴管前端填料函结构密封装置结构图参见图 5-28。

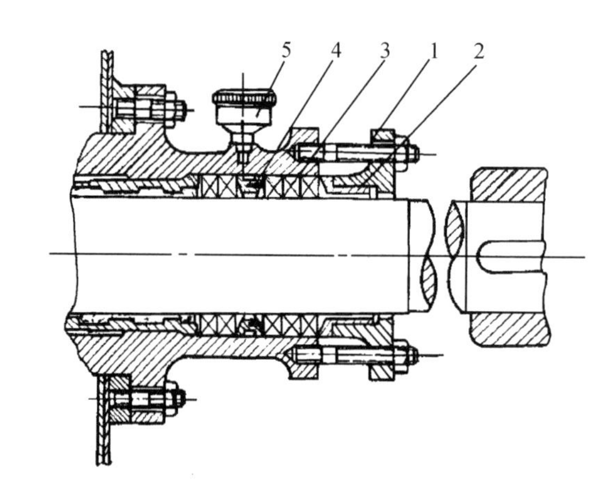

图 5-28 艉轴管前端填料函式密封装置

1—填料压盖;2—压盖衬套;3—软填料;4—分油环;5—进油罩塞

(3)金属环式密封装置安装检验

艉轴管金属环式密封装置的制造及安装精度较高,安装检验要求如下:

①金属环装配时,环与环槽两侧轴向间隙应大于推力轴的轴向间隙,一般取 0.20~0.30 mm。

②防蚀衬套装配后,衬套前端面与轴毂端面的间距不小于 6~8 mm,而伸出首油环的距离 B 不小于 8~10 mm。

③油压试验压力选取:

a. 对回油管在水线以上的船舶,当油从回没管出油起继续泵油 3 min。

b. 对回油管在水线以下的船舶,泵油压力为轴系中心线至船舶重载水线间距离的 1.5 倍,一般不得大于 0.1 MPa。

④试验时不准有滑油泄漏。

(4)橡胶密封环式密封装置安装检验

橡胶密封环式密封装置是较为理想的一种密封装置,目前得到了越来越多的应用。该密封装置的主要检验内容有防蚀衬套安装后的同轴度的检查、密性检验和下沉量测量。具体检验要求如下:

①进行防蚀衬套安装后的同轴度检查,要求同轴度不超过0.10 mm,检查应在原防蚀衬套与螺旋桨平面连接,以及前防蚀衬套与压紧环安装连接后进行。

②前后密封装置安装后,应作密性试验。在高位重力油箱内灌满油,用油箱内油的静压力进行密性试验,并保持12 h。检查时,缓慢转动螺旋桨轴,检查密封装置密性情况,不允许泄露。

③密封装置安装结束后,可使用配套厂供应的专用测量工具测量螺旋桨轴的下沉量。

8. 螺旋桨的安装检验

(1)概述

螺旋桨安装在轴上的方式有两种,一种是有键安装,另一种是无键安装。随着造船技术不断发展,由于螺旋桨与轴无键安装连接的结构,避免了螺旋桨轴上加工键槽而引起轴的应力集中,所以船舶越来越多使用螺旋桨无键安装,并逐步替代有键安装。

大型船舶已日益采用无键液压套合的方法来安装螺旋桨,如图5-29所示。将螺旋桨套在艉轴上,装上液压螺母,用油泵泵出的高压油经高压油管由桨毂内孔的油槽进入艉轴与螺旋桨的锥面配合处,使桨毂产生弹性变形而被胀开。与此同时,向液压螺母供给高压油,液压螺母产生向前的推力,使螺旋桨向前移动。当螺旋桨被推至规定位置时,先放去桨毂锥孔的高压油,然后再放去液压螺母内高压油,由于桨毂弹性变形的恢复,使螺旋桨紧配在艉轴上。

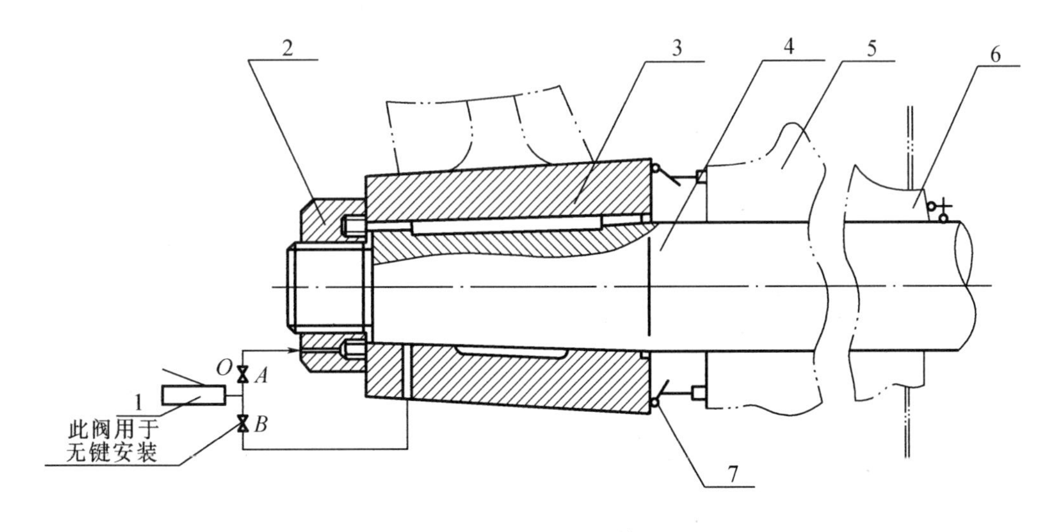

图5-29 螺旋桨安装图

1—油泵;2—液压螺母;3—螺旋桨;4—螺旋桨轴;5—轴毂;6—隔舱壁;7—百分表

(2)安装检验

螺旋桨的检验内容有安装前的检验、螺旋桨压进量的确定、螺旋桨压进量的检验。

具体的检验要求如下：

①安装前应检验螺旋桨与轴结合面的清洁状况。

②压进量的确定

按中国船级社《钢质海船入级与建造规范》规定，无键螺旋桨安装压进量由技术部门按公式计算后，提供0 ℃与35 ℃时的压进量，并绘出类似图5－30所示的螺旋桨随温度变化的压进量曲线。在安装螺旋桨时，测量螺旋桨及螺旋桨轴的温度，并求得两者温度的平均值，作为压入时的温度，再从图5－30中，用插入法确定无键螺旋桨安装时的压进量。

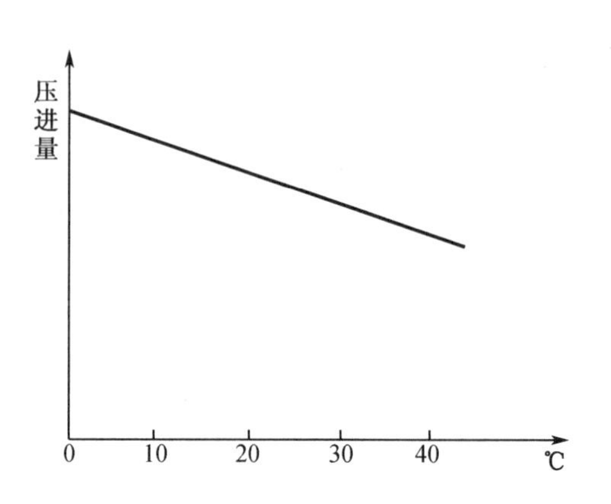

图5－30　螺旋桨桨壳温度与压进量曲线

(3)螺旋桨压进量检验

液压安装螺旋桨的压进量分两个阶段完成，第一阶段为干装配压进螺旋桨，第二阶段为湿装配压进螺旋桨。螺旋桨安装时须记录油压及压进量，测量记录参见表5－48所示。

表5－48　螺旋桨压进记录表

环境温度：　℃　　螺旋桨温度：　℃　　螺旋桨轴温度：　℃　　轴向活塞面积：　cm^2

压进距离/mm		
油压/MP	轴向	
	径向	

9. 轴系安装检验

(1)轴系校中概述

轴系校中就是按一定的要求和方法，将轴系敷设成某种状态，处于这种状态下的轴系，其全部轴承上的负荷及各轴段内的应力都处于允许范围之内，或是最佳的数值，从而可保证轴系持续正常的运转。因此轴系校中是轴系安装工程中的重要部分，校中质量的好坏对轴系是否能正常运转有着重要的影响。

轴系校中方法目前有法兰偏移曲折法和轴系合理找中计算法两种。轴系法兰偏移曲折法是轴系校中最普通的一种方法，它是按照轴系连接法兰的偏移和曲折，将轴逐根进行对中的方法。轴系合理找中计算法是考虑轴系在热态情况下所具有的合理的轴承反力，按照计算模型设置支架，计算轴系连接法兰位移与缝差值的一种轴系校中方法，此种方法在目前建造的船舶中被广泛使用。

按中国船级社《钢质海船入级与建造规范》的规定，轴系校中一般应在热态情况下满足下列要求：

①轴承负荷的最大值不超过轴承的允许比压；

②每个轴承的正反力不小于相邻两跨轴的质量的20%；

③轴的附加弯曲应力不超过规定值；

④施加到柴油机输出法兰处的弯矩和剪力不超过柴油机制造厂所规定的值；

⑤大齿轮前后轴承的反力差不超过两轴承之间轴段及大齿轮质量的20%；

⑥艉轴管后轴承支点处轴的截面转角不超过规定值。

(2)法兰偏移曲折法

①简介

法兰偏移曲折法采用按法兰上的允许偏中值(偏移、曲折)的直线校中原理进行轴系校中。轴系直线校中法,实际上就是平轴法。其实质是:利用调整中间轴承及主机的高低和左右位置,使相邻两根轴的法兰既平行又同轴,即偏移 $A=0$,曲折 $B=0$,当连接后整根轴系呈直线状态,因此称直线校中。然而在实际校中时要完全达到各相邻法兰上的偏移和曲折值均为零是极为困难的,甚至是不可能的。故在按直线校中时也允许法兰上偏移和曲折值存在很小的偏差值。

以螺旋桨轴法兰为基准,用第一根中间轴法兰校中的检验数据定位中间轴承。以第一根中间轴前法兰为基准,用该根中间轴后法兰校中的检验数据定位另一根中间轴的中间轴承。以最前一根中间轴前法兰为基准,以齿轮箱轴法兰或主机推力轴法兰校中的检验数据定位齿轮箱或主机。这些校中均以检验一对法兰的偏移和曲折的方法来对中轴系。检验顺序是从船尾向船首逐根定位,先定位中间轴,再定齿轮箱、推力轴或主机。

在具体实施中有两种方法,较为简单的一种方法是用直尺与塞尺两种工具检验法兰的偏移和曲折,简称为直尺、塞尺法,如图5-31(a)所示。另一种方法是在法兰外圆上安装两对指针,如图5-31(b)所示,用塞尺检查指针间的距离,来检验法兰的偏移和曲折,简称为指针法。

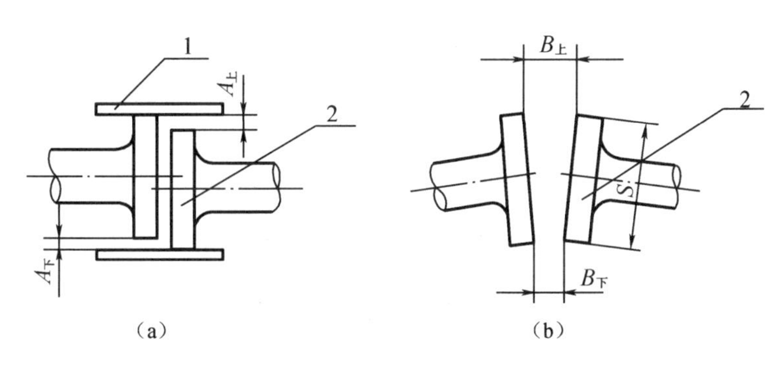

图5-31　用直尺与塞尺测量轴的偏移和曲折

1—直尺;2—法兰

②用直尺、塞尺法校中轴系

a. 偏移值的测量:用直尺贴附在相邻两法兰其中一个的外圆上,然后用塞尺测量另一法兰外圆与直尺之间的间隙。如图5-31(a)所示,依次在法兰外圆的上、下、左、右四个位置进行测量,可得 $A_上$、$A_下$、$A_左$、$A_右$ 四个位置的测量数值。测量记录表参见表5-49。

偏移值计算方法:

垂直平面内两轴线的偏移值:$(A_上+A_下)/2$ mm

水平平面内两轴线的偏移值:$(A_左+A_右)/2$ mm

b. 曲折值的测量:塞尺在上、下、左、右四个位置测量两法兰端面之间的间隙,如

图 5－31(b)所示。分别测量得出 $B_{上}$、$B_{下}$、$B_{左}$、$B_{右}$四个位置数值，测量记录参见表 5－50。

曲折值计算方法：

垂直平面内两轴线的曲折值：$(B_{上} - B_{下})/S$ mm/m

水平平面内两轴线的曲折值：$(B_{左} - B_{右})/S$ mm/m

式中，S 为法兰直径，m。

螺旋桨轴与中间轴法兰、中间轴与推力轴法兰偏移和曲折的允许值如下：偏移值应小于 0.05 mm，曲折值应小于 0.1 mm/m。

表 5－49　法兰偏移值和曲折值测量记录表　　单位：mm

测量位置	外圆值	$A_{上}+A_{下}/2$ 或 $A_{左}+A_{右}/2$	
上			
下			
左			
右			
测量位置	平面值	$B_{上}-B_{下}$或 $B_{左}-B_{右}$	垂直 $=B_{上}-B_{下}/S$ 水平 $=B_{左}-B_{右}/S$
上			
下			
左			
右			

③用指针法校中轴系的方法

用两对指针工具来测定法兰偏移和曲折方法。如图 5－32 所示，用塞尺测量指针间的间隙，在一组数据测好后，两轴同时转动，每隔 90°测量一组数据，即测 0°，90°，180°，270°四组数据。将这些测量数据填入表 5－50、表 5－51 内，计算出法兰的偏移值及曲折值。此值应符合以下要求：偏移值小于 0.05 mm，曲折值小于 0.10 mm/m。

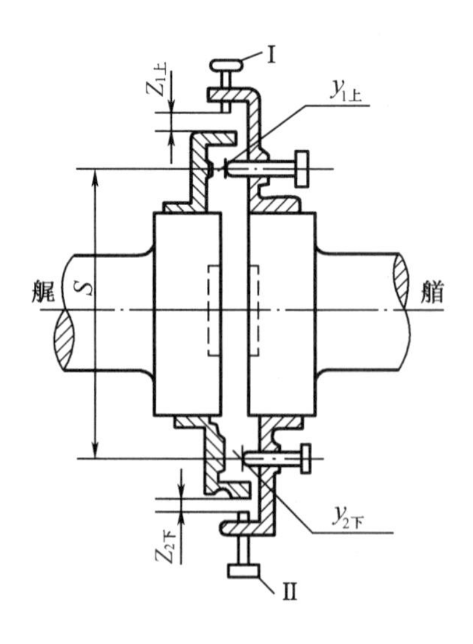

图 5－32　用指针法测量轴的偏移值和曲折值

表5-50 法兰偏移值和曲折值计算表

单位:mm

法兰结合编号	指针位置	指针间隙		间隙总和Σ	间隙总和之差	所求的偏移值
		Ⅰ指针	Ⅱ指针			
	上	$Z_{1上}$	$Z_{2上}$	$\Sigma_1 = Z_{1上} + Z_{2上}$	$\Delta_1 = \Sigma_1 - \Sigma_2$	$\Delta_1/4$
	下	$Z_{1下}$	$Z_{2下}$	$\Sigma_2 = Z_{1下} + Z_{2下}$		
	左	$Z_{1左}$	$Z_{2左}$	$\Sigma_3 = Z_{1左} + Z_{2左}$	$\Delta_2 = \Sigma_3 - \Sigma_4$	$\Delta_2/4$
	右	$Z_{1右}$	$Z_{2右}$	$\Sigma_4 = Z_{1右} + Z_{2右}$		

表5-51 曲折值计算

法兰结合编号	指针位置	指针间隙/mm		间隙总和Σ/mm	间隙总和之差Δ/mm	2、4指针间隙/m	曲折值数值/mm	所求的曲折值/(mm/m)
		Ⅰ指针	Ⅱ指针					
	上	$y_{1上}$	$y_{2上}$	$\Sigma_1 = y_{1上} + y_{2上}$	$\Delta_1 = \Sigma_1 - \Sigma_2$	S	$\Delta_1/2$	$\Delta_1/2S$
	下	$y_{1下}$	$y_{2下}$	$\Sigma_2 = y_{1下} + y_{2下}$				
	左	$y_{1左}$	$y_{2左}$	$\Sigma_3 = y_{1左} + y_{2左}$	$\Delta_2 = \Sigma_3 - \Sigma_4$		$\Delta_2/2S$	$\Delta_2/2S$
	右	$y_{1右}$	$y_{2右}$	$\Sigma_4 = y_{1右} + y_{2右}$				

(3)合理找中计算法

①简介

合理找中计算法是按照主机及轴系的质量与位置而进行的轴系合理找中计算。它依据轴系在热态工作时轴承负荷应在设计允许范围之内,从而计算出轴系各连接法兰处的位移和缝差值。工厂应按此要求进行轴承的定位安装。

安装前应具备的条件:

a. 船舶下水后,上层建筑和甲板室已安装。

b. 把螺旋桨轴自由地放在艉轴管内,法兰处暂不连接。为了防止因水面波动而使轴产生横向波动,须在螺旋桨轴法兰处左右两侧用螺旋千斤顶固定,顶紧时左右要均匀,使轴不能移动。

c. 按船轴系计算图要求的数值安装轴系,中间轴两端设临时支架,支架布置的位置按计算图布置。

d. 轴系找中时,应选择水面波动尽可能小的情况下进行。

(4)检验内容

①轴系找中应具备的条件是否全部满足,临时支架布置位置与尺寸是否符合计算图。

②按计算书要求的每对法兰的位移与缝差值,定位中间轴、齿轮箱及主机。

③中间轴承、齿轮箱、主机底座的垫片检验。

④主机曲轴曲臂距测量。

(5)检验方法与要求

合理找中计算法安装轴系,是根据技术部门按本船的轴系计算模型及轴承负荷,计算出轴系每一对法兰的位移与缝差值大小和方向。轴系安装时须按照此要求进行中间轴承、齿轮箱、主机定位。应注意，按计算模型计算出的法兰的位移与缝差值安装轴系，并非表示轴系法兰的实际偏移值与曲折值。

①中间轴承定位检验。按照计算模型设置支架位置，并调整其中心位置，使螺旋桨轴与中间轴法兰的位移与缝差值符合计算模型要求。安装时，法兰的位移与缝差值与计算值的允许误差为 ±0.1 mm。此时，中间轴与中间轴承下瓦之间的间隙应为 0.10 ±0.05 mm（即中间轴与轴承下瓦不接触），此间隙可用塞尺检查。如果轴系有两根中间轴，则另一根中间轴可用类似的方法找中定位。测量记录参见表 5 – 52。

②齿轮箱、主机及推力轴定位检验。中间轴前法兰与齿轮箱找中，或主机及推力轴的法兰找中，同样按照计算书要求的法兰的位移与缝差值的大小、方向，调整齿轮箱或主机及推力轴的位置，使法兰的位移与缝差值符合计算要求。安装时，法兰位移和缝差值与计算值的误差允许为 ±0.1 mm。若在此范围内，则可认为齿轮箱或主机及推力轴承已定位，可进行垫片加工、安装。测量记录参见表 5 – 52。

表 5 – 52　计算法校中轴系测量记录表

对中法兰名称	外圆位移		平面缝差			
	上—下	左—右	上	下	左	右
艉轴对中间轴						
中间轴对中间轴						
中间轴对推力轴或主机						

③中间轴承、齿轮箱、主机底座垫片加工检验。用 0.05 m 塞尺检查，不应插入，局部插入的深度不大于 20 mm。

④轴系连接后，应在拆除中间轴承临时支架情况下，进行主机各缸曲臂距测量，如图 5 – 33所示。要求曲臂距在主机活塞万分之一行程以内，测量记录参见表 5 – 53。

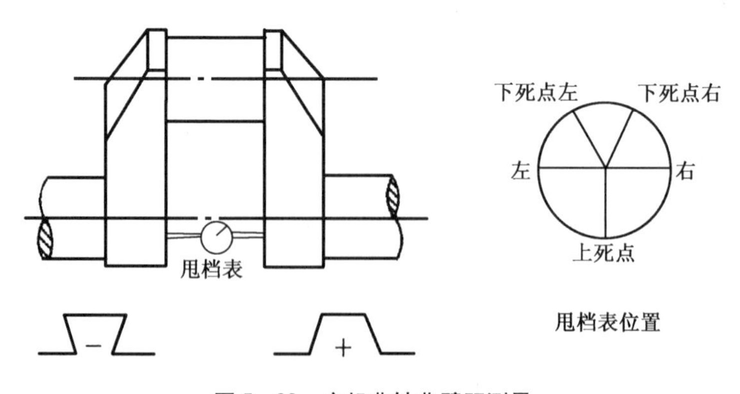

图 5 – 33　主机曲轴曲臂距测量

表5-53 主机曲轴曲臂距测量表

缸号	1	2	3	4	5	6
下死点右						
右						
上死点						
左						
下死点左						

5.7.1.2 主机安装检验

1. 主机安装工艺简介

船用主机有柴油机、蒸汽轮机和燃气轮机三类,柴油机又有高速、中速和低速三种。主机由专业制造厂制造,完成平台试车后交付船厂。由于主机的类型很多,结构特点各不相同,所以,安装的工艺方法也不尽相同。

主机的吊装方式有整机吊装和部件吊装两种,大中型船厂大都采用整机吊装方式。主机吊装时间也有船台吊装和码头吊装两种情况,一般都采用船台吊装主机。民用船舶主机多采用柴油机。主机吊入机舱后,利用机座上的螺栓孔,用四根导滑杆作引导对准基座螺栓孔,使主机平稳又准确地就位于基座的临时木垫上。主机底部用楔形调位工具,两侧用油压千斤顶调整主机高低和左右位置。找正主机曲轴中心线与轴系中心线重合,测量曲轴臂距差,满足技术要求后,进行配垫及紧固螺栓等工作,整机定位安装结束。

2. 柴油机解体安装工艺

大型低速柴油机解体安装工艺内容一般包括:先按吊运能力将柴油机分解成若干部件,并吊运上船;再在船上找正定位机座,以机座作为组装其他部件的基础;最后再进行部件的总装。

大型低速柴油机部件吊装有两种工艺方案,一种是待船舶下水后轴系安装结束再进行主机安装,这是一种传统工艺;另一种是主机在船台上首先定位安装,因而主机、轴系及船体的某些舾装可以同时进行,为缩短船舶建造周期创造有利条件。

大型低速柴油机按部件分解后在船上组合安装成整机,其工艺流程如下:基座的加工检验→机座定位→机架安装→气缸体安装→贯穿螺栓安装→活塞装置的安装→缸盖的安装→扫气箱及增压器的安装→各系统、仪表及走台支架的安装。

3. 船舶主机整体吊装工艺

主机整体安装的工艺过程是先装主机或机组整体吊入机舱内,在基座上就位,然后依据轴系或轴系的实际中心线调整主机的位置,当主机的回转中心与轴系的实际中心相对关系达到规定要求后即可刮削活动垫片,然后钻地脚螺栓孔、铰孔、配制铰孔螺栓并拧紧螺母。有的船厂采用浇注环氧树脂的方法来固定主机,以此简化垫板的加工过程。

主机吊装工艺程序:

(1)主机吊入机舱的通道检查;

(2)为使吊装主机时能就位准确,应在机舱合适地方焊装作为主机吊放时放置主机的临时导架,待主机安装完毕就应割除并磨光;

(3)如果主机机座下的双层底是作为主机润滑油循环舱时，则位于双层底顶面的主机润滑油回油口法兰及透气口接管等，应在主机吊放在基座上之前装妥；

(4)检查核对艉轴前法兰平面与艉尖舱（水舱）前舱壁的距离，以便对主机的前后位置做最后的核定；

(5)对主机基座进行检验与加工；

(6)主机（或机座）定位；

(7)主机固定及检验。

4. 主机安装主要检验内容

(1)主机基座加工检验

船舶柴油主机的基座不仅要承受柴油主机的全部质量，而且还要承受柴油主机运转时运动部件所产生的不平衡的惯性力和反作用力矩所引起的力，以及船舶航行中（如摇摆时）所产生的柴油主机倾倒的力。因此，基座应具有足够的刚性和强度。中小型柴油机的基座通常是钢板焊接结构件，并焊接在船体双层底上；大型柴油机的基座通常是依靠双层底结构作为基座。

主机基座加工检验的主要内容有基座面板平面度检查、基座面板倾斜度检查和螺栓孔质量检验。

在进行基座面板平面度检查时，可采用两种方法。一种是将小平板放到基座的面板上，然后用0.05 mm的塞尺插入，一般应不能插入，但局部允许插入，其深度不大于10 mm；当用0.10 mm塞尺插入时，则应不能插入。另一种方法是在平板上涂上一层薄薄的色油，放到面板上来回拖动，然后拿掉平板检验面板上的色油点，要求在每$(25\times25)\ mm^2$面积内不少于3点，接合面大于75%。

在进行基座面板倾斜度检查时，可用塞尺检查直尺与面板之间倾斜度，倾斜度通常应小于1∶100，且要求向外倾斜。

螺栓孔质量检验有两方面内容，一是圆柱度和圆度要符合设计要求，二是螺栓孔的表面粗糙度要符合设计要求。

(2)主机安装检验

①垫片检验

检查垫片与机座、垫片与基座的上下连接平面，在连接螺挂未旋紧的情况下，用0.05 mm塞尺进行检验，要求不应插入，但局部允许插入，深度不大于10 mm；如换用0.10 mm塞尺检验，则不应插入。

做色油接触检验时，可在机座和基座上涂上一层薄薄的色油，然后将垫片轻轻地敲入和拉出，检验垫片上的色油接触情况，要求在每$(25\times25)\ mm^2$面积内不少于2~3个接触点，或不少于全部面积的70%，且分布均匀。

②机座底脚螺栓安装检验

安装前应检查螺母和螺栓上的螺纹，螺纹应清洁，且无损伤，然后检查机座、基座安装螺母平面处的加工质量，加工面应无毛刺，平面光顺。安装完成后，应进行旋紧扭矩力检验，旋紧后，螺栓的螺纹部分应伸出螺母65^{+5} mm，并检查螺母平面接触状况，用0.05 mm塞尺检验应插不进。

③主机找中检验

主机找中主要是使活塞在气缸内处于中间位置，运转时要求活塞中心线与气缸中心线重合或平行。

a. 低速柴油机找中检验

找中检验一般都在气缸所在的曲杆销转到上死点前30°和下死点后30°时进行,用长塞尺测量活塞与气缸间隙,最小间隙应不小于0.10 mm;用塞尺检验十字头滑块与导板接触情况,用0.05 mm塞尺一般不应插入,但局部允许插入,其深度不超过30 mm,用0.10 mm塞尺检验时,则不得插入;用塞尺检验十字头滑块在导板侧面上、下的间隙,其上、下间隙差值应不大于0.10 mm;检验活塞中心线与导板侧面工作面的平行度、活塞中心线与导板工作面的平行度应符合要求。整理好测量记录,参见表5-54。

表5-54 主机找中记录表

单位:mm

间隙要求													
气缸编号		C				FC_1		AC_1		C_2		C_3	
		F	A	P	S	P	S	P	S	F	A	F	A
1	T												
	B												
2	T												
	B												
3	T												
	B												
4	T												
	B												
5	T												
	B												
6	T												
	B												
7	T												
	B												
8	T												
	B												

注:T——顺车上死点前30°;

B——顺车下死点后30°。

b. 筒形活塞柴油机

找中检验时活塞环暂时不设,连杆轴承与曲柄销间隙适当减少;将所要检验找中的活塞转到上死点和下死点2个位置进行测量;用长塞尺分别测量活塞和气缸在上、下死点的间隙,活塞在气缸内的平行度,不得超过活塞每米长度偏差0.15 mm的要求。

④曲轴臂距差检验

曲柄轴在上、下止点(或左、右水平位置)时,两个曲柄臂之间距离的差值,就称为臂距差。臂距差是用专用千分表(俗称拐档表)或采用特制的支架上装一个普通百分表,放置在曲臂之间来测量的。由于曲柄臂上各点的臂距变化均不相同,测量臂距差应规定在一定的位置上进行,通常是将拐档表放置在距曲柄轴颈中心线$(S+D)/2$的位置上,其中,S为活塞行程,D为主轴颈直径,单位均为mm。

一般在柴油机出厂的技术文件中,除了注明臂距差的规定数值外,还标明测量点的位置,或在柴油机的曲柄臂上画出测量点的位置记号。臂距差检验中测得的数值应符合柴油机厂方的技术要求和有关规范及标准的要求。

在测量臂距差时对每一组曲柄臂应测出上、下、左、右四个位置的臂距值,即得到上下和左右两个臂距差。通过相对位置臂距差的比较分析,就可得知曲轴轴线在垂直面和水平面上的挠曲变形情况。在活动部件(活塞连杆)未装的情况下测量时,曲轴按其运转方向转动,可以一次测出曲柄在0°,90°,180°,270° 四个位置的臂距差数值。在活动部件(活塞连杆)安装在曲轴上的情况下测量时,当曲柄在下死点位置时,连杆要碰百分表,为此可将曲柄先后转至0°,90°,下死点前15°及下死点后270°四个位置进行测量。将测量汇总后填入记录表中。具体可参见第五节中轴系连接后进行主机各缸曲臂距测量部分的内容。

5.7.2　工作任务训练

查阅《中国造船质量标准》轴系部分的要求,写出图5－26中轴系中心线和舵中心线的偏差值的标准范围和允许极限,写出轴系、舵系的拉线和照光程序及检验要点。

任务5.8　电气舾装检验

5.8.1　相关知识

5.8.1.1　电气舾装简介

船内电缆的敷设和电气设备的安装、接线、检查和调试等作业称为电气舾装。随着船舶自动化程度的不断提高和船舶用电设备的增多,电气安装工程的工作也越来越复杂,工作量也越来越大。船用电气设备的工作环境比较恶劣,必须考虑电器的防振性、防潮性和防蚀性等特性的要求。电气舾装通常分为内场准备和外场安装两部分。内场作业条件好,主要是平面作业,且可以提早施工。外场作业比较分散,又有高空作业和仰面作业,作业条件较差。所以电气舾装同样应采用现代造船模式,尽量扩大单元舾装、分段舾装和总段舾装的工作量。

5.8.1.2　电缆敷设检验

在船舶建造过程中,电气舾装件的安装在电气工程工艺路线上属于第一道工序,电缆的敷设属于第二道工序。由于船体本身是由金属构成的,并伴有热源,工作环境复杂,所以对于电缆的选择、走向、保护和固定显得尤其重要。在高度自动化的船舶上,控制、动力和信号传递均通过电缆传输,任何一个差错,都可能引起损失。所以,各船级社对于电缆的敷设有专门的规定。在电气工程的检验中,对于电缆敷设的检验是一项比较复杂的工作。其中包括对电缆合格证书的审核、不同电缆的识别、电缆的紧固、电缆贯通件的密封、电缆的分布和电缆的机械保护等。

1. 电缆支承舾装件检验

电缆固定架亦称电缆支承舾装件,它的种类很多,如紧钩、导板、吊架和导槽等,根据电缆的粗细、多少、电缆的发热程度和船体结构的振动等具体情况的不同,可选用不同的电缆固定架。在采用吊架时,如果电缆很多,则可选用两层或多层吊架。

电缆支承舾装件的安装在分段预舾装、单元组装和整体安装过程中进行。但是,应注意不管采用何种方式进行施工,都必须在船体结构焊接、矫正和检验完毕后,方可进行电缆支承舾装件的安装施工,电缆支承舾装件检验工作应该在电缆拉放前完成。

在进行电缆支承舾装件检验时应注意以下要点:

(1)在焊接电缆支承舾装件时,不准将支承件直接焊在船壳的外板上或金属管上;

(2)电缆支承舾装件固定端的焊缝应该避开船体结构的焊缝;

(3)电缆支承舾装件固定端的焊接工艺应符合工艺文件的要求;

(4)距离较长、跨度较大的电缆支承舾装件的间距应符合表5-55的要求。

表5-55 电缆支承舾装件安装间距表

单位:mm

电缆外径		支承舾装件间距	
超过	不超过	非铠装电缆	铠装电缆
	8	200	250
8	13	250	300
13	20	300	350
20	30	350	400
30		400	400

2. 电缆贯通件安装检验

在电缆敷设过程中,总要穿过舱壁、甲板、横梁和纵桁等船体结构,为了不丧失船体结构应有的强度和密性,需要采用各种电缆贯通件。电缆贯通件一般包括电缆筒、电缆管、电缆填料函、电缆盒和电缆框等。

电缆贯通件的安装检验可以同支承舾装件的检验一起进行。但是,在安装过程中必须在船体结构焊接、矫正、检验结束后进行,检验应该在电缆拉放以前完成。

在进行电缆贯通件检验时应注意以下要点:

(1)电缆贯通件在船体结构上的开孔应该符合结构开孔和补强的技术要求。贯通件开孔边缘距离船体结构的焊缝应不小于20 mm,且不能直接开在船体结构的焊缝上。

(2)在船体结构的肘板上一般不允许开孔。若必须开孔,应采取加强措施。

(3)在穿过带有绝缘层的甲板和舱壁时,电缆贯通件应该伸出绝缘层以外,并注意防火结构和水密结构的相关要求。

3. 电缆敷设检验

(1)电缆

电缆在船舶上的作用是输送电力或传递各种信号,以控制和监视各种设备的运行。电缆敷设工作包括电缆固定架和贯通件的安装、电缆的敷设、固定和接地等工作。电缆一般分为主干电缆和局部电缆两类。凡符合下列条件之一的均称为主干电缆：

①穿过两个以上水密舱壁；

②穿过一层以上甲板；

③特种规格或大截面电缆；

④从总配电板出发的一次电力网路电缆。

在电缆敷设施工中，一般要经过三个过程。第一个过程是根据设计的电缆规格和长度进行电缆备料，第二个过程是根据图样要求拉放电缆，第三个过程是对电缆的紧固。这些工作完成之后，才具备了可以交验的条件。在整个过程中，检验员应该做好这样一些工作：首先，是对所选用的电缆进行验证，检查所有要使用的电缆是否具有船用产品质量证书和相应船级社的认可证书，并根据设计部门提供的电缆册核实电缆型号、规格的正确性；其次，检查电缆颁情况，是否符合 IEC 的有关要求和船级社的标准；最后，进行实船电缆敷设检验。

(2)电缆敷设的一般要求

①电缆的走向应该尽可能地平直且便于维修。

②主干电缆暗式敷线时，敷设线路上的封闭板应能开启。

③所有电缆线路的分支接线盒为暗式安装时，封闭板应能开启。

④当电缆需要弯曲敷设时，其曲率应该符合表 5－56 所列的要求。

表 5－56　固定敷设电缆最小弯曲半径

单位：mm

电缆结构		电缆外径 D	最小弯曲内半径
绝缘材料	外护套		
热塑料材料和弹性材料	金属外套、铠装	任何	$6D$
	其他保护层	≤25	$4D$
		>25	$6D$
矿物	硬金属护套	任何	6D

⑤电缆敷设的走向应该避免受潮气或凝水的影响，应注意以下两点：

a. 在易受油水浸泡的舱底花铁板下敷设电缆时，应将电缆敷设在金属管内，其布置不能使金属管内产生积水，金属管应贴近花铁板安装，电缆引出的管端应高出花铁板，并加以封闭。

b. 在潮湿舱壁上敷设电缆时，电缆与舱壁的距离应不小于 20 mm。

⑥电缆敷设应有不受机械损伤的保护方法，若不可避免时应该采取措施。

⑦当电缆处于油、水管和蒸汽管下方时，原则上要求无系管接头。如果不可避免时，电缆上方应该加防滴罩。

⑧电缆走向应避开热源。例如锅炉、加热油柜、排气管、热蒸汽管、电阻器等。电缆与热源的空间间距应该不小于 100 mm。当无法做到上述要求时，应采取隔热措施。

⑨电缆敷设不应横过船体伸缩接头，如不可避免时，则采取保护措施。

⑩动力或照明电缆应该同控制电缆、信号电缆等低压电缆分开敷设，间距在 50 mm 以上。特别是本质安全型电缆应与其他电缆分开敷设，一般采用单独的贯通件，并做相应的标记。

⑪对于易燃、易爆和有腐蚀性气体影响的场所，照明电缆应敷设在金属管道内，且贯穿

舱壁处应密封,其他电缆原则上不得穿过。

⑫电缆原则上不应该敷设在隔热或隔声的绝缘层内。

⑬贯穿油水舱的电缆必须敷设在无缝金属管道内,管道与舱壁的焊缝确保密性。

⑭电缆敷设与船体外板、舱壁及甲板的间距应不小于 20 mm,与内底板、滑油、燃油舱(柜)的间距应不小于 50 mm。

⑮冷藏舱、锅炉舱内电缆必须明线敷设,电缆上不得喷涂泡沫塑料等隔热材料。

⑯下列电缆之间应尽量远离敷设:

a. 主干电缆与应急干线馈电电缆;

b. 电力推进系统的主电路电源电缆与励磁电缆;

c. 机舱以外的重要辅机的主干电缆和备用机组馈电电缆;

d. 具有不同允许工作温度的电缆。

⑰舱室的封闭板上了允许线敷设和紧固电缆,但封闭板必须是坚固的。当电缆成束敷设时,若是单根滞燃型电缆,应采用限制火焰沿电缆束蔓延措施。

⑱电缆紧固件及附件的类型和尺寸应符合相应的船舶行业标准或生产设计图样要求,碳钢制件表面应进行镀锌处理,铝制件表面应进行阳极氧化处理。

(3)电缆敷设的检验方法

电缆敷设检验主要包括检查电缆的走向、排列和电缆的紧固情况及施工质量。检查电缆的走向是否符合要求,是否会受到各种因素的损伤。对于电缆的紧固材料,一般场所使用镀锌包塑扎带,冷库可以使用木质或不锈钢卡子。在干燥、常温的环境里,分支电缆也可以用尼龙扎带捆绑,下托敷设时,每五根扎带中必须有一根镀锌包塑扎带。在实船检验中,应该重点注意下列情况。

①检查外护套不同类的电缆是否分开紧固。如果分开有困难,一起紧固时,是否能保证不至于相互损伤。

②检查电缆扎带收紧以后,电缆护套的变形是否小于电缆外径的 5%。

③检查紧固在电缆托架上的电缆,电缆尽可能平列敷设成矩形,且不超过两层,厚度不超过 50 mm。如果托架分层,层间的距离应该大于 100 mm。如果一束电缆超过三层,应按 85% 载流量选用电缆。

④检查紧固在扁钢类上的电缆束的直径,应不超过 80 mm。

⑤检查穿过贯通件的电缆总面积,应该不超过贯穿件截面积的 40%。

⑥检查孔带间的距离是否符合表 5-57 的规定。

表 5-57 电缆紧固间距表

单位:mm

电缆外径		紧固材料间距	
超过	不超过	非铠装电缆	铠装电缆
	8	200	250
8	13	250	300
13	20	300	350
20	30	350	400
30		400	400

⑦检查穿过不设密封贯通件的电缆，在距贯通件 100～150 mm 内应设固定紧固电缆结构；穿过密封贯通件的电缆，应该在距贯通件 250 mm 内设支承件并紧固电缆。

⑧检查电缆敷设是否完整、紧固、美观。所有临时固定用的支架、保护物和捆扎物均应清除干净。

(4)单芯交流电缆的敷设检验

如果必须使用单芯电缆，而且电流在 20 A 以上，检验时应该考虑下列因素。

①选用的电缆应该是非铠装或用非磁性材料铠装的。为了避免形成环路，金属屏蔽只能在一点接地。

②同一电路的电缆应该尽量靠紧敷设，或者装在同一电缆管内，或者用非磁性材料的夹线板将所有相同的电缆安装固定在一起，两根相邻电缆的外护层之间的距离应不大于一根电缆的直径。

③当额定电流大于 250 A 的电缆靠近钢质舱壁敷设时，电缆与舱壁之间的距离应该不小于 50 mm，但同一交流电路的电缆按“品”字状布置除外。

④对于导体截面积大于 185 mm^{2}的单芯电缆所组成的并具有相当长度的三相线路时，考虑阻抗的平衡，应在间隔不超过 15 m 处各相换位一次。

⑤如果线路中每相有几根单芯电缆并联时，所有电缆均应沿相同路径敷设和具有相同的截面积。此外，为了避免电流负载的分配不均匀，同相的电缆与其他相电缆组合排列时应符合图 5－34 的要求。

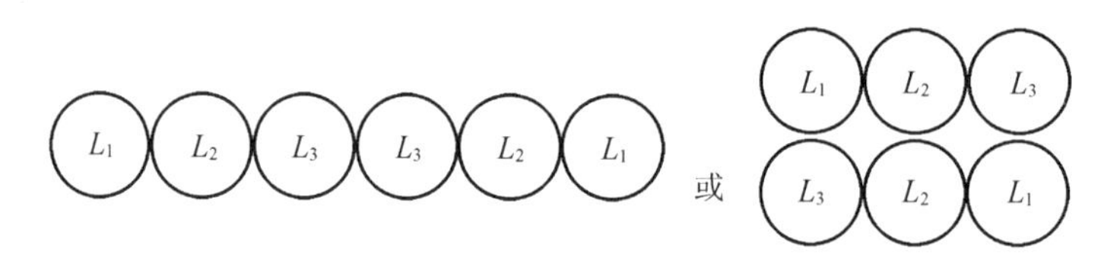

图 5－34　同一相的单芯电缆排列次序

4. 电缆贯通件密封性检验

安装贯通件的目的是为了符合耐火和水密的要求，当电缆拉放结束后，对电缆贯通件的密封检验是必不可少的环节。在施工中一般根据《防火区域划分图》和《隔热布置图》所示的耐火等级和舱室对水密的要求采用相应等级的贯通件和密封方式。这样，既可以达到舱室的密封要求，也可以防止火灾范围的扩散。在耐火填料上也可以分为密封型和堵塞型。前者用于有水密要求的场所，后者用于非水密要求的场所。

(1)检验前应具备的条件

密封性检验应确认以下工作完成以后进行。

①密封填料应该具有船级社认可后颁发的船用产品质量证书，并且指明各种填料所具有的不同的耐火等级。

②电缆敷设紧固结束，并且确认各电缆贯通件符合相应的耐火等级的要求；确认电缆贯通件内穿过的电缆完整、无遗漏。电缆的截面积，当成束电缆贯穿时，应不超过贯通件内截面积的 30%；当单根电缆穿管时，应不超过管子内截面积的 40%。

③电缆敷设紧固时所用的临时固定支架、捆扎物均应清除干净，并符合电缆穿过贯通件的紧固要求。

④贯通件内电缆应该均匀分布，不得扭曲，其分隔及贯通件的空间确保填充填料能符合密封的要求。

(2)检验方法

检验一般分为两个过程。第一个过程是在密封前，检查电缆贯通件内电缆分布的情况，电缆之间的距离应大于8 mm，电缆与贯通件壁之间的距离应大于10 mm，这样才能确保每根电缆的周围都能填上堵塞物。第二个过程，是区分A60级耐火要求的密封件和A级或B级要求的密封件，分别根据不同的要求进行浇灌或堵塞。浇灌物应以灌注型填料的配比要求为准，调成流质进行浇灌，以免引起贯通件中间产生空洞。浇灌凝固后，可以根据敲击所发出的声音来判断密封的情况，对于堵塞性填料应先将底部堵好后，一层层进行堵塞，堵塞后的贯通件表面应该做到饱满、平整、干净、凝固。施工后的工作现场也应该处理干净。

5.8.1.3 电气设备安装和电缆接线检验

1.电气设备安装检验

电气设备的安装一般安排在船内舾装阶段，贵重易损的电子仪器则安排在码头舾装阶段进行安装。常见的设备安装方式有基座安装、支架安装、木垫安装和减震器安装等多种方法。电气设备安装的要求一般包括两个方面，一个是安装正确性和牢固性方面的要求，另一个是接地方面的要求，主要要求如下。

(1)安装正确性和牢固性的要求

①电气设备的防护等级必须满足安装场所和位置的最低要求。

②电气设备应安装得平正且高度适当，操作维护方便，一般电气设备的安装高度可参见表5-58、表5-59。

③电气设备不得直接贴在油舱、油柜、外板、水密舱壁及甲板外围壁上安装，若必须安装时，设备与上述表面间距应大于50 mm。

④电气设备的上方不应有油、水、汽管接头，如不可避免时应设防护罩。

⑤电气设备安装应尽可能远离锅炉、被加热的油柜、蒸汽管、排烟管或其他被加热的管子等热源。

⑥非铝合金电气设备支架如安装在铝合金舱壁上时，中间应用绝缘衬垫隔开，以防引起电解腐蚀。

表5-58 居住区内主要电气设备的安装高度表

单位:mm

项目	标准范围	允许极限
高低压插座设备中心距地高度	1 400	—
台灯插座、电话插座、电视信号插座中心距台面	150	
床头灯中心距床铺板	750	
壁式电话中心距地高度	1 400	
扬声器、壁扇、警钟中心距地高度	1 800	
室内及走道暗式(防水式)开关中心距地高度	1 300~1 600	
火警按钮	1 400	

表 5-59　居住区内外主要电气设备的安装高度表　　单位:mm

<table>
<tr><th colspan="2">项目</th><th>标准范围</th><th>允许极限</th></tr>
<tr><td colspan="2">配电箱、起动器及控制箱上沿距地面/下沿距地面</td><td>1 800～1 200</td><td rowspan="7">—</td></tr>
<tr><td colspan="2">按钮盒中心距地面</td><td rowspan="4">1 300～1 400</td></tr>
<tr><td colspan="2">应急按钮盒中心距地面</td></tr>
<tr><td colspan="2">壁式电话中心距地面</td></tr>
<tr><td rowspan="2">开关、开关插座</td><td>中心距地面</td></tr>
<tr><td>当上下安装时,两者间距</td><td>250</td></tr>
<tr><td colspan="2">外通道灯中心距上层甲板</td><td>150～200</td></tr>
</table>

⑦对电气设备进行安装,应使用平垫、弹簧垫,且配备紧固件,防止设施因振动而松动。

⑧设备安装位置不得妨碍其他设备的使用和人员通行。

⑨任何电气设备不得直接装焊在船壳板上,以防因船体变形而影响设备的使用,同时也避免因装焊设备而影响船体的密性和强度。

(2)接地要求

接地一般有工作接地、安全接地和防干扰接地三种。当电制为单线制或是三相四线制且其中性线接地时,电气设备才需要工作接地。高于 24 V 的电气设备和电缆,为了防止其金属外壳偶然带电而造成触电事故,金属外壳需要进行安全接地。报务室设备和电缆、天线附近的露天甲板和木质舱室内的电缆等还须进行防干扰接地,以免对通信造成干扰。电气设备一般有以下几种接地形式:

①利用设备底脚直接接地;

②利用设备底脚,经弹簧减振器本身作为导体进行接地;

③利用专用接地导体接地。

电气设备接地主要要求如下:

①凡三个底脚以下的电气设备需有一个底脚接地。四个以上底脚的电气设备,需两个对角底脚接地。

②专用接地装置应设在不易受机械损伤和有油、水浸渍的位置。

③对于无线电通信设备应有各自的单独接地,以消除共模耦合效应。

④接地导体应接到永久性船体结构或与船体焊接的基座或支架上,也可接到有可靠接地的设备的金属填料函或外壳上。接地电阻应不大于 0.02 Ω。

电气设备安装检验内容包括设备的接地和比较特殊设备的检验,如主配电板和应急配电板的检验、蓄电池的检验、无线电及航行设备等。设备安装检验一般都同系泊试验安排在一起进行,可按照相关的检验计划和试验大纲及各类标准、检验规则进行。

2. 电缆接线检验

电缆敷设和设备安装工作结束后,就可以进行接线工作。接线时,首先要根据图纸核对电缆标记、根数、芯数和截面是否符合要求;然后按工艺要求切割电缆,并对端头进行加工,例如,给芯线加装冷压铜接头或将剥出的芯线铜丝制作成环状接头等;最后将电缆接头接到设备上,对于防水电器还须完成填料函的密封工作。

在进行电缆接线检验时,要检验电缆芯线的处理和电缆接地两项工作。电缆芯线的处理是指当电缆进入设备后,接线要正确、端头处理要符合要求,电缆和芯线标记正确、连接牢固。

电缆接地是指电缆金属保护层的接地。这里既有安全的需要,也有屏蔽的要求。一般接地的形式有如下几种:

①用电缆金属护套覆盖层编成辫子进行接地;

②用金属夹箍进行接地;

③用金属填料函金属螺母压紧电缆金属护套进行接地;

④用金属电缆卡板(或电缆扎带)压紧电缆金属护套接地。

在进行电缆检验时,一般采用目视法和仪器测量法。目视法就是根据安装工艺、建造标准等技术要求检查电缆的端头处理是否符合相关技术要求,检查接地的方法是否正确和导线的截面积是否符合技术标准。测量法就是用500 V兆欧表进行测量,将测量线两端中的一端接地,另一端接至被测量的电缆的芯线上,测量电缆对地的绝缘电阻是否符合标准。

5.8.2 工作任务训练

查阅《中国造船质量标准》中对电缆敷设的要求,在下表中填上各栏中的最小弯曲内半径值。

表5-60 电缆敷设要求

<table>
<tr><th colspan="2">电缆结构</th><th rowspan="2">电缆外径
D/mm</th><th rowspan="2">最小弯曲内半径</th></tr>
<tr><th>绝缘</th><th>外护套</th></tr>
<tr><td rowspan="4">热塑性或热固性材料(铜导体为圆形)</td><td>非铠装或非编织</td><td>≤25</td><td></td></tr>
<tr><td>金属编织屏蔽或铠装</td><td>>25</td><td></td></tr>
<tr><td>金属线铠装、金属条铠装或金属护套</td><td>任何</td><td></td></tr>
<tr><td>合成聚酯/金属薄片带屏蔽或组合带屏蔽</td><td>任何</td><td></td></tr>
<tr><td>热塑性或热固性材料(铜导体为特定形状)</td><td>任何</td><td>任何</td><td></td></tr>
<tr><td>矿物</td><td>硬金属护套</td><td>任何</td><td></td></tr>
<tr><td>高压电缆</td><td>任何</td><td>任何</td><td></td></tr>
<tr><td>光纤电缆</td><td>任何</td><td>任何</td><td></td></tr>
</table>

【项目习题】

1. 舵系安装检验的内容是什么?
2. 舵系检验的要求有哪些?
3. 锚设备的检验要求是什么?

4. 桅、起货设备的检验标准是什么?

5. 舱口盖如何检验?

6. 根据国际公约和规范要求,船舶结构防火有几级? 其主要内容是什么?

7. 船舶涂料的主要成分是什么? 船舶涂料的主要种类有哪些? 船体各部位对涂料的特性有何要求?

8. 如何检测涂层厚度和涂层表面质量?

9. PSPC 的基本要求有哪些?

10. 船舶管子的常用材料有哪些? 各用于哪些管路中?

11. 如何进行管路的密性试验?

12. 如何检验轴系的轴线位置?

13. 螺旋桨的安装方式有几种? 无键安装方式的检验要点是什么?

14. 主机安装检验的主要内容是什么?

15. 电气设备安装的主要要求有哪些? 主要检验内容有哪些?

16. 电缆敷设的要求有哪些? 电缆敷设的检验要求又有哪些?

项目6　系泊试验与航行试验

【项目描述】

系泊试验是船舶机电设备和系统安装结束后,在船厂码头上进行的机电设备的调整及性能试验。在系泊试验完成后,按照有关标准和规范对船舶的航海性能、电气设备、导航设备和机械设备进行的试验称为航行试验。系泊试验和航行试验的目的是全面检查船体、机械设备、电器设备及动力装置的制造、安装的完整性和可靠性,使船舶具备适航条件。本项目内容主要以《中国造船质量标准》《钢质海船入级规范》为依据,介绍系泊试验和航行试验的内容与要求。通过本项目的学习,并经过专项实训后,应达到以下要求:

1. 知识要求

(1)掌握倾斜试验技术要求。

(2)掌握系泊试验大纲和航行试验大纲主要内容和要求。

(3)熟悉各类船企系泊试验和航行试验标准。

2. 能力要求

(1)能理解船舶重心、稳性的测量与计算方法。

(2)能掌握出具倾斜试验报告的技能。

【项目实施】

任务6.1　系泊试验

6.1.1　相关知识

系泊试验是在船舶停靠在码头上的系泊状态下进行的,是在机电设备和其系统安装结束的基础上进行的,通过对机电设备的调整及性能试验,以验证机电设备是否达到原设计性能,是否满足船舶设计、船检规范和系泊试验大纲规定的要求。首先,可对管路和电缆进行试验。管路的试验压力通常为其工作压力的150%;电路的绝缘电阻必须符合有关规定。然后,在油、水、气、电均接通的情况下,就可以对各种设备进行试验。系泊试验时,船上多数设备可进行满负荷试验,并对该设备进行全面考核,例如发电机组、船舶系统及泵和起重设备等。但由于系泊试验无法对与船舶航行有关的设备进行全面考核,例如主机及其动力系统、舵机、锚机、制淡装置和导航通信设备等,所以这些设备的性能试验只能在航行试验时进行,但在系统试验时,这类项目应按系泊试验大纲要求调试到最佳状态,同时检验这些设备能否正常地工作,以保证航行试验能安全地进行。

系泊试验按系泊试验大纲进行,设备调试后,按试验、检验项目向检验员、船东和验船师交验。船厂在完成全部系泊试验项目后,向船检部门申请船舶试航证书。主要的试验设备有主机、发电机、舵机、锚机和锅炉。本节将介绍系泊试验中的一些主要项目。

6.1.1.1　柴油发电机组和配电板试验

1. 发电机组和配电板绝缘电阻测量

任何电气设备在通电以前，都要进行绝缘电阻的测量，这是人身安全和设备安全的根本保证，也是检验过程中的必检项目。绝缘电阻分为冷态绝缘电阻和热态绝缘电阻。冷态绝缘电阻是指试验前设备的绝缘电阻，这时设备处于自然状态，检验设备安装情况。热态绝缘电阻是指设备运行一定时间，达到温升后的绝缘电阻，这时设备仍处于工作状态，是在动态和热态情况下，检验设备绝缘材料的绝缘性能变化情况。

(1)检验条件：在进行冷态绝缘电阻测量前，应断开配电板上所有外部线路的开关，并且须将发电机组和配电板上所有半导体元件的线路断开，避免因电流过大而损坏半导体元件。

(2)检验内容：发电机组和配电板绝缘电阻测量的内容包括配电板汇流排对地的绝缘电阻，发电机电枢绕组对地的绝缘电阻，发电机励磁绕组对地的绝缘电阻，发电机空间加热器对地的绝缘电阻，调速电动机对地的绝缘电阻。

在柴油发电机组和配电板试验之前，进行冷态绝缘电阻的测量。测量可用兆欧表进行，将兆欧表的一端接地，另一端接所要测量的部位。测量时要求验船师和船东在场。

对于柴油发电机组和配电板的热态绝缘电阻，应该在设备试验后立即进行测量，测量方法与检验冷态绝缘电阻的方法相同。无论何种状态，对于配电板长度小于或等于 6 m，其最低绝缘电阻值应大于或等于 1 MΩ，见表 6－1。

表 6－1　发电机及配电板绝缘电阻测量记录

序号	项目	相位	冷态	热态
1	配电板汇流排	A		
		B		
		C		
2	发电机电阻绕组	A		
		B		
		C		
3	发电机励磁绕组			
4	空间加热器			
5	调速电动机			

2. 主配电板保护装置试验

主配电板保护装置是指安装在主配电板上用来控制主开关(主空气断路器)的装置。在正常情况下，发电机发出的电通过配电板上的三相主空气断路器的闭合，送至配电板的汇流排。当出现不正常的情况时，为了不使设备受到影响，保护装置开始动作，断开空气断路器。为了保证柴油发电机组的负荷试验正常进行，首先要做好主配电板保护装置的试验。

(1)过载保护：将保护装置整定在发电机额定电流的 125% ～135%。延时继电器调整在15～30 s,当电流超过整定值时,保护装置开始动作。

(2)失压保护:可利用空气断路器的低压脱扣线圈。当发电机不发电时,断路器若合闸则瞬时动作;当电压降至额定电压的70%～35%时,应经系统选择性保护要求延时后,方能动作,一般整定在80%～70%之内。对于低于70%额定电压时作失压处理,瞬时动作的延时特性应与短路保护的延时特性相协调,具体要求可以按照发电机技术条件决定。

(3)逆功率保护:发电机是否出现逆功率由逆功率继电器检测。整定值一般按照发电机额定功率的8%～15%整定,延时时间调整在3～10 s,当逆功率超过整定值并持续时间较长时,保护装置开始动作。

(4)优先自动卸载:这是利用空气断路器的长延时继电器的动作特性来完成的。整定值为发电机额定功率的100%～110%,延时时间一般整定在10 s,当发电机过载时,线圈开始动作,利用自动卸载或分级卸载来保护发电机的正常工作。

(5)短路保护:它是利用过电流脱扣特性的瞬时动作实现对发电机的短路保护。始动值为发电机额定电流的200%～250%。由于时间太短,通常采用模拟的方法,时间一般为0.12～0.43 s。

试验结束后,将所有记录的数据填入表内,以供船东使用时参考。记录表见表6－2。

表6－2 主配电板保护装置试验记录表

序号	主开关型号	项目	试验次数	动作电流/A		延时时间/s	
				$\phi1$	$\phi2$	$\phi1$	$\phi2$
1		过载长延时					
2		优先脱扣					
3		欠压保护					
4		逆功率保护/kW					

3. 配电板联锁试验

(1)检查主配电板发电机主开关与岸电开关的联锁,当主配电板主开关合闸供电时,岸电开关伺服机构应没有电,开关不能合闸;断开发电机主开关,岸电开关伺服机构进入工作状态。在整个过程中,伺服机构应动作灵活、安全、可靠,控制电路运行正常;

(2)检查主电配板主开关与应急配电板主开关的联锁,当主配电板主开关合闸送电时,应急配电板主开关伺服机构没有电,不能合闸。当主配电板开关断开或由于汇流排失电时应急发电机自动启动,并且在45 s内自动合闸对外供电,当主配电恢复供电时,应急配电板主开关应自动断开。

4. 柴油发电机组启动试验

柴油发电机组为全船提供电源,分主发电机组和应急发电机组两种。发电机组由原动机(如柴油机)和发电机两部分组成。

(1)试验内容:用船上配备的起动设备进行试验(一般用空气起动,也有用蓄电池起动的)。试验时,对冷态柴油机组进行起动,检验其起动灵活性、起动时间及起动次数。

(2)试验要求:

①用压缩空气起动的柴油机:将一只空气瓶充气至额定工作压力,在中途不补充气的情况下起动冷态柴油机,起动次数不小于6次。

②用电起动的柴油机:在蓄电池组充足电源,中途不补充电的情况下起动冷态柴油机起动次数不少于10次。

③应急柴油发电机:对于自动起动应急发电机组做主发电机停电状态下的自动起动试验。试验时,记录从主电源切断到应急发电机自动起动运行所需的时间。在0 ℃以下的环境状态下具有冷态起动的能力。每台机组应能具有连续3次起动的能源。此外,还应具有第二能源,在30 min内能起动3次。试验记录可参见表6-3。

表6-3 柴油发电机起动试验记录表

柴油机编号	使用空气瓶		累计次数	空气压力/MPa		每次起动时间/s	最低起动压力/MPa
	数量	容量/m^3		起动前	起动后		

5.柴油发电机组负荷试验

系泊试验时,应对柴油发电机组进行全负荷性能试验。为了能达到较稳定的发电机负荷,常采用临时电阻箱或盐水缸槽放电装置检验柴油发电机的性能。此方法同样适用于应急发电机组试验。

(1)运转试验:柴油发电机组试验时,应对每台柴油发电机进行单机运转试验。试验时,首先对柴油机在额定负荷状态下调节各缸的负荷,使负荷基本相等。检查全负荷状态下柴油机的各缸热工参数和各油、水系统压力及温度是否在规定范围内。柴油机在100%负荷运转时,应平稳,无异常发热,负荷试验结束后应立即停车,打开柴油机曲柄箱两侧的门盖,测量各缸连杆轴承和主轴承的温度,并测量热态时的曲臂距。

(2)调速器灵敏度试验:柴油机调速器灵敏度试验应在发电机全负荷性能试验结束后随之进行。调速器的作用是在发电机负荷突然变化时,通过调节柴油机注油量使发电机组的转速很快稳定下来,以保证稳定供电。一般要求柴油发电机组的负荷在0%→100%→0%的变化过程中,机组转速的瞬时变化值不大于10%,转速稳定偏差不大于5%,稳定时间不超过5 s。

(3)柴油发电机特性试验:根据船级社对发电机电压调整率的规定,稳定电压调整率超过柴油发电机额定电压的±2.5%,应急发电机的电压调整应不超过±3.5%,当柴油发电机负载突加或者突卸时,电压恢复到与最后稳定值相差3%以内所需要的稳定时间应该不超过1.5 s。

试验方法如下:将柴油机转速调整到额定转速,在柴油发电机的负载和功率因数调整到额定值时,按下列程度100%→75%→50%→25%→50%→75%→100%变化,记录柴油发电机各种负载下的功率、电流、电压、功率因数和频率值,为保证记录准确,上述变化应反复两次。

当柴油机调试结束后,对发电机组做各种工况的负荷试验,具体要求可参见表6-4、表6-5,以考验机组工作的可靠性。柴油发电机组负荷试验结束后应做好试验记录,试验记录表可参见表6-6至表6-8所示。

表6-4 主发电机运转试验时间

工况序号	发电机负荷/%	试验时间/h
1	25	0.25
2	50	0.25
3	75	0.50
4	100	2
5	110	0.50

表6-5 应急发电机运转试验时间

工况序号	应急发电机负荷/%	试验时间/h
1	50	0.25
2	75	0.25
3	100	1

表6-6 发电机组的柴油试验记录表

<table>
<tr><td colspan="4">记录时间</td><td></td><td></td><td></td><td></td><td></td><td></td></tr>
<tr><td colspan="3">机舱温度</td><td>℃</td><td></td><td></td><td></td><td></td><td></td><td></td></tr>
<tr><td colspan="3">负荷</td><td>%</td><td></td><td></td><td></td><td></td><td></td><td></td></tr>
<tr><td colspan="2">柴油机</td><td rowspan="2">转速</td><td>r/min</td><td></td><td></td><td></td><td></td><td></td><td></td></tr>
<tr><td colspan="2">调速器指示</td><td>格</td><td></td><td></td><td></td><td></td><td></td><td></td></tr>
<tr><td>冷却水压力</td><td>淡水</td><td>海水</td><td rowspan="4">MPa</td><td></td><td></td><td></td><td></td><td></td><td></td></tr>
<tr><td colspan="3">增压空气压力</td><td></td><td></td><td></td><td></td><td></td><td></td></tr>
<tr><td colspan="3">滑油压力</td><td></td><td></td><td></td><td></td><td></td><td></td></tr>
<tr><td colspan="3">喷油器冷却油压力</td><td></td><td></td><td></td><td></td><td></td><td></td></tr>
</table>

表 6 -6(续)

项目			单位						
滑油温度	进机	出机	℃						
中冷器 增压空气	进	出							
中冷器 海水	进	出							
淡水出总管温度									
各缸冷却淡水温度	进	1							
	2	3							
	4	5							
	6	7							
各缸排气温度	1	2							
	3	4							
	5	6							
	7	总排							
各缸爆炸压力	1	2	MPa						
	3	4							
	5	6							
	7								
滑油低压报警:				滑油滤器高压差报警:				超速保护停车速:	
淡水低压报警:				淡水高温报警:					
调速器试验	负荷		%						
	初始		r/min						
	瞬时								
	稳定								
	稳定时间		s						

表 6 -7　发电机的柴油机热态轴承温度记录表

1. 连杆轴承温度　　单位:℃

连杆号	1	2	3	4	5	6	7	8
1 号柴油机								
2 号柴油机								
3 号柴油机								

2. 主机轴承温度　　单位:℃

连杆号	1	2	3	4	5	6	7	8	9	滑油
1 号柴油机										
2 号柴油机										
3 号柴油机										

表 6-8 柴油机曲轴曲臂距测量记录表

测量状态:热态　　　　单位:mm

缸号	1	2	3	4	5	6
下死点右						
右						
上死点						
左						
下死点左						

6. 并车试验

船舶在运行过程中,因用电负荷的增大往往需两台发电机组同时供电,称作并车供电。因此,在系泊试验阶段应作并车供电试验。柴油发电机并联运行必须具备三个条件,就是电压相同、频率相同和相序相同,如果具备了过三个条件,就说明达到了同步的要求,可以进行并联运行。在主配电板的并车屏上观察需要并车的两台发电机的同步指示。打开并车屏上并联运行的合闸开关,观察同步表的旋转指针,当自动找到同步点时,同步指示灯亮;高度相同,同步表指针垂直指向同步点时,两台发电机达到了同步,按下并车按钮,或者自动合闸并车。

检查并联运行的发电机负载运行,按技术文件规定的并联运行的台数分别组合进行试验,在调节到按其比例所承受的负载是每台发电机负载的50%后,并入发电机组,然后将负载调至其额定值的75%作为起并负载点,进行负载变化试验,75%→50%→25%→50%→75%→100%→75%。当负载在总额负载的20%~100%的范围内变压时,应能稳定地进行,在并联运行负载试验时,每一负载点并联运行时间为5~10 min,分别记录每台柴油发电机负载工况下的负荷、电压、频率、功率、电流功率因数。

进行负载转移试验,如果船上安装有三台发电机时,应将待并的发电机与已经在额定状态下并联运行的发电机并联,利用手动进行负载转移,将原并联运行的其中一台发电机的负载逐渐地转移到后并上的发电机,当负载减少到低于发电机额定负载的20%时,手动断开发电机空气断路器,然后对并联运行的发电机负载进行分配,使之并联运行可靠、稳定。

试验记录可参见表6-9。

表 6-9 柴油机发电机并联运行负荷试验记录表

试验时间　　年　　月　　日

总负荷	______#机组			______#机组			______#机组			无功/有功分配/%		
	功率/kW	电流/A	功率因数 cos ϕ	功率/kW	电流/A	功率因数 cos ϕ	功率/kW	电流/A	功率因数 cos ϕ	____#机组	____#机组	____#机组

6.1.1.2　主机和轴系系泊试验

主机是船舶推进的动力源,是系泊试验和航行试验的主要考验对象。主机系泊试验应按系泊试验大纲或参照相关规范和标准进行。其目的是为了检查船舶动力装置的制造和安装质量,为航行实验奠定基础。主机动车应具备以下条件:(1)为主机服务的燃油、滑油、海水和淡水系统已经验收;(2)主机及轴系安装工作已验收;(3)发电机组已验收,能正常供电;(4)必须使用的燃油、滑油和清水已备好;(5)码头有一定的水深。

1. 主机起动及换向试验

验证主机起动设备的容量能否满足在气瓶不补充气或电瓶不补充电的情况下的起动次数(正、倒车应交替进行)。当船上主机多于2台时,能起动的总次数应不少于设计规定。试验主机起动换向系统的灵活性,以及换向时间是否在规定范围内。

起动试验时,空气瓶充满空气,在不补充空气的情况下,应能满足可换向主机冷态连续起动至少12次的规定。主机换向试验时,要求能在15 s内从原来转向改变为另一方向的运转,试验应进行3次。用电起动的主机所配的配电池组(二组),能在中途不补充电的情况下,对可换向的主机冷态连续起动不少于12次;对不可换向的柴油机,应能从冷态连续起动不少于6次。

2. 主机和轴系系泊运转试验

由于码头坚固程度有限,主机码头试车通常在低功率状态下进行。为了尽可能提高试验功率,可使船舶处于逆流的条件下试车,或者在船舶的外侧用拖船倒拖。

主机动车后,首先应调整各缸的平衡,即反复调整各汽缸的热工参数(压缩压力、爆炸压气温度),使各汽缸的功率基本相同,这是初步的平衡。当进行航行试验时,由于工作条件发生变化可能使主机出现不平衡,因而将再次进行调整。各缸平衡后即可进行负荷试验,一般规定须作25%,50%,75%,100%等不同工况的负荷试验。实际上,在码头试车时,主机以100%负荷运转2~4 h,若无严重咬缸、增压器无损坏等现象,则认为试验合格。应当注意,由于船舶处于系泊状态,主机码头试车虽然负荷达到100%,但此时转速仅为额定转速的75%左右,过于提高主机转速,则会使主机严重过载而影响主机寿命。

在做轴系统的试验时,轴系运转要平稳,各道轴承的温升符合规定要求,各轴封不漏油。轴承温升可参照相关的标准,参见表6-10。

表6-10　轴系稳定温度

转速/(r/min)	$n<300$		$n>300$	
环境温度/℃ ≤30	>30	≤30	>30	
推力轴承	≤60	≤65	≤65	≤70
滑动中间轴承	≤55	≤60	≤60	≤65
滚动中间轴承	≤65	≤70	≤70	≤75
填料函与压盖	正常工作温度<60 ℃,小型高速机油润滑艉轴承首填料函≤75 ℃			

主机系泊试验中应检验主机附属系统及泵的工作压力、系统的工作状态,检验主机操纵系统及各信号装置,检验主机及轴系是否有异常响声,各零部件是否有过热现象。试验

时应对各缸热工参数进行初步调整(由于系泊试验时主机功率较小,所以系泊试验调整后,在航行试验时还须重新调整)。主机系泊试验结束后,须打开曲柄箱门检查主机上下连杆轴承及主轴承的温度、轴系轴承温度(可采用点温计测量,不超过60 ℃)。

试验记录可参见表6-11。

表6-11 柴油机试验记录表

船名________ 柴油机型号__________ 柴油机编号____________

<table>
<tr><th rowspan="2" colspan="7">实验内容</th><th rowspan="2">单位</th><th colspan="8">测量次数 测量时间</th></tr>
<tr><th>1</th><th>2</th><th>3</th><th>4</th><th>5</th><th>6</th><th>7</th><th>8</th></tr>
<tr><td colspan="7">主机转速/螺旋桨转速</td><td>r/min</td><td></td><td></td><td></td><td></td><td></td><td></td><td></td><td></td></tr>
<tr><td colspan="7">功率</td><td>kW</td><td></td><td></td><td></td><td></td><td></td><td></td><td></td><td></td></tr>
<tr><td colspan="7">扭矩</td><td>N·M</td><td></td><td></td><td></td><td></td><td></td><td></td><td></td><td></td></tr>
<tr><td rowspan="8">压缩压力/爆发压力</td><td></td><td></td><td></td><td></td><td></td><td></td><td rowspan="8">MPa</td><td></td><td></td><td></td><td></td><td></td><td></td><td></td><td></td></tr>
<tr><td></td><td></td><td></td><td></td><td></td><td></td><td></td><td></td><td></td><td></td><td></td><td></td><td></td><td></td></tr>
<tr><td></td><td></td><td></td><td></td><td></td><td></td><td></td><td></td><td></td><td></td><td></td><td></td><td></td><td></td></tr>
<tr><td></td><td></td><td></td><td></td><td></td><td></td><td></td><td></td><td></td><td></td><td></td><td></td><td></td><td></td></tr>
<tr><td></td><td></td><td></td><td></td><td></td><td></td><td></td><td></td><td></td><td></td><td></td><td></td><td></td><td></td></tr>
<tr><td></td><td></td><td></td><td></td><td></td><td></td><td></td><td></td><td></td><td></td><td></td><td></td><td></td><td></td></tr>
<tr><td></td><td></td><td></td><td></td><td></td><td></td><td></td><td></td><td></td><td></td><td></td><td></td><td></td><td></td></tr>
<tr><td></td><td></td><td></td><td></td><td></td><td></td><td></td><td></td><td></td><td></td><td></td><td></td><td></td><td></td></tr>
<tr><td rowspan="8">冷却水出机温度/
废气排气温度</td><td></td><td></td><td></td><td></td><td></td><td></td><td rowspan="8">℃</td><td></td><td></td><td></td><td></td><td></td><td></td><td></td><td></td></tr>
<tr><td></td><td></td><td></td><td></td><td></td><td></td><td></td><td></td><td></td><td></td><td></td><td></td><td></td><td></td></tr>
<tr><td></td><td></td><td></td><td></td><td></td><td></td><td></td><td></td><td></td><td></td><td></td><td></td><td></td><td></td></tr>
<tr><td></td><td></td><td></td><td></td><td></td><td></td><td></td><td></td><td></td><td></td><td></td><td></td><td></td><td></td></tr>
<tr><td></td><td></td><td></td><td></td><td></td><td></td><td></td><td></td><td></td><td></td><td></td><td></td><td></td><td></td></tr>
<tr><td></td><td></td><td></td><td></td><td></td><td></td><td></td><td></td><td></td><td></td><td></td><td></td><td></td><td></td></tr>
<tr><td></td><td></td><td></td><td></td><td></td><td></td><td></td><td></td><td></td><td></td><td></td><td></td><td></td><td></td></tr>
<tr><td></td><td></td><td></td><td></td><td></td><td></td><td></td><td></td><td></td><td></td><td></td><td></td><td></td><td></td></tr>
<tr><td colspan="7">排气背压</td><td>MPa</td><td></td><td></td><td></td><td></td><td></td><td></td><td></td><td></td></tr>
<tr><td rowspan="3" colspan="3">润滑油压</td><td colspan="4">滤器前</td><td rowspan="3">MPa</td><td></td><td></td><td></td><td></td><td></td><td></td><td></td><td></td></tr>
<tr><td colspan="4">滤器后</td><td></td><td></td><td></td><td></td><td></td><td></td><td></td><td></td></tr>
<tr><td colspan="4">主轴承</td><td></td><td></td><td></td><td></td><td></td><td></td><td></td><td></td></tr>
<tr><td colspan="7">推力轴承温度</td><td>℃</td><td></td><td></td><td></td><td></td><td></td><td></td><td></td><td></td></tr>
<tr><td colspan="7">全顺车至全倒车所需时间</td><td>s</td><td></td><td></td><td></td><td></td><td></td><td></td><td></td><td></td></tr>
</table>

表 6-11(续)

实验内容		单位	测量次数 测量时间							
			1	2	3	4	5	6	7	8
废气涡轮增压器	转速	r/min								
	扫气压力	MPa								
	扫气温度	℃								
	废气温度 涡轮前/后	℃								
	滑油温度 进/出	℃								
	进油压力	MPa								
	冷却水温度 进/出	℃								
	停增压器试验	主机工作情况								
环境温度/℃		大气压力/MPa	相对湿度/%							

结论:

3. 锅炉点火试验

以柴油机为主机的船舶,其锅炉的作用是产生蒸汽以供船上人员生活用热和供主机燃油加热。锅炉点火试验的主要内容是测定蒸发量和检验蒸汽安全筏的可靠性等。锅炉的蒸发量若符合设计与使用要求,则认为合格。锅炉蒸汽安全阀的开启压力可大于工作压力的 5%,但不应超过锅炉的设计压力。

目前,燃油锅炉一般都实现了点火、给水、喷油的自动控制,因此必须对其自动控制系统进行全面的效用试验,以保证其工作的可靠性,检验压力自动控制器能否保持锅炉蒸汽压力在规定范围内,检验水位自动装置的可靠性。如果锅炉仍由手工操纵和控制,试验时应严格遵循先鼓风后喷油的操作规则,以除去炉内的剩余油气,避免引起锅炉爆炸。

6.1.1.3 舵机的检查与试验

舵机是操纵船舶的重要设备。系泊试验仅对舵机进行初步试验,在航行试验时再对舵机进行效能考核。舵机检查与试验的目的是确认舵机工作的可靠性和操舵的灵活性与轻便性。舵机系泊试验的内容:舵机液压管路的外接强度、清洁及全系统密性试验;液压舵机安全阀校验;舵机报警装置试验;舵角指示及限位核对;舵机运转试验及转舵时间测定;辅助操舵装置试验;应急操舵试验。

舵机试验方法和要求:

(1)舵角指示器校对:以舵机机械舵角指标器的示角为基准,校对电动舵角指示器,误差不大于 ±1°,但在舵处于 0°位置时,各舵角指示器应无误差,舵角电气限位应在左 35° ±1°或右 35° ±1°时停止转动。机械限位角度一般应大于电气限位 1°~1.5°,舵角最大不得超过 37°,校对时,自 0°分别向两舷操舵,每转 5°校对一次各舵角指示器值的误差是否在规定的范围内,校对时应来回校核 2~3 次,并做好记录。

(2)报警装置试验:舵机工作时,若发生舵机油箱低油位、电机失电、过载、断相等故障,应能发出声光报警信号。

(3)运转试验:

①按试验大纲要求,分别在舵机房、驾驶室起动和停止电动液压泵,观察舵机房、驾驶室操纵集控台上运转指示的正确性,应平稳,油泵不应有异常响声和泄漏现象,轴承温升应在规定的范围内,记录电机、泵的各项参数;

②舵机转舵时间的测定,先作连续试验,单泵操舵、双泵操舵分别进行,自 0°→左(右)35°→0°→右(左)35°→0°交替进行,并且不能少于 10 个循环,测定自一舷 35°转至另一舷 35°所需时间是否在规定时间内(28 s),并做好记录,结束后测量电机、控制箱热态绝缘电阻;

③辅助操舵试验,将驾驶室主操舵转换成辅助操舵,检查其转换的灵活性,用辅助操舵作转舵试验 15 min,从一舷 15°转至另一舷 15°的时间应不超过规定值;

④应急操舵试验,由应急发电机向设定的舵机液压泵供电转舵,检查工作情况。

6.1.1.4 锚设备试验

锚和锚链在安装上船之前,必须经过严格的试验以确认其具有良好的质量和足够的强度。当锚和锚链安装上船后,必须进行锚设备试验,目的是检查锚设备能力、安装质量及工作可靠性。锚设备系泊试验的内容有锚机液压管路投油清洗,液压锚机安全阀校验,锚机空载运转,锚机抛、起锚试验,锚机过载试验。

锚机试验方法和要求:

(1)液压管路投油清洗:投油前先对油箱进行清洁检查,应无颗粒垃圾及电焊飞溅。投油应在油箱内加入与正常使用时同样牌号的液压油,并加热到 45 ℃左右。投油一段时间后检查滤网或滤纸,应无杂质、垃圾。

(2)液压管路安全阀校验:检验时用调节液压系统阀的办法,使压力达到试验大纲规定的起跳压力时,安全阀开启。

(3)锚机空载运转:空载运转应倒、顺车交替连续检查,无漏油、发热及异常敲击声。

(4)效用试验:一般应抛出 5 节锚链(由于码头水深较浅,抛出锚链的长度可按实际情况而定),起锚过程中应进行数次刹车,以检验刹车装置的效用。起锚时,记录起 1 节或 2 节锚链的时间,左、右锚链应分别进行试验,经计算的起锚速度应符合要求。起锚和抛锚时观察锚链通过链轮的情况,应平稳,无跳链现象。锚链收紧到终止位置时,用止链器止链,此时锚应紧贴船体,以确保航行时不会敲击船体。同时,起锚时观察冲水管的冲水效用,应能有效地去除锚链上的污泥。

(5)锚机过载试验:交流电机用自耦变压器模拟电源进行校验;直流电机用直流电焊机通过实际电流进行校验。试验时应做好过载电流的记录。

由于船厂码头水深的限制,抛锚后锚链的悬挂长度有限,因而不能完全显示出锚设备的最大能力和全部缺陷。锚设备的最后检查和验收有待试航时在规定深度的水域内完成。对于在船舶下水时须用抛锚方法制动船舶的情况,锚设备的部分检查与试验工作应提前在船台上完成,试验用的电源可由岸电提供。下水前在艏楼甲板上临时吊装发电机组,为下水后船舶起锚移位提供电源。

6.1.1.5 其他设备试验

除了上述试验以外,还有很多设备、装置和系统的检查与试验。例如航海仪器、居住舱设备、救生设备、起货设备、系泊和拖曳设备、通风装置、关闭装置、声光信号设备、杂用辅机及其系统等的检查与试验。只有当船体各部分及所有机、电设备都做了仔细地检查和试验，并对发现的缺陷修正之后，船舶才具备出航条件。为了节省航行试验的费用和时间，船舶的试验工作应尽可能在系泊试验阶段完成，以便能集中精力完成规定在试航阶段进行的各项试验任务。

6.1.1.6　倾斜试验

1. 倾斜试验目的与原理

在船舶设计阶段，通常是按分配计算方法求取空船的质量和重心位置，它与船舶建成后的实际质量和重心位置往往有一定差异，故在船舶建成后都要进行船舶倾斜试验，以便正确地求得船舶质量和重心位置，因此船舶倾斜试验的目的如下：

(1)确定船舶质量和重心高度，并将试验结果整理成空船状态下的重心位置及初稳性高度；

(2)检验设计阶段计算的船舶质量和重心，为以后设计同类船舶提供参考资料。

按我国船舶检验局的规定，新建船舶完工时，必须进行倾斜试验。同一船厂同批建造的同型船舶，第一艘应进行倾斜试验，以后建造的船舶如有修改或变更而影响稳性时，应重新作倾斜试验。改装或修理后使稳性变动较大的船舶，在完工时应作倾斜试验；对稳性发生怀疑的营运中的船舶也应进行倾斜试验，并编制倾斜试验报告，提交验船师审核。

船舶倾斜试验是采用重物的移动使船舶产生倾斜所形成的力矩平衡原理。当船舶正浮于水线 WL 时，其排水量为 D。若将船上 A 点处的重物 P 横向移动距离 L 至 B 时，则船将产生倾斜角 θ，并浮于新的水线 W_1L_1，如图 6－1 所示。

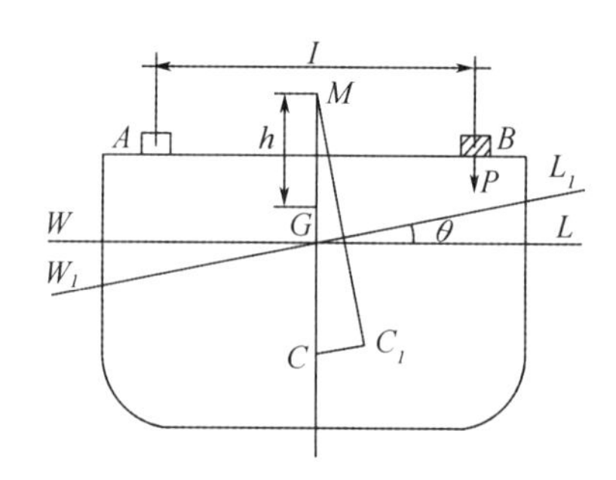

图 6－1　船舶倾斜试验原理

移动质量所形成的横倾力矩为　　$D\tan\theta$

$$M_Q = PL\cos\theta$$

船在横倾 θ 角后回复力矩为

$$M_h = Dh\sin\theta$$

由于船横倾至 θ 角时已处于平衡状态，根据力矩平衡原理，$M_\theta = M_h$，则

$$PL\cos\theta = Dh\sin\theta\text{，或 }\tan\theta = \frac{PL}{Dh}$$

$$\text{所以 } h = \frac{PL}{D\tan\theta}$$

试验状态的重心高度：$Z_g = Z_M - H = (Z_c + r) - h$

式中　$(Z_c + r)$——试验状态横稳心距基线的高度；

D——试验状态的排水量，可根据试验时的吃水由静水力曲线查得。

横倾角 θ 一般用摆锤进行测量，如图 6－2 所示。摆锤用细绳悬挂在船上 O 点，下端装有水平标尺，当船横倾时，可在标尺上读出摆锤的移动距离 k，则船的横倾角为 $\tan\theta=\frac{k}{\lambda}$，式中 λ 为悬挂点 O 至标尺的垂直距离，为了减少测量误差，λ 应尽可能取得大些。通常在船上应设置 2～3 个摆锤，分别装在船的艏部、中部和艉部。这样试验状态的重心高度可求得，然后根据合力矩定理，扣除多余质量和加上完工后不足质量，可计算空船状况的重心高度：

$$Z_{g空}=\frac{D\cdot Z_{g试}\pm\sum P_iZ_i}{D\pm\sum P_i}$$

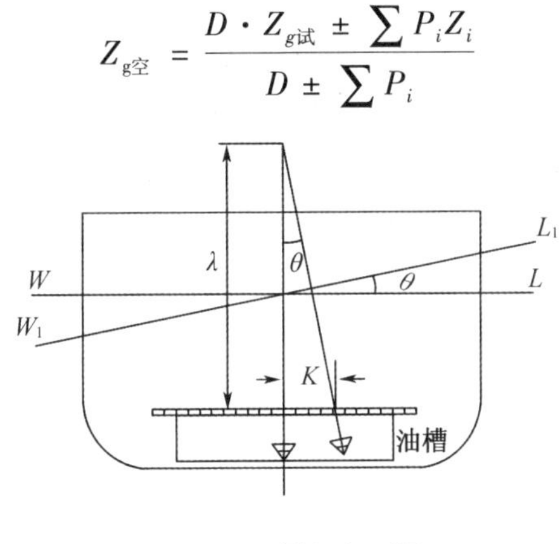

图 6－2 横倾角测量

2. 试验前的具备条件

（1）船舶必须在建造或修理（改装）完工时，才可进行倾斜试验。试验时应为空船状态，且凡属正常航行时应备有的各种设备、仪器及备件等，均应按规定位置安放妥当。对试验用的临时设备和试验移动重量，亦应按预定位置和要求正确放妥。其他不应配备的一切物件，以及垃圾等，均应从船上清除。

（2）船舶如限于条件，难以达到空船状态时，可允许有不包括油水在内的多余质量或不足质量。当排水量为 1 500 t 及以下时，多余或不足质量应不超过空船排水量的 1%；3 000 t 及以上时，应不超过 0.5%；1 500～3 000 t 之间，应不超过 15 t。

对试验用的临时设备和试验移动质量，以及为了做好试验所必需的压载，可不受上述多余质量的限制。

（3）多余或不足质量（包括上述不受限制的质量在内），应编制详细表格，注明物件名称，质量及重心的垂向及纵向位置。

（4）船上一切可能摇动或滚动的装置、设备及物件等，均应加以固定。

（5）所有机械、锅炉、管路及系统内的水或油，应使其处于工作状态，并关好阀门，以防止水、油的流动或流失。通海阀亦应关闭。

（6）对以煤为燃料的船舶，如船上有存煤时，应将其表面整平，以免船舶倾斜时移动，同时需要准确估算其质量和重心。

（7）为了保证倾斜试验结果的准确性，所有水舱及油舱应抽空，对倾斜试验所需同用的水压载及允许存在的个别油舱应灌满，确实无法灌满时，应计算其自由液面的影响。

（8）在水舱及油舱以外的船体内，如存有水及油，必须清除。

（9）船舶在试验开始时如有横倾，横倾角不应超过 1°。

（10）船舶在试验开始前，如纵倾值超过船长的 0.5%，尽量用压载方法调整，以便于计算。

(11)倾斜试验的试验移动质量,尽量分布成移动力矩相等的4组,在船舶中部没有上层建筑的船上,也可以分布成2组,但应分布在船长中部处,如图6-3所示。

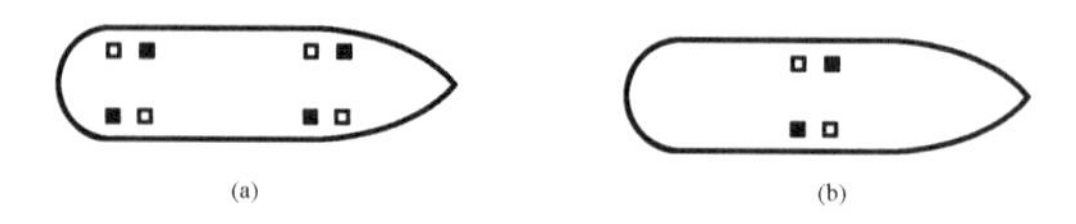

图6-3　试验移动重量布置图

(a)4组分布;(b)2组分布

铸铁块、钢锭或水泥块等外形正规的重物,均可做试验移动质量,其实际质量应按件称重测定并标明于重物上,并取得验船师的认可。试验移动质量的布置及移动距离,均应准确测量,并在船上画出位置。在验船部门的同意下,也可采用其他有效的方法。

(12)试验移动质量和移动距离所产生的力矩,应以倾斜试验状态时估算的初稳心高度下,使船舶产生2°至4°的倾角,对达到以这一力矩有困难并认为可求得足够准确的试验结果的船舶,其倾角可减低至1°。

3.试验环境及气候条件

(1)试验一般在船坞(或浮船坞)内进行,如有困难,应选择在平静且无潮流的水域,周围应没有或很少有来往航行的船舶,以免试验时受潮流或来往船舶的干扰。

(2)船舶四周应有适当的水空间,使船舶在试验中均处于自由浮动的状态,并保证船舶不会碰到船坞、码头、河底或其他船舶。

(3)如由于客观条件限制,只能在有潮流水域进行试验时,应尽量在平潮时期进行,并应特别注意潮流的影响,船首要正对风向或流向,视二者哪个影响较大而定,系船的系缆应尽可能地放长,并系于船首的中线面上。

(4)试验应在平静天气时进行,风力一般不应大于蒲氏2级,如条件确有困难,经验船部门同意可不大于蒲氏3级。

4.试验设备

做倾斜试验一般应准备好下列设备:

(1)试验移动压铁4组或2组;

(2)摆线(φ0.5 mm钢丝)、摆锤、阻尼槽(阻尼液体为油或水)2~3套或连通玻璃管(2根直径10~15 mm、1 m左右的下班管用橡皮管紧套连接)2~3套;

(3)工作艇一艘,并配备内径为50 mm、长为2 m左右的带有刻度标尺的玻璃管一根;

(4)风速仪一只,温度计一只,大于1和小于1的比重计各一只;

(5)对讲机若干只,望远镜,测深量规。

5.试验的进行

进行倾斜试验之前,要经验船师、船东代表和船厂生产、验船部门、设计部门等有关人员共同对船舶做全面检查,确认船舶已符合倾斜试验的条件。

(1)观察测量风向、风速、流速和周围水面情况,确认已符合进行试验的条件。

(2)参加试验的人员应位于规定的位置,记录他们的质量及重心位置,不参加试验的人员应全部离船。

(3)乘坐小艇仔细测量船舶的首、中、尾两舷的吃水,以便准确计算倾斜试验时的排水量。

测量吃水时，在船上人数应与试验时在船上人数完全一样，这一点对小船更应注意。

用带有刻度标尺的玻璃管测量吃水，以使水面波造成的误差减至最小限度。如不用玻璃管测量时，读数应估入水面波的影响。同时，必须测定试验水域的水的比重。

(4)试验移动质量的移动次序，采用 4 组时，如图 6－4 所示，采用 2 组时，如图 6－5 所示。

(5)一切试验工作准备就绪，试验主持人发出“就位”和“松缆”的信号或口令后，参加试验人员应在各自规定位置，放松系缆，待船舶的摆动趋于稳定时，读数观测员应立即进行读数并记入读数记录表内。接着，每移动试验移动质量一次，再进行读数、记录。每次读数、记录往复 5 次的数据。

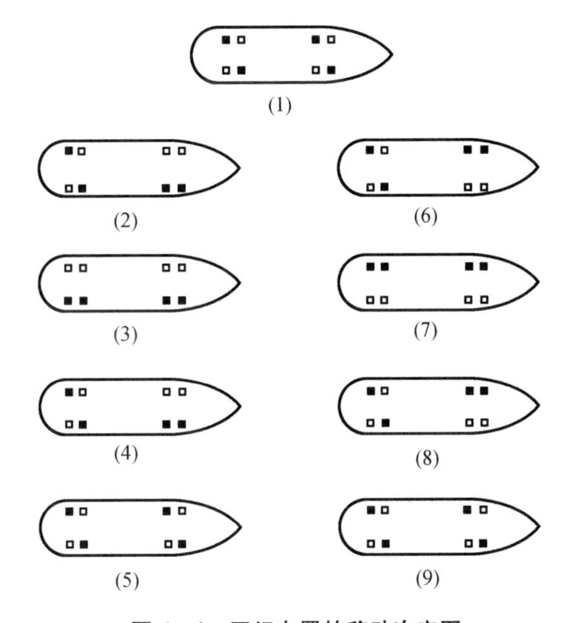

图 6－4　四组布置的移动次序图

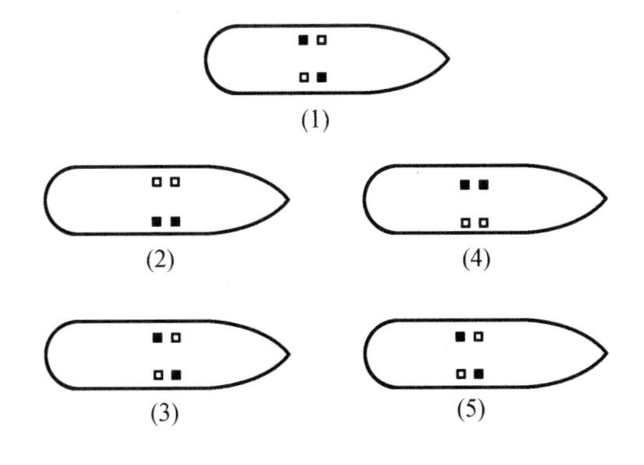

图 6－5　二组布置的移动次序图

(6)试验移动质量的移动位置，应力求精确，要按事前画定的位置和重物堆放状态仔细堆放,还原时应保持移动前的原状。

6. 测量方法及倾斜角计算

倾斜试验测量倾角的方法,一般可以用挂锤法和连通玻璃管法,亦可采用具有足够精度的仪器,或采用一端用水箱、另一端用玻璃管的单连通玻璃管法。

挂锤或连通玻璃管设置的数量,在船上应不少于2个,可以根据船舶的具体情况,分别设置在船舶前后部位的适当位置。

(1)挂锤法

采用挂锤法测量时,挂锤线的长度应尽可能长些,至少不少于2 m。所用钢丝的直径应在0.5 mm左右。锤可浸入水槽或油槽内,以增加阻尼,减小线锤的摆幅。

为了测读倾角读数,在紧靠挂锤线但不相接触的位置,设置一根有厘米(应标有明显数字)和毫米刻度的标尺。该尺在试验过程中不得做任何移动,如图6-6所示。

挂锤线的长度 λ,为自挂锤的挂点至刻度标尺上缘间的垂直距离。船舶倾斜时,记录挂锤线在刻度标尺上往复摆动5次的10个观察值,其试验倾角可按下式求得

$$\tan\theta = \alpha/\lambda$$

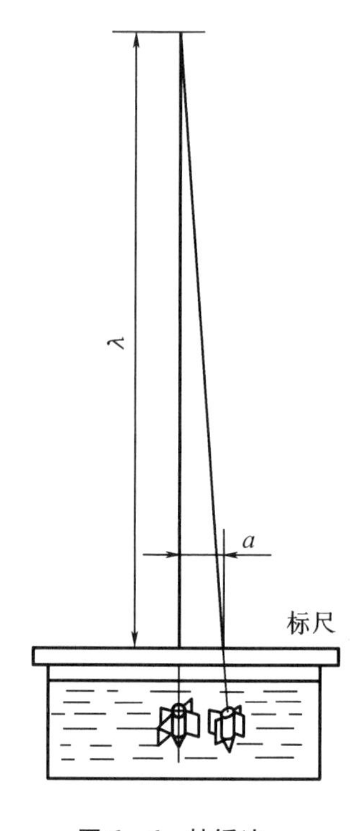

图6-6 挂锤法

(2)连通玻璃管法

采用连通玻璃管测量时,用2根直径10~15 mm,长1 m左右的玻璃管,分别竖向设置在甲板上同一横剖面的两舷,设置高度要便于观察员读数。两玻璃管中间,用橡皮软管紧套连接,连通玻璃管内灌清水或颜色水,水面高度大致装至玻璃管半高处,如图6-7所示。

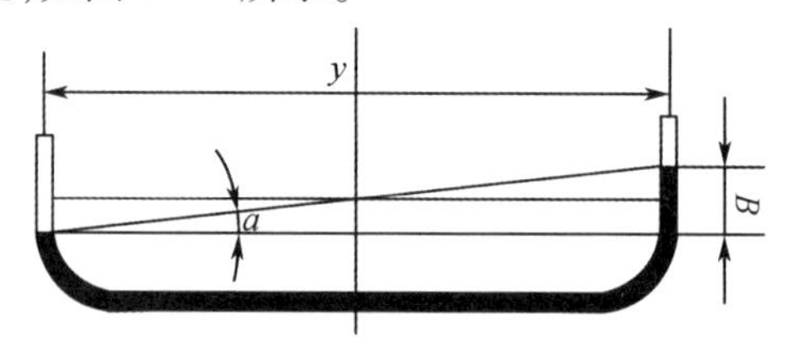

图6-7 连通玻璃管法

如在严寒天气下,水有可能结冰时,可在水中加注酒精。应注意连通管内不得存有气泡。橡皮软管在甲板上放置不要有打圈或极度弯曲,以确保船舶摇摆时不妨碍管内水的自由流动。玻璃管应垂直于船的水线面,其旁边应有同上述要求相同的标尺。精确量出两根玻璃管中心线间的水平距离,即为 λ,两玻璃管内在每一次移动试验质量时的水面升降值之和,即相当于上述挂锤的摆幅值。试验时按上述要求进行记录,其倾角可按下式求得:

$$\tan Q = \alpha/\lambda$$

(3)仪器测量法

采用仪器方法测量时,其仪器须经有关单位和验船部门认可,要能测得足够准确的倾斜角,并能自动记录摆幅和自由摇摆周期。每次倾斜试验前,仪器应校准。

7. 倾斜试验报告

倾斜试验报告一般由船厂的设计部门整理,其内容如下:

(1)船舶倾斜试验报告书;

(2)试验移动质量及测试设备布置表;

(3)移动力矩表;

(4)试验时船上多余物件表;

(5)试验时船上不足物件表;

(6)挂锤读数记录表或连通玻璃管读数记录表;

(7)纵倾水线下排水体积浮心坐标及水线面惯性矩的计算表;

(8)液舱装载及自由液面表;

(9)倾角和初稳性计算表;

(10)空船质量及重心位置计算表;

(11)误差检查图(由验船师、设计部门按需而定);

(12)船舶自由横摇周期观测记录(视倾斜试验大纲中项目需要而定)。

6.1.2 工作任务训练

查阅《海船系泊及航行试验通则》系泊试验章节中门、窗、舱口盖及其他开口关闭装置试验内容,列出该试验中密性试验的试验条件、试验内容与程序,设计试验记录表。

任务6.2 航 行 试 验

6.2.1 相关知识

每艘船舶在建造的最后阶段,都要进行航行试验。航行试验应按规定的大纲进行,或按照有关标准和规范进行,对船舶的航海性能、电气设备、导航设备和机械设备进行试验,验证船舶总体性能和设备的质量是否符合合同、政府法规、法令和国际有关公约、规范和图纸等要求。航行试验的目的是通过试验,对船舶进行最终验收。系泊试验结束后,消除系泊试验中所发现的质量问题,符合验船部门规定的试航条件后,方可进行航行试验。船舶航行试验的项目、内容、方法、程序和试航计划应该会同船东和船级社等有关方面预先商定,并由船厂、船东和船检机构三方代表组成领导小组,负责实施。对于首制船舶,船厂通常还请设计单位参加试航,以便考核设计指标,取得第一手资料,作为今后完善和改进设计的依据。船舶出航前应带足燃料、滑油和淡水,掌握气象预报情况,准备好测试仪器。试验一般在指定的航区内进行。本节将介绍主要的一些航行试验项目。

6.2.1.1 船舶性能试验

船舶性能试验是航行试验中的一项重要内容,它包括航速测定、停船试验、回转试验和初始回转试验、航向稳定性试验、侧向推进器试验、Z 形操纵试验和威廉逊溺水试验等。随着全球定位系统(GPS)技术发展和相关软件的开发,船厂大都采用实时差分定位系统(DGPS)进行船舶性能试验的测量,可全天候测量航速、回转直径、航向稳定性、惯性、停船等项目。DGPS 是在一个已经测定的已知点建立差分基准台,安装 GPS 基准接收机,接收

GPS 卫星的导航信号,经过处理与基准台已知位置进行比较,不断地确定误差修正值,然后通过无线电数据传输,随时把卫星的偏差数据发送到船上 GPS 接收机进行误差修正,这样整套定位系统绝对误差在 5 m 之内。用 DGPS 系统进行实船舶性能测量时可采用配套的专用的船舶性能测量软件。

1. 航速测定

在进行航速测定时,一般要按以下要求进行:

(1)试验时,天气晴和,风力不大于蒲氏 3 级,波浪不大于 2 级;

(2)船体浸水表面和螺旋桨表面应十分光洁,不应有严重的海生物附着;

(3)试验时的排水量应为设计排水量,并处于正浮状态;

(4)试验水域的水深应大于船舶吃水的五倍,水域宽度应满足船舶在额定转速下进行满舵操作。

(5)船舶经回转再进入下一测量航次前,应行驶 3 ~5 n mile 的预备航程,以使测量区水面恢复正常,主机转速重新稳定;

(6)主机转速与规定转速间的误差不应超过 1 ~2 r/min;

测速试验通常以主机处于 25%,50%,75%,90%,100% 和 110% 额定负载情况下进行测试。对于批量建造的姐妹船可只测定 100% 额定负载下的速率,但此时船舶的装载情况和吃水应与首制船一致。常用的航速测定方法有叠标法、电子跟踪仪和差分 GPS 法。差分 GPS 法测试精度较高,越来越多的船厂采用差分 GPS 法进行测速。

2. 回转试验

回转试验的目的是为了求得船舶回转一周的航迹,从而获知船舶回转纵距、横距、外距、漂角、回转周期,见图 6 –8。

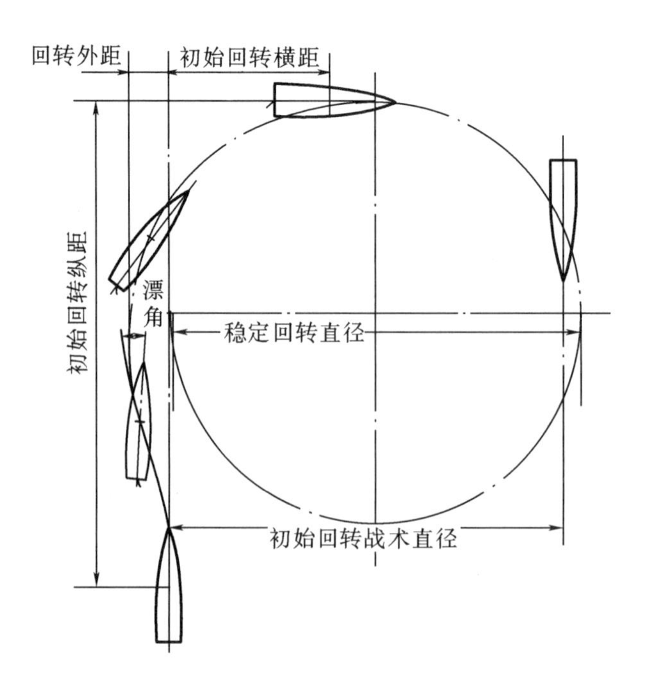

图 6 –8　船舶回转轨迹

回转试验通常以全速(海船)或以主机最大功率的85%的航速(内河船),左、右满舵各回转一周。对于双桨船舶,还应测量一桨正车、一桨倒车满舵回转一周的直径和回转时间。试验时要求天气晴好、风力缓和、水流平稳、水深足够。

回转直径的大小一般都以船长的倍数表示。不同类型的船舶,其回转直径有所不同,但一般为船长的3~7倍。小型导管桨船舶的回转直径往往小于船长的两倍。一般来说,内河船的回转直径小于海船,双桨船小于单桨船。

回转航迹的测定方法有多种。常用的实验方法有抛木块法、角速度法、测距仪及电罗经测定法和差分GPS法,不同的测试方法采用不同的仪表、仪器、和工具,可根据实际情况确定其中一种方法。回转试验记录表可参见表6-12。

表6-12 回转性能试验记录表

船名:__________ 试验日期:______年______月______日

测试区:__________ 海面状况:__________________

水深:____________ 流向及流速:__________________

风力及风向:______ 艏、艉吃水__________________

试验顺序		1	2	3
回转前主机转速/(r/min)	左			
	右			
回转方向及舵角/(°)	左			
	右			
回转时最大横倾角/(°)				
稳定直径 D/m				
回转直径与船长之比				
回转下列角度所需的时间/s	90°			
	180°			
	270°			
	360°			

3. 惯性试验

惯性试验的目的是为了测知行进中船舶在主机停车或转为倒车后,因惯性而滑行的距离(惯性冲程)及滑行时间。这些数据有助于船舶避撞和安全靠岸的操纵。

进行停船试验时,试验海区应有足够的助航距离和回旋余地,选择风力不超过蒲氏4级、海浪不超过2级、潮流平稳的气候条件下进行。油船应在满载状态,其他船可处于压载状态。

惯性试验可分为四种:全速正车→停车;半速正车→停车;全速正车→全速倒车;半速正车→全速倒车。对于前两种试验,测定从停车令发出至船舶停止前进时的惯性冲程及滑行时间;对于后两种试验,则测定从倒车令发出至船舶反向转折点(船舶由前进到后退时的停止点)时的惯性冲程和滑行时间。一般情况下,全速正车转为停车的惯性冲程约为5~7

倍船长,而全速正车转为全速倒车的惯性冲程约为 4 ~5 倍船长。

试验中,应保持舵角为零,但要测定船舶滑行后的船首偏转角度。惯性试验应在顺、逆流情况下各做一次。

惯性试验的测定方法一般有抛木块法、计程仪及平台罗经测定法和差分 GPS 法,试验时可任意选用其中之一,差分 GPS 法应用较广泛。惯性试验记录表可参见表 6 - 13。

表 6 - 13　惯性试验记录表

船名:__________　　试验日期:_______年_______月_______日

测试区:__________　　海面状况:______________________

水深:__________　　流向及流速:______________________

风力及风向:_______　　艏、艉吃水______________________

主机运转状况 /(r/min)	主机转速 /(r/min)		试验前船艏方位	船停时船艏方位	用计程仪测定			滑行距离为船长的倍数
	左	右			停车令发出时读 S_1	计程仪停止时读数 S_2	惯性冲程 $S=S_2-S_1$	
半速正车→停车								
全速正车→停车								
半速正车→全速倒车								
全速正车→全速倒车								

4. 其他操纵性试验

除上述试验外,船舶操纵性试验还包括 Z 形操纵试验、威廉逊溺水救生试验和航向稳定性试验。通过 Z 形操纵试验可以测定船舶对舵的响应特性,威廉逊溺水救生试验是一种验证海上救生方法的船舶操纵性试验。航向稳定性试验是评价船舶在航行中保持所期望的航向稳定的程度。

6.2.1.2　主机航行试验

主机和轴系是船舶动力装置中主要的设备。主机航行试验的目的是在船舶处于航行状态下全面地检查主机以及直接为主机服务的各种辅机、系统的安装质量、运行稳定性和工作可靠性,并测知主机实际发出的功率和滑油、燃油的消耗率。主机航行试验包括平衡试验、负荷试验和性能试验三个方面。

1. 主机平衡试验

主机平衡试验就是对主机各缸进行调整,使各缸发出的功率接近相等。平衡试验是在主机全负荷的工况下进行的。主机经过半小时左右的运转后停车,在停车前将各缸的热工参数记录下来,并与原设计参数进行对照。如各缸的热工参数相差较大,则必须进行调整。经过调整,使主机各缸基本上达到平衡。

2. 主机负荷试验

主机负荷试验的目的是考验主机持续运转的可靠性,确保船舶投入运行后有较好的续航能力。主机负荷试验根据被测试主机单台额定功率分几种工况依次进行。对有条件测量主机的功率或扭矩者,按功率或扭矩各工况进行试验;若条件不具备,可以按转速各工况进行试验。

3. 主机性能试验

主机性能试验主要包括操纵性能和使用性能两个方面。操纵性能试验有启动、换向、调速和限速等试验内容。使用性能试验有最低稳定转速、临界转速等试验内容。

(1)主机启动试验:主机启动试验在冷态下进行。启动方式分压缩空气启动和电起动两种。试验前,压缩空气瓶压力应达到额定工作压力(或电池具有足够的容量)。按规定,在中途不充气(或电池不充电)的情况下,启动次数应不少于12次,并且正车启动与倒车启动要交叉进行。对于不可换向的柴油机,启动次数可以减半。启动时间的测定从开始操作到柴油机运转为止。

(2)换向试验:主机换向试验在热态下进行。试验时,用换向机构操纵的换向次数不少于10次,用手动操纵的换向次数不少于3次。换向时间为在最低稳定转速下,从操纵开始到主机在相反方向运转为止。换向时间一般不超过15 s。

(3)最低稳定转速试验:最低稳定转速就是船舶主机能稳定运转的最低转速。一般低速机、中速机和高速机的最低稳定转速应分别不高于额定转速的30%、40%和45%。最低稳定转速的维持时间应不少于15 s。

(4)临界转速试验:主机临界转速就是使船体产生共振的主机转速。测定方法是从低速起每次以5 r/min的增量逐渐提高,或从全速起以同样的增量逐渐降低,反复几次,用共振仪或凭人的感觉确定主机的临界转速。

航行试验结束后,主机还必须进行拆检。通常至少要拆检1~2个汽缸,对缸套、活塞、轴承等零、部件进行检查,如有损坏应及时调换和修复。当主机拆检装复后,还需要在码头上进行2~3 h全负荷试验。

主机航行试验工况和时间可参见表6-14,换向试验记录表可参见表6-15,主机最低稳定转速试验表可参见表6-16。

表6-14 主机航行试验工况及时间

工况	转速百分比/%	试验时间/h
1	70	0.5
2	87	0.5
3	常用功率的转速	2
4	100	4
5	103.2	0.5
6	倒车	10 min

表6-15 主机换向试验记录表 单位:s

状态\试验次数	1	2	3	4	5	6
正车→倒车						
倒车→正车						

表 6－16　主机最低稳定转速试验记录表

负荷指示 /%	操纵手柄油门刻度	转速调定空气压力 /MPa	增压器转速/(r/min)		最低稳定转速 /(r/min)
			No. 1	No. 2	

6.2.1.3　操舵试验

操舵试验的目的是为了评价舵操纵的轻便性、灵活性和工作的可靠性，为驾船人员提供驾驶船舶航行、回转、入港和启航时所需的操纵依据。试验包括主用操舵装置和备用操舵装置两项。

1. 主用操舵装置的操舵试验

船舶尽可能处于设计吃水和设计航速的工况下进行，试验海区应有足够的回旋余地，海浪不大于 3 级，并有足够的水深。试验的程序如下：

(1)正舵 0°→右满舵 35°，保持 10 s；

(2)右满舵 35°→左满舵 35°，保持 10 s；

(3)左满舵 35°→右满舵 35°，保持 10 s；

(4)右满舵 35°→正舵 0°，保持 10 s；

(5)正舵 0°→左满舵 35°，保持 10 s；

(6)左满舵 35°→正舵 0°。

还应测定舵角由一舷 35°至另一舷 30°所需操舵时间。对于海船，操舵时间一般不超过 28 s；对于内河船航行于急流航段，操舵时间不应超过 15 s，对于其他航段则不应大于 20 s。

航行于急流航段的船舶，为了评价船舶对舵的响应程度，应作 Z 形操舵试验。试验以全速正车完成下列操舵：

(1)正舵 0°→右舵 15°，保持舵位直到船舶航向从原有航向向右偏 15°；

(2)右舵 15°→左舵 15°，保持舵位直到船舶航向从原有舵向向左偏 15°；

(3)左舵 15°→右舵 15°，保持舵位直到船舶航向从原有舵向向右偏 15°；

(4)右舵 15°→左舵 15°，保持舵位直到原有航向恢复，即回至正舵。

若确因航道限制，操舵角度可适当降低。

试验中，应测定舵开始转动至停止的操舵时间和舵保持在舵位至改变船的航向到规定值为止的时间。Z 形操舵试验应不少于 30 min。试验中要记录舵角、航向、侧向位移等随时间变化的数据，以便绘图表示。

2. 备用操舵装置的操舵试验

在系泊试验的舵试验基础上，船舶以半速或不少于 7 kn 的速度进行备用操舵装置的操舵试验。其试验程序与主用操舵装置的操舵试验一样，所不同的是左、右舵角只控制在 15°(而不是满度 35°)。试验中，应测定舵从一舷 15°至另一舷 15°操舵时间和舵轮手柄力。一般情况下，海船操舵时间应不大于 60 s，内河船则应不大于 40 s；舵轮手柄总力应不大于 294 N。

操舵航行试验记录表可参见表 6－17。

表 6-17 操舵航行试验记录表

船名__________舵机型号__________试验地点__________试验日期__________
水深__________风力__________ 风向__________ 浪高__________

项目			测试数据					
正车或倒车								
主机转速/(r/min)		左						
		右						
船舶航速/kn								
操舵方式								
操舵顺序			1	2	3	4	5	6
操舵角度/(°)								
操舵时间/s								
船舶横倾角/(°)		最大						
		稳定						
液压舵机参数测量值	油压/MPa	液压缸						
		安全阀						
	电动机参数值	工作电流/A						
		最大电流/A						
		电压/V						
		转速/(r/min)						

结论:

6.2.1.4 抛锚试验

锚设备在系泊试验时已做了初步试验。在航行试验阶段,作抛锚、起锚试验时,试验海区水深应不小于 50 m,且海底土质较好。

抛锚试验内容有两项,单抛单起(左、右锚轮换)和双抛双起。试验时,先作机械抛锚,再作自由抛锚。单抛单起时分别进行左(右)锚的单抛、单起试验,起锚的速度应不小于 9 m/min。双抛锚时,应先后将锚分别抛落入土,然后同时放链;双起锚时,应先后将锚自泥土中一一拔出,然后同时将锚铰起。双锚双起时,要防止左、右锚链绞在一起。试验时,应测定锚单起、双起的速度及锚机原动机的工作参数。试验中还要测定锚机的刹车性能,在抛锚和起锚过程中还应观察运动机构的运转情况等。抛锚入土后,掣链器将锚掣牢,用慢行倒车将锚链拉紧,检查掣链器强度、掣链作用和甲板的局部强度。此外,还应检查在航行中掣链器的掣链情况和船舶在风浪中的锚在锚孔中的稳定情况。

试验结束后,汇总测量数据,出具测量记录,见表 6-18。

表 6 - 18 抛锚试验记录表

船名:____________ 试验日期:________年________月________日

试验海区:____________ 海面状况:____________________

水深:______________ 流速:____________________

试验工况	电动锚机					液压锚机		
	电压/V	电流/A			热态绝缘电阻/MΩ	转速/(r/min)		压力/MPa
		起动	工作	破土		正常起锚时	锚破土时	
左锚								
右锚								

6.2.1.5 主要助航设备的试验

1. 磁罗经

磁罗经是利用地球磁场的作用来正确地指示方向。罗经本体由一组小磁棒构成罗盘，可在水平面内转动。当四周无附加磁场时，罗经可正确地指向北极，但装在钢质船上时，因受附加磁场作用，罗经便不再指正北极而指向另一方向，这个偏差称为罗经自差，不消除自差，磁罗经便不能用。

根据自差理论，在东、南、西、北、东南、东北、西南、西北八个方向上自差最大，也最易消除。消除这八个方向的自差后，可以计算出任何方向的剩余自差，最后画出一根剩余自差曲线供航行时使用。消除方法是利用岸标或太阳等已知方位，先测得罗经在该方向的自差，然后用磁棒和软铁块消除。同样，其他方向的自差也可逐一消除。因为要用同一岸标，所以消除自差应该在航行试验中进行。

在船上，一般设有两台磁罗经：位于罗经甲板上的标准罗经和装于驾驶室的操舵罗经。前者可用上述方法消除自差（按规定，剩余自差不应超过 ±5°）；后者只能根据标准罗经进行校对，故误差较大。

2. 电罗经

电罗经指北的原理是利用力学中的陀螺原理。陀螺对宇宙有指向性，电罗经就是利用它的指向性来指向北极。因其不受船磁和地磁的影响，故准确性高。但由于制造中的误差和在船上的安装偏差，会使电罗经的航向指示与船体纵中剖面存在一固定的偏差角。这一偏差角虽然是固定的，但要在试航时测定出来，然后利用移动电罗经的主罗经基座的方法将其减小到允许的范围内。另外，电罗经既然是利用力学原理，那么，船舶转向、加速或减速对罗经将产生附加力的作用，从而产生偏差。故试航时应测定这种机动误差，测定时，将船舶作几个大转向，测定电罗经的指向性并得出偏差大小。这一偏差不能消除，测出后记下来供航行时参考。

电罗经虽然精度高，但易损坏，而且价格昂贵，航行时以电罗经为主，磁罗经作备用或参考。

3. 计程仪

计程仪是测定船舶航速和记录航程的仪器。其种类很多，但基本原理都相同，即根据水压与船速的平方成正比这一关系，通过测定水压来测定航速和航程。

航行试验时应测定计程仪的误差并消除误差。其方法是在前述的速率试验（叠标法测速)的同时用计程仪测速,以叠标法测得的航速为准与计程仪的测量结果相比较,便知计程仪的误差。若误差较大,则对仪器校正后再试验,一直调整到允许值为止。

4. 测深仪

测深仪是测定船舶所在位置水深的一种仪器。航行试验时应测定其指示水深的准确性。检测方法是当船舶停泊时,以水拓(测定水深的重锤)测量的水深为准,与测深仪指示的值进行比较。若误差过大,可对测深仪进行调整,直至误差达到允许值为止。

6.2.1.6 船舶自动化系统试验

船舶自动化目前主要是指船舶动力方面的控制程度。一般分为无人值班机舱、一人值班机舱、集控机舱和驾驶室遥控机舱。随着自动化技术的发展,自动控制功能越来越高,各种类型计算机被广泛应用到各个控制系统中,使机舱逐步实现“无人管理”。不同等级的自动化船舶的控制内容一般包括以下几种:

(1)主机及辅机集中监控装置和遥控装置;

(2)燃油、滑油冷却水的自动温度控制和液位监控;

(3)船舶电站自动控制系统;

(4)自动记录机器运转参数的各种装置。

1. 机舱集控台检测报警点试验

检测报警点是自动化系统的重要组成部分,能对被监控的机、电设备及其安全和控制系统运行的工况进行检测,对所出现的故障发出声光报警,机舱集控台检测报警点试验主要包括对报警系统进行的试验、对温度测量点的试验、对液位报警的检验及工况检测报警点的检验。在进行集控台检测报警点检验时,应该注意检测元件动作参数的准确数值,安装在设备上的位置和报警状态。

2. 自动电站试验

当船舶电站称为自动电站时一般要求:能够随时迅速地自动启动发电机组并自动投入电网运行,能自动准同步并车和进行功率分配,能自动地识别和调整负载的均衡和分配;必要时启动备用机组投入电网;瞬态条件反应所产生的大电流信号不应使发电机组产生不必要的自动启动;具有能自动卸载、程序启动等一系列保护发电机组的措施;故障断电后又恢复供电时能自动合闸。自动电站试验主要包括自动电站报警试验、发电机自动启动状况的检验、正在运行中的发电机组自动解列的试验、大功率询问试验、运行机组自动并联运行试验、自动分级卸载和分级起动的试验。

3. 泵的自动转换试验

无人值班机舱的船舶的主机和发电机一般都备有双套的辅泵,以保证设备能够连续正常工作。其中,一台作为主用泵,一台作为备用泵,当主用泵在运转中发生故障时,备用泵应该能够自动投入运行,以保证主机或发电机的正常工作。

4. 主机遥控试验

主机遥控就是驾驶员能在驾驶室控制站进行主机操纵控制和监视。对于无人值班机舱和一人值班机舱的船舶,以及驾驶室安装有机舱遥控系统的船舶,其主机均具有在驾驶室控制站进行远距离控制的功能。

主机遥控试验主要有机舱集控室控制站和驾驶室控制站主机操纵位置的转换试验、驾驶室控制站中主机备用传令钟的效用试验、在驾驶室控制站操纵主机试验、主机遥控操作报警试验、在驾驶室控制台检查限制功能试验等。

5. 机舱自动化试验

机舱自动化试验又称无人机舱试验,无人机舱是船舶自动化程度的一种标志。机舱自动化有以下几种形式:

(1)AUT-0　推进装置由驾驶室控制站遥控,包括机舱集控室控制站周期无人值班。

(2)AUT-1　推进装置由驾驶室控制站遥控,机舱集控室控制站有一人值班,对机电设备进行监控。

(3)BRC　推进装置由驾驶室控制站遥控,机器处所有人值班对机电设备进行监控。

(4)MCC　机舱集控室控制站有人值班,对机电设备进行监控。

无人机舱试验,是船舶进行海上航行试验的最后一个内容,一般都安排在全船主机系统设备试验结束后进行。在进行无人机舱试验时,须考核范围比较广,考核的设备也很多。在无人值班航行试验中,自动化系统应该保证主机及为主机服务的重要辅机能够连续正常地运行。保证其他机电设备,如可变螺距桨、空气压缩机、燃油、柴油、滑油分油机、侧推器、舱底水系统、报警系统等能够连续正常地运行。进行无人机舱试验时,要根据航行实验大纲的要求、有关标准和规范进行试验。试验时,除船东、验船师和船厂检验人员在场外,其他人员一律撤出机舱。将控制部位转到驾驶室遥控后,开始 4 h 或 6 h 的无人机舱试验。在试验中要注意对报警系统的考核。

6.2.1.7　其他试验

对于某些船舶,根据船东和建造规范的要求还应作其他的试验。例如,对于沿海交通艇的首制船作适航性试验,以考验其抗风浪能力;各类拖船要求作动力拖载试验,测定其拖力、拖速、拖曳效率等;货船还常作重载试验,以考验起货设备等相关功能。

6.2.2　工作任务训练

查阅《海船系泊及航行试验通则》航行试验章节中威廉逊试验内容,列出该试验的试验条件、试验内容与程序,设计试验记录表。

【项目习题】

1. 系泊试验的目的是什么?
2. 航行试验的目的是什么?
3. 倾斜试验的原理是什么?
4. 倾斜试验时,船舶倾角如何测量与计算?
5. 系泊试验有哪些主要项目?每项试验的基本步骤是什么?
6. 航行试验有哪些主要项目?每项试验的基本步骤是什么?

参 考 文 献

[1]中国国家标准化管理委员会. 中国造船质量标准 GB/T 34000—2016[S]. 北京:中国标准出版社,2016.

[2]中国船级社. 钢质海船入级规范:第一分册[S]. 北京:人民交通出版社,2018.

[3]中国船级社. 材料与焊接规范[S]. 北京:人民交通出版社,2018.

[4]陆俊岫. 船舶建造质量检验[M]. 哈尔滨:哈尔滨工程大学出版社,1996.

[5]杨和庭. 船舶机械检验[M]. 北京:人民交通出版社,1999.